W9-DIZ-174

11/23
STRAND PRICE
$ 5.00

Un neuf décembre de l'an 1997

LA ROUTE DU BLUES

Très chère Jana,

Il est bien évident que cet ouvrage bien que volumineux et passionnant reste ridicule et modeste en comparaison de ce que tu m'apportes...

bien affectueusement

j grec a des idées !

Sweet Kiss

DAVID AUSSEIL ET CHARLES-HENRY CONTAMINE

LA ROUTE DU BLUES

PHOTOGRAPHIES DE DENIS CHAPOULLIÉ

PRÉFACE DE AHMET ERTEGUN

ÉDITIONS D'ART J.P. BARTHÉLÉMY

AHMET
ERTEGUN

Le Sud a toujours été un monde à part. La première fois que j'y suis descendu, avec un de mes associés, nous ramenions la voiture de l'une de mes amies à Dallas, à travers le *Deep South*, après la Seconde Guerre mondiale. Nous voulions rencontrer les programmateurs des radios afin d'assurer une meilleure diffusion des disques d'Atlantic, et cherchions aussi de nouveaux artistes. La plupart des stations passaient de la variété de piètre qualité. On entendait parfois Nat Cole, mais très peu de blues, sauf dans des émissions spécialisées comme celle qu'animait B.B. King à Memphis.

Les bluesmen du Mississippi sont montés à Chicago. Ils avaient fui le Sud comme on s'évade d'une prison. Il n'était pas dans les habitudes d'appeler les Noirs *"Mister"* là-bas. Quand nous avons enregistré Ray Charles et Big Joe Turner à La Nouvelle-Orléans, je me suis installé dans un hôtel du quartier noir parce que les taxis ne pouvaient pas circuler entre les deux parties de la ville. C'était contraire à la loi. Il fallait nous cacher pour passer de l'une à l'autre, sans quoi le chauffeur aurait eu de sérieux problèmes avec la police. Quelques années plus tôt, j'avais été arrêté alors que j'étais étudiant près de Baltimore, dans le Maryland, au commencement du Sud. Je m'étais rendu en compagnie de deux amis dans un club noir où se produisait l'orchestre du saxophoniste Louis Jordan. Des policiers sont entrés et nous ont remarqués. Comme ils voulaient nous conduire au poste, j'ai aussitôt demandé quelle loi nous avions enfreinte. La réponse fut brève : "Celle de Jim Crow." "Où peut-on la lire ?" me suis-je enquis. "Elle n'est pas écrite, mais vous savez très bien de quoi je parle" m'a répondu le policier.

En 1941 j'habitais Washington, où mon père occupait le poste d'ambassadeur de Turquie. Les choses n'étaient pas plus faciles : Nesuhi et moi organisions l'un des premiers concerts de jazz dans la capitale avec Big Joe Turner, Pete Johnson et des musiciens blancs et noirs dirigés par Sidney Bechet. La soirée s'était déroulée au centre culturel juif parce qu'aucune autre salle n'avait accepté d'accueillir notre initiative. Ulcérés par ce concert, des sénateurs du Sud avaient écrit à mon père : "Votre Excellence ignore sans doute que dans notre pays les Noirs n'entrent pas dans les maisons par la porte de devant mais par l'entrée de service." Pendant ce temps, les États-Unis combattaient les nazis en Europe !

La société américaine a tardé à remettre en cause cet ostracisme, laissant ainsi s'affirmer des convictions difficiles à ébranler. Les parents apprenaient à leurs enfants que les Noirs étaient différents mais très heureux comme cela. Eux-mêmes, jusqu'à un certain point, se contentaient de leur sort. Bref, le pays entier se satisfaisait de cette injustice avant que le sport ne la remette en cause. Dans les disciplines comme la boxe où ils avaient l'autorisation de concurrencer les Blancs, les Noirs ont rapidement brillé : Jack Johnson est devenu champion du monde en 1908, puis il y eut Joe Louis et les autres. Aujourd'hui, on imagine mal le base-ball, le basket ou le football, et plus généralement tout le sport américain privé de ses athlètes de couleur.

La musique aussi a joué un rôle majeur, en leur permettant de sortir de la quarantaine séculaire dans laquelle le pays les maintenait. Les concerts *From spiritual to swing*, organisés au *Carnegie Hall* de New York avant la guerre par John Hammond, ont porté à la connaissance des élites le patrimoine musical des artistes du Mississippi ou du Texas alors que l'Europe, et particulièrement la France, s'intéressaient depuis longtemps au jazz. Peu de bluesmen avaient cependant conscience d'être des artistes. Ils évaluaient leur talent musical à l'aune de l'argent qu'ils en tiraient et désiraient simplement gagner leur vie. Je me souviens que Ravel était emballé lorsqu'il a entendu le clarinettiste Jimmy Noone à Chicago au début des années trente. Il lui a répété son admiration à plusieurs reprises, mais ça n'a rien changé au fait que Jimmy Noone jouait chaque soir pour cinq dollars dans un bar pouilleux du *South side*.

Le blues est apparu au sein d'un peuple d'esclaves. Il vient des champs du Sud, où les cris africains se sont transformés au contact d'une langue et d'une culture nouvelles. Avec des instruments européens comme l'harmonica, la guitare, le piano ou la trompette, ils ont créé une musique particulière, habitée par des langages secrets et mue par un rythme extraordinaire, bien plus fort que ceux venus d'Europe. A l'église, ils interprétaient les hymnes chrétiens à leur façon : le gospel. Les deux genres sont très proches, ce sont des chansons d'amour, pour le bon Dieu ou pour sa petite amie. Le jazz a prospéré au début du siècle, quand les musiciens de La Nouvelle-Orléans ont commencé à jouer avec les *blue notes*, qui n'avaient plus de secrets pour les guitaristes du Mississippi. Sans cette base commune et ce supplément d'humanité, Charlie Parker n'aurait jamais exécuté ses meilleurs solos. Même s'il évoque pour les jeunes Noirs des mémoires trop amères pour vraiment l'apprécier, le blues est encore présent dans la soul ou le rap. L'héritage est trop important pour disparaître un jour : une musique qui s'adresse directement à l'âme ne peut pas mourir.

La Seconde Guerre mondiale a ouvert de nouveaux débouchés à l'industrie musicale : les Noirs récemment arrivés dans le Nord travaillaient dur, recevaient une paye adéquate et pouvaient dépenser leur argent. Or les grandes maisons de disques avaient réduit leur production et ne commercialisaient plus que des grandes stars pop. Elles avaient délaissé la musique noire ; *Body and Soul*, un hit du saxophoniste Coleman Hawkins marchait très fort dans les clubs de Harlem sans qu'on puisse en trouver un seul exemplaire dans les magasins de disques. L'un d'entre eux, le *Rainbow Music Shop* situé en face de l'*Apollo Theater*, a donc lancé sa propre compagnie pour refaire cette chanson, sous un titre différent *Rainbow Mist* qui s'est vendu à des dizaines de milliers d'exemplaires. Des centaines de marques indépendantes sont aussitôt apparues, prêtes à satisfaire la demande. Les labels de Chicago avaient sous la main les meilleurs musiciens du Delta, Sunnyland Slim, Muddy Waters et les autres pendant qu'à New York, on faisait du jazz avec Charlie Parker, Dizzie Gillespie ou Stan Getz. Le blues n'était pas à la mode à Harlem. Il n'était plus assez sophistiqué pour l'époque.

J'ai fondé Atlantic en 1947, quand de nombreux propriétaires de labels produisaient des disques sans savoir ce qu'ils faisaient. La plupart étaient de vulgaires marchands qui ne connaissaient rien à la musique, pas même la différence entre le blues, le boogie-woogie ou le swing. Même s'ils jouèrent par la suite un grand rôle dans le développement du blues moderne, les frères Chess étaient de ceux-là, à la seule différence qu'ils avaient la chance d'habiter Chicago, dans le quartier des boîtes de nuit où proliféraient des musiciens prêts à jouer pour une bouchée de pain.

Si le blues est aujourd'hui une musique universelle qui transcende frontières et générations, il le doit en partie à la puissance économique américaine. Avec la radio, le disque et la télévision, les États-Unis ont inventé la diffusion massive de l'art. Les musiques espagnoles, russes ou hongroises sont très belles mais n'ont pas bénéficié du soutien du cinéma pour s'imposer comme le blues et le jazz. Sans doute les films américains n'étaient-ils pas les plus raffinés mais la puissance d'Hollywood leur ouvrait des perspectives mondiales. Les productions françaises, allemandes ou russes ne pouvaient pas lutter face à ces grandes compagnies. L'Amérique ne se contentait pas de vendre des voitures ou des biens de consommation, elle exportait aussi des éléments de sa culture, Mickey Mouse, Clark Gable ou Louis Armstrong. A partir des années cinquante, le rock'n'roll a amplifié l'influence musicale des États-Unis et permis au blues d'étendre son ascendant sur le monde. Depuis Elvis Presley et les Rolling Stones, les musiciens de rock y puisent leur inspiration. Davantage qu'un ressort dramatique, c'est l'âme de leur musique. Son empreinte est indélébile: il n'est pas nécessaire d'être aussi célèbre qu'Eric Clapton ou Angus Young pour bien jouer le blues. A Bodrum, en Turquie, un soir que je me promenais dans la rue, j'entendis un morceau de Muddy Waters à travers la fenêtre ouverte d'un café. Le bar débordait de monde. Des hommes âgés discutaient autour de petites tables. Les plus jeunes s'étaient rassemblés au fond de la salle, fascinés par un guitariste turc anonyme et génial. Il y avait dans sa musique autant de cœur que dans celle des gens du Delta.

C'est bien là l'essentiel.

CHICAGO

LE DELTA

LA NOUVELLE-ORLÉANS

La route du blues est à contre-courant de la route des Blancs, celle qui a conduit des générations de pionniers sur la piste mythique du Far West. La route du blues, elle, c'est la route des Noirs et de leur migration, du Sud des plantations au Nord industriel.

Dès le début du XXe siècle et par vagues successives, les descendants des esclaves ont remonté le cours du Mississippi pour aller s'employer dans les grandes villes du Nord. De La Nouvelle-Orléans à Chicago, la route du blues est à l'Amérique noire ce que la conquête de l'Ouest est aux Blancs, de New York à San Francisco. Ce livre est un voyage sur la trace des migrants noirs et de leur musique. Car pour comprendre le blues, il faut aller y voir.

Y aller pour arpenter la grande gouttière du Mississippi et saisir la diversité de la musique noire, des studios de KFFA à ceux de Chess.

Y aller pour toucher du doigt combien chaque étape possède son blues, marqué par un musicien de génie, une station de radio ou une maison de disques. Il y a bien sûr le blues rural des plantations, celui des champs de coton et de leurs *crossroads*, mais on verra au cœur du Delta que Clarksdale n'est pas Greenville et qu'Indianola n'est pas Helena. Plus on remonte et plus le blues devient urbain et électrique, mais celui de Memphis n'est pas celui de Saint Louis. Il suffit parfois de traverser un pont pour découvrir un son différent, de l'autre côté du fleuve.

Y aller pour tenter enfin, autant que faire se peut, d'échapper à la légende d'une musique maudite et au cliché d'une Amérique noire où l'esclavage aurait fait place à la misère et à la ségrégation plus ou moins larvée. Non qu'il s'agisse ici de balayer les clichés ou de briser les légendes.

De ce voyage, on revient en effet conforté dans l'idée que le blues est la musique des marginaux d'un peuple dominé, celle des mauvais garçons dont le parcours s'achève souvent violemment ou celle d'artistes précaires presque toujours spoliés. Mais en faisant parler les musiciens, on découvre aussi les aspects moins dramatiques d'une vie où prévalent la fraternité et le goût de l'aventure.

Emprunter *La Route du blues*, c'est refaire pas à pas le parcours de Robert Johnson, de Muddy Waters ou de B.B. King, dont la musique s'est progressivement confrontée à celle des Blancs. Et l'aboutissement du voyage est le point où leurs routes se mêlent. Chicago est le dernier *crossroads*, d'où le blues fera le tour du monde.

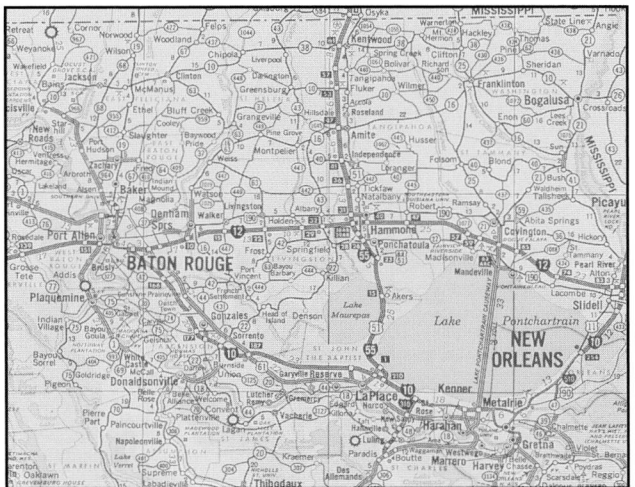

LOUISIANA BLUES

C'est un tapis ovale posé en pleine agglomération entre les derniers lacets du Mississippi et les rives du lac Pontchartrain. La pelouse du champ de courses de La Nouvelle-Orléans accueille tous les ans depuis 1969 le Jazz and Heritage Festival. Après le mardi gras qui marque la fin de l'hiver, le Jazz Fest met la ville en ébullition. Au printemps, des centaines de milliers d'amateurs convergent à La Nouvelle-Orléans pour assister à une rafale de concerts. Chaque scène offre une expérience musicale nouvelle. Une semaine durant, le gotha du jazz, du blues et de toutes les musiques défile dans l'hippodrome, sous le couvercle épais et gris des après-midi de Louisiane. Sa dernière édition a réuni B.B. King, Aretha Franklin, Little Richard, The Band, Robert Cray, Buddy Guy, Wynton Marsalis, Randy Newman, the Allman Brothers Band, Doctor John, Taj Mahal, Earl King, Etta James et Ry Cooder. Les musiques cajun, gospel y sont représentées, avec le zydeco ou le rythm'n'blues. Le show est permanent. C'est l'occasion de se mettre en tee-shirt, de dégoupiller les cannettes et de se faufiler d'un podium à l'autre.

Les connaisseurs reviennent chaque année faire le plein de frissons sous la tente de gospel ou autour d'un trompettiste de jazz totalement inconnu. Mais le gros de la troupe a pris un vol de New York, de Washington ou de San Francisco pour venir s'enivrer des rythmes délicieusement excentriques du Vieux Sud. Une pancarte 'New Orleans, Home of the Blues' trône devant l'aéroport pour leur mettre l'eau à la bouche. Ils gagnent l'hippodrome, en plein quartier noir, là où une toute petite bourgeoisie s'en sort tant bien que mal en tirant le diable par la queue. Devant l'affluence croissante aux éditions du Jazz Fest et le manque de places de parking, ses habitants proposent aux derniers arrivés de se garer dans leur jardin moyennant quelques dollars. Depuis deux ans, Santiago se livre à cette activité aimable et lucrative. Il se définit comme un bluesman, bien qu'il n'ait jamais touché d'instrument de musique. A peine un peu de tambour, dans la fanfare d'un lycée où il n'a pas fait de vieux os. Il s'éclipse pour aller se ravitailler en boisson tant l'air est lourd, réapparaît au volant de sa vieille Ford Maverick bleu azur, un pack de bières glacées à la main, en offre une au voisin d'en face, subrepticement sorti prendre des nouvelles, puis grimpe d'un bond les quelques marches de sa maison pour en donner une autre à sa sœur qui se tient debout sur le porche dans une petite robe d'été suggestive. "Bobby 'Blue' Bland, B.B. King, tout ça c'est ma jeunesse ! Je passe mon temps à les écouter, encore aujourd'hui." Il se retourne pour fouiller dans la boîte à gants de la voiture et branche la radio. Santiago explique : "Un bluesman chante les faits de sa vie, ses émotions, ses histoires de femmes, ce qui n'est pas forcément triste, d'ailleurs." Il cite approximativement un standard '*Je t'ai donné six enfants, et maintenant tu veux me les rendre ?*' "Ça c'est du concret !"
Il chante sur *Hit The Road Jack*. "Voilà un bon blues. Le chanteur raconte ce qui lui est arrivé. Y'a une femme qui lui a dit de foutre le camp, et il s'en va." Santiago s'énerve, quand la radio embraye par dessus Ray Charles un vieux tube des Kinks, *You Really Got Me*. Il sourit et ses mains se mettent à parler. "Pourquoi il crie comme ça ? Qu'est-ce qu'il essaye de prouver ? Moi j'aime qu'on me fasse ressentir quelque chose, je veux des sentiments." Il vit avec sa sœur depuis qu'il a quitté sa femme. "Je suis parti quand j'ai compris qu'elle marchait au crack ; je n'avais pas envie de lui payer cette saloperie." Sa sœur descend de la véranda et

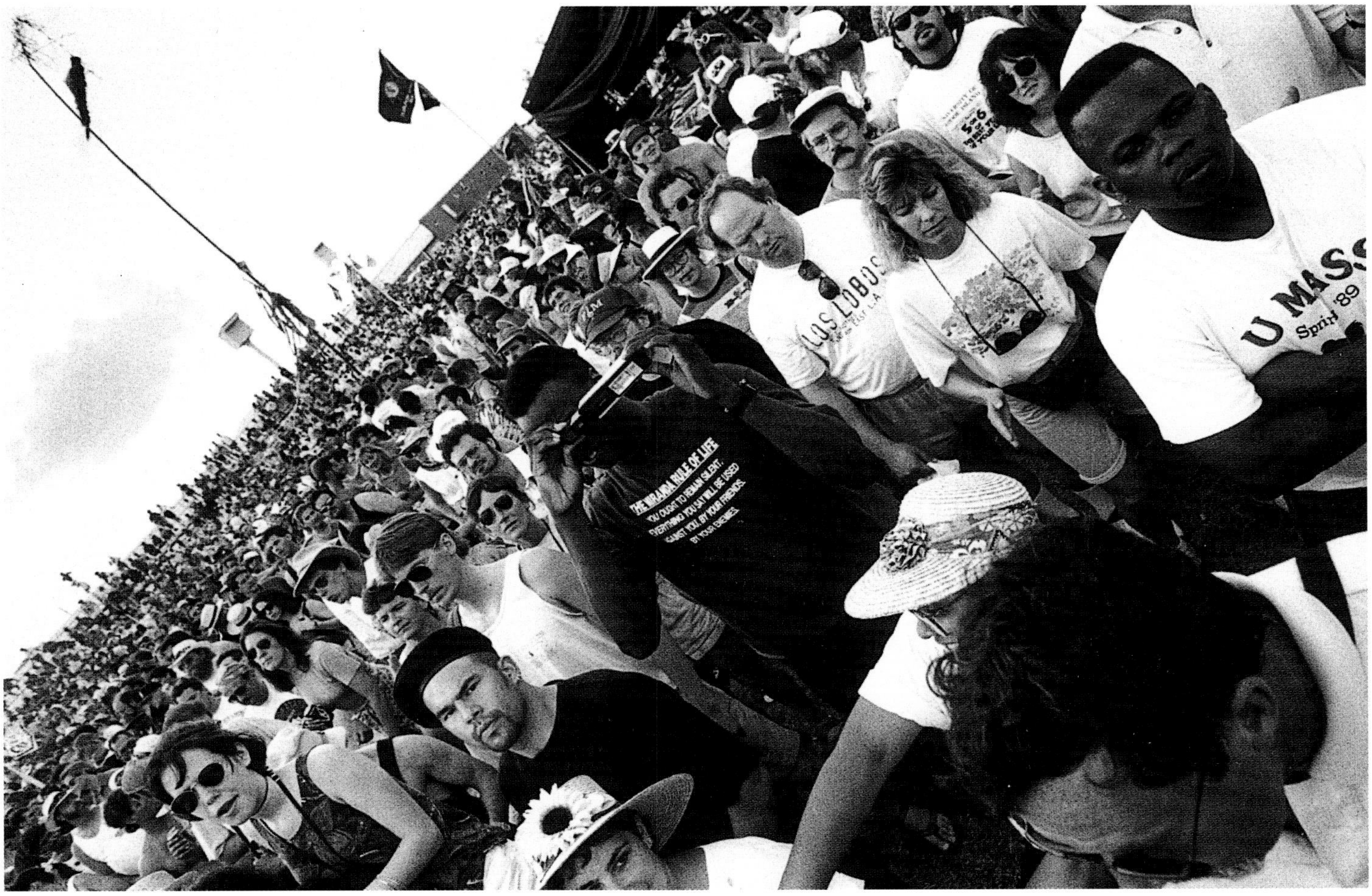
U MASS
LOS LOBOS
THE MIRANDA RULE OF LIFE

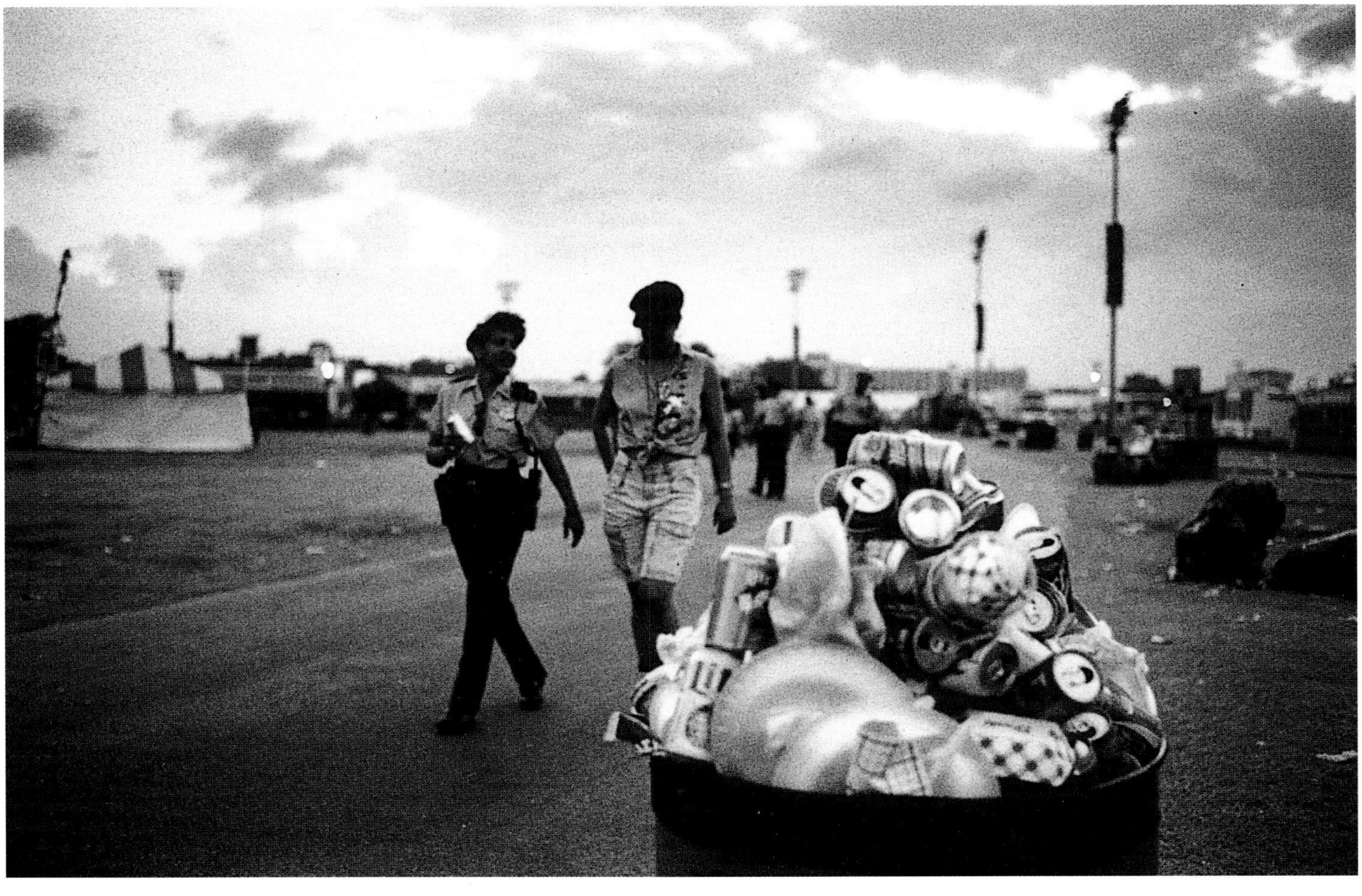

approche nonchalamment. Elle vient rendre les clefs de sa Buick à un couple qui rentre du champ de courses. La voiture file vers le fleuve. Lorsqu'en début de soirée les scènes du Jazz Fest s'éteignent, l'hippodrome n'en finit plus de s'écouler. L'essaim descend contre les rives du Mississippi, se pose sur les bars et les clubs du *French Quarter*, où la fiesta est lancée.

Dans les rues combles, la nuit déborde de notes de guitare, d'harmonica et de clarinette. La foule sirote des cocktails dans la rue en levant le nez sur les splendides balcons de fer forgé, héritage de la présence espagnole en Louisiane. Burgundy Street, Chartres Street ou la célèbre Bourbon Street regorgent aussi de bars aguicheurs et de pièges à touristes. L'Amérique s'encanaille à La Nouvelle-Orléans. Des dizaines de routards à la dérive ont choisi ce port d'attache. Le tee-shirt crasseux, l'haleine chargée d'alcool bon marché, ils errent dans les rues, le verbe rare et le borborygme abondant, la main puis le doigt prêts à se tendre au passage des touristes. *"I'm going down in Louisiana* chante Muddy Waters, *baby, behind the sun ; Well, you know I just found out my trouble just begun."*

Dans un autre quartier noir, au nord de la rue Saint Charles, une église protestante célèbre sa messe dominicale. Pour y accéder, il faut tourner dans la Deuxième Rue et traverser quelques pâtés de maison. La ville s'y métamorphose en l'espace d'une centaine de mètres. Son visage tranquille se ferme et l'éclat de son sourire se ternit. Cette Nouvelle-Orléans là serre ses poings noirs.

Les maisons se succèdent, dans un même état de délabrement : parfois une vitre brisée, un enclos de fil de fer enfoncé. Quelques voitures, comme oubliées par le temps, tombent en ruine sur le pas des portes. Certaines demeures de grand style, construites en bordure de l'un des plus vieux quartiers de La Nouvelle-Orléans, se dessèchent sur pied. Le long des colonnades de fer, fines et ciselées, la rouille recouvre les appuis et la nature s'immisce entre les barreaux. Les habitants du quartier ne semblent pas s'en émouvoir, pas plus qu'ils ne s'étonnent du contraste saisissant qu'opposent leurs bicoques aux demeures d'à côté. La pauvreté et la ségrégation les ont sensibilisés à d'autres urgences, comme celle de la drogue. Et si l'on adresse souvent au visiteur des regards incrédules ou amusés, on lui en jette aussi de plus hostiles, de ceux

qui invitent à presser le pas.

Les alentours immédiats de l'église, eux, sont très soignés. Le bâtiment en bois blanc, modeste par sa taille, se remarque à peine tant le feuillage des arbres est touffu. A l'intérieur, les fidèles se sont mis sur leur trente et un. Chapeaux, robes éclatantes pour les femmes ; les hommes ont sorti les épingles à cravate. Tous accompagnent la musique. L'assistance se déhanche, dodeline de la tête. Elle chante à pleins poumons et tape des mains. Des exclamations s'échappent, rythment et ponctuent le sermon du pasteur.

Les fidèles connaissent chaque cantique par cœur et suivent l'orchestre. Quatre musiciens placés à la gauche du prêtre jouent par intermittence. Des jeunes filles exécutent un ballet dans la travée et le service s'achève ; la charge émotionnelle de l'ensemble donne le tournis. Tandis que chacun se salue sur le pas de l'église, les musiciens rangent leurs instruments en échangeant des plaisanteries. Le batteur du groupe, Davell Crawford, empoche ses baguettes en souriant. Son blazer et ses cheveux courts lui donnent l'allure du paroissien modèle. Il vient chaque dimanche accomplir un devoir que lui dicte sa foi. "Dieu m'a donné le don de la musique et c'est ma façon de lui rendre un peu de ce talent." Le rythme qui bat naturellement en lui n'a pas les accents du gospel. Davell se considère comme un musicien de jazz. Il se produit régulièrement au *Jimmy Maxwell's*, un club de Toulouse Street planté au milieu du French Quarter où il partage l'affiche avec d'autres jazzmen et revient le dimanche dans ce quartier. Davell a façonné son style en écoutant les plus grands et en s'essayant à tous les genres. Il a choisi de s'exprimer dans le jazz après un long apprentissage de gospel doublé d'une bonne connaissance du blues. "Ici on est à La Nouvelle-Orléans" dit-il en inclinant la tête. "Les musiques s'emmêlent un peu les pieds. Quand j'entends parler de jazz *new orleans*, je ne sais pas de quoi on parle." Il se retourne vers l'autel et tend son bras en direction du micro du pasteur. "Si ç'avait été James Brown, je ne suis pas sûr que j'aurais joué si différemment."

Un siècle avant Davell Crawford, Lonnie Johnson a lui aussi partagé ses talents entre le jazz et le blues. Né en 1894 d'une ville et d'une famille pétries d'influences bigarrées, il navigue entre les big bands et les studios, côtoie Louis Armstrong et grave simultanément plus d'une centaine de titres. Ce répertoire fait figurer cet

enfant de La Nouvelle-Orléans parmi les chanteurs de blues les plus enregistrés de l'avant-guerre. Son talent, son jeu conquérant et sa curiosité musicale - il a tâté du violon, du piano et de la mandoline - le classent comme l'un des premiers guitaristes modernes.
Dehors, les arbres envahissent la rue. Les racines des chênes soulèvent les trottoirs et manifestent leur puissance tranquille et indifférente. C'est une nature luxuriante et désordonnée qui sert de décor : son feuillage touffu tresse à La Nouvelle-Orléans un toit d'émeraude.

Plus qu'aucun autre port du Mississippi, *Crescent City* a vu naître une pépinière de talents, depuis les réunions d'esclaves sur Congo Square jusqu'aux fondateurs du jazz. Il s'est développé à La Nouvelle-Orléans un style inclassable mais unique. Un son chaloupé et heureux, teinté du boogie-woogie des pianos de Fats Domino ou du Professor Longhair. Né Henry Roland Bird en 1918 à Bogalusa, Louisiane, Longhair a accédé au statut de divinité locale de son vivant comme après sa mort, en

Les premiers Enregistrements

Le blues s'élève des champs de coton à la fin du dix-neuvième siècle. Avant de franchir la porte des studios d'enregistrement, en 1920, il hante les routes du Sud. Trente ans après l'abolition de l'esclavage, les negro-spirituals et les chants de travail se fondent dans ses douze mesures. Dans le Mississippi, en Georgie, au Texas, la musique bat au rythme des récoltes, dans l'ombre des nuits de danse. La célébrité des as de l'harmonica ou de la guitare se cantonne encore à la plantation. Au même moment, à La Nouvelle-Orléans ou à Memphis apparaissent les *minstrel shows*, spectacles itinérants qui regroupent des chanteurs, des musiciens et des acteurs noirs. En 1909, les patrons des salles de concert se regroupent au sein de la TOBA - Theater Owners Booking Agency - dont le surnom, *Tough on black asses*, préfigure des années d'escroqueries. Au fil de leurs incessantes tournées dans les villages du Sud où l'assistance s'esclaffe devant la gigue du pantin de Jim Crow, les artistes s'imprègnent des chants qui sourdent de la campagne. Ma Rainey inscrit des blues typiquement ruraux au répertoire de son Rabbit Foot Minstrel Show en 1902. Dix ans plus tard, W.C. Handy, l'un des membres les plus en vue de ce qu'on appelle le *vaudeville circuit*, couche sur une partition ses deux titres les plus célèbres, *Memphis Blues* et *Saint Louis Blues*.

Il faudra encore huit ans, la Première Guerre mondiale et une première vague de migration vers le Nord pour que les grandes maisons de disques s'intéressent au blues. Le 10 août 1920 à New York, Fred Hager, l'un des dirigeants du label Okeh, enregistre Mamie Smith, une chanteuse méconnue originaire de l'Ohio. *Crazy Blues*, écrit par le compositeur Perry Bradford, se vend à soixante-quinze mille exemplaires en un mois. Grâce à ce succès foudroyant, Mamie Smith s'offre une maison à Harlem et des costumes de scènes de plusieurs milliers de dollars, pendant que l'industrie musicale met au point l'exploitation commerciale d'un marché qu'elle avait jusqu'alors négligé : les Noirs.

Prospères et frivoles, les années vingt s'accomodent à merveille de l'apparition subite de nombreuses chanteuses qui donnent aux premiers enregistrements les allures d'un gynécée. Expurgé de ses références sexuelles, le blues selon les grands labels se développe dans les studios des métropoles du Nord et de l'Est des États-Unis. Il faut attendre 1923 et les premiers *field recordings*, enregistrements sur le terrain, pour entendre la musique comme on la chante à sa source, dans le Mississippi ou l'Arkansas. Deux sortes de rabatteurs de talents - les *scouts* - sillonnent le *Deep South* : les éclaireurs des maisons de disques, à la recherche de stars potentielles, croisent parfois des musicologues payés par la Librairie du Congrès pour graver sur des disques d'aluminium, puis d'acétate, le témoignage d'auteurs anonymes. Les *talent scouts* vont débusquer les musiciens dans les fermes, les bars, les chantiers, les exploitations forestières ou les prisons.

Parmi ces archivistes du folklore américain, John Lomax rassemble dans les années vingt une impressionante collection d'enregistrements réalisés grâce à un studio mobile de deux cent cinquante kilos installé à l'arrière de sa camionnette. Son fils Alan l'accompagne dès son adolescence avant de reprendre seul le flambeau à la veille de la guerre. Au même moment, la mise en coupe réglée du marché progresse à grand pas : c'est le temps des

'Empress of the blues' :
Bessie Smith
(1894 - 1937)

CENTER FOR SOUTHERN FOLKLORE

race records, destinés à la seule communauté noire et dont la finalité est d'inciter à l'achat d'un phonographe, afin d'écouter ses artistes préférés. Les producteurs truffent les morceaux de noms de villes afin de toucher le public local, leurs représentants battent la campagne le coffre rempli de disques qu'ils vendent à la criée. Plus de dix nouveaux titres sortent chaque semaine. En 1926, Freddie Spurell, alias 'Mr Freddie' est le premier musicien du Mississippi à venir enregistrer à Chicago pour Okeh. D'autres compagnies organisent des semaines entières d'enregistrements à Memphis, capitale commerciale du *mid South* et destination naturelle des musiciens ambitieux.

Quelques premières stars balisent ces années d'opulence, parmi lesquelles Bessie Smith. Elle enregistre plus de 160 chansons pour Columbia, dont une divine reprise du *Saint Louis Blues* soutenue par le cornet de Louis Armstrong. D'autres, comme 'Blind' Willie McTell, un chemineau de Georgie découvert par la firme Victor, travaille simultanément pour plusieurs labels balbutiants : Bluebird, Columbia, Brunswick, Gennett... Le plus florissant, Paramount, publie tous les titres de Blind Lemon Jefferson sur des disques jaunes et Jim Jackson, figure populaire des *minstrel shows* de Memphis, vend près d'un million d'exemplaires de *Kansas City Blues* avant que sa carrière discographique ne s'enlise en 1933, victime de la Dépression. L'industrie musicale n'échappe pas au désastre économique entraîné par le krach boursier de 1929. Les files de chômeurs s'allongent pendant que les ventes de disques s'effondrent : cent quatre millions d'exemplaires vendus en 1927, six en 1932 ! Les maisons de disques suspendent leurs efforts de prospection et les sessions d'enregistrement.
A Memphis, subitement désertée par les producteurs du Nord, aucun titre n'est gravé entre 1931 et 1939. Dans le même temps, la Dépression marque la fin du circuit TOBA : la scène s'éteint, pour quelques années seulement.

D. SHIGLEY

Muddy Waters (au centre) et Professor Longhair (à droite). Jazz Fest, 1973.

1980. Repère du blues blanc au sud du *French Quarter,* le bar *Tipitina's* s'est baptisé de l'une de ses compositions les plus connues, un de ces airs de fête légers comme une plume dont il avait le secret ; une pluie d'attaque de main droite et un tempo lourd sous l'autre, tandis que Longhair marmonne sur un riff de basse à quatre notes. Certains considèrent Doctor John, Huey 'Piano' Lewis et d'autres pianistes contemporains de La Nouvelle-Orléans comme ses héritiers. Mais il est un nom qui en porte plus que nul autre l'esprit, celui de 'Champion' Jack Dupree. Né William Thomas Dupree en juillet 1909, il perd très jeune ses parents - un père de descendance française et une mère à demi-sang Cherokee - dans un incendie et entre à l'orphelinat pour Noirs de La Nouvelle-Orléans, le *Colored Waifs' Home for Boys.* Il marche ici sur les pas de Louis Armstrong, de huit ans son aîné, pensionnaire sur le départ mais en sort à quatorze ans pour faire son entrée dans la vie. La ville, pourtant surnommée *The Big Easy* en raison de ses ressources secrètes mais inépuisables, n'a pas grand-chose à lui offrir. Le jeune homme se persuade-t-il que la vie ne fait pas de cadeaux et voilà que s'ouvrent deux portes : la première avec la rencontre du pianiste de barrelhouse 'Drive 'Em Down', qui va consolider les rudiments de piano appris à l'orphelinat et faire de lui un joueur de grande qualité, la seconde en la personne de Kid Green, un modeste entraîneur de boxe de la grande artère noire de l'*East side*, Rampart Street. Ses deux talents le conduisent à travers le monde. Sa carrière de boxeur démarre bien : il gagne sur le ring le titre de champion de l'Indiana catégorie poids léger et se l'octroie aussitôt pour humble surnom. Mais Jack Dupree piétine assez vite, et lorsque son piano ne lui permet plus de gagner sa vie il se tourne vers la restauration : parce qu'il sait préparer ces plats colorés, odorants et épicés de La Nouvelle-Orléans dont l'Amérique raffole, il trouve des emplois de chef cuisinier en période de vaches maigres avant d'être le premier bluesman à s'installer en Europe en 1959, trois ans avant que Memphis Slim ne déménage à Paris. 'Champion' Jack a la conversation facile et distrait volontiers l'assistance de ses anecdotes et de ses blagues, un verre de bourbon posé devant lui. Des témoins affirment aussi avoir vu rouler des larmes sur ses joues à l'évocation des moments douloureux de sa jeunesse. De toutes ses chansons, *Georgiana* reste

peut-être la plus éternelle : une histoire d'amour déposée au creux de l'oreille de celle qu'il aime. Une femme au même prénom que la mère qu'il n'a pas connue. Jack Dupree est mort à Hanovre en janvier 1992 à quatre-vingt-trois ans.

La célébrité et la fortune ont souri plus facilement à Antoine 'Fats' Domino, repéré à vingt ans, en 1948, par l'auteur-compositeur-producteur-musicien Dave Bartholomew. Le tandem a produit à partir de 1949, avec le *Fat Man*, puis *Blueberry Hill* et les années passées chez le label Imperial un mythe en béton articulé autour d'un personnage : Fats Domino, chat espiègle et charmeur, son éternel sourire aux lèvres laissant apercevoir deux dents joliment ébréchées. L'enfant chéri de La Nouvelle-Orléans martèle les touches de son piano, pousse une voix chaude et feutrée. Des cuivres le soutiennent sur *Jambalaya (On the Bayou)*, quand il martèle le rythme chaloupé de *Ain't that a Shame* ou de *Walkin' to New Orleans*. Non loin de Rampart Street, au carrefour de Marais et de Caffin Street, Fats Domino coule des jours heureux à soixante-six ans passés. Sa Rolls bleue est garée devant chez lui, son nom gravé sur la portière. Le perron est une composition noir et or. Les grilles surmontées de piques dorées et les initiales de Fats - un sobriquet hérité d'une enfance boulotte - sont inscrites en lettres majuscules. La deuxième aile de la résidence n'est pas moins kitsch, ceinte d'une barrière de métal blanc tressée de fleurs multicolores. Derrière, une immense antenne parabolique projette son ombre sur la pelouse grasse et finement tondue de la maison. Les écoliers et les passants du quartier la longent et savent que l'enfant du quartier n'est jamais parti. Son neveu, Ronald Domino, traîne souvent devant la maison et explique que son oncle est allé déjeuner à l'autre bout de la ville ou qu'il fait sa sieste. Il s'asseoit sur les marches et sort une cigarette, met ses lunettes noires et parle. La journée passe vite.

La radio s'appelle WWOZ. Sur la bande FM, elle s'attrape aux environs de 90.7. La seule fréquence de La Nouvelle-Orléans à émettre un son noir vingt-quatre heures sur vingt-quatre. Au menu : jazz, soul et surtout blues. Le siège de la radio se trouve au milieu du parc Louis Armstrong, un jardin public situé en bordure du Vieux Carré. C'est une petite maison aux murs saumon à laquelle on accède par un patio inondé de soleil

et de musique. Aux commandes, un étudiant manipule les boutons un peu au hasard pendant un direct périlleux du Jazz Fest. La standardiste monte du rez-de-chaussée tous les quarts d'heure pour dire que le son est pourri. Il n'y peut pas grand-chose. La station vivote grâce à plusieurs campagnes annuelles de souscription et n'emploie presque que des bénévoles.

WWOZ se capte mal, même au cœur de la ville, dans le prolongement de Tulane Avenue, là où naît la Highway 61. La chaussée s'élargit, le rythme des lampadaires ralentit à mesure que l'on quitte le centre ville. L'autoroute s'extirpe de l'atmosphère poisseuse de la ville et file dans un étourdissant défilé de fast-foods, de stations service et de concessions automobiles vers le nord-ouest et Baton Rouge. La prochaine grande ville, Memphis, est à trois-cent-quatre-vingt-treize miles. En se retournant vers La Nouvelle-Orléans, l'on ne retient pas grand-chose de ce *skyline* lourd et sans charme. C'est tout au plus l'allure puissante et bombée du stade de football qui l'emporte : le Superdome de l'équipe des Saints. Son dernier record d'affluence remonte à la tournée des Rolling Stones de 1981, où il a accueilli plus de quatre-vingt mille spectateurs enthousiastes, venus écouter un groupe britannique de blues. *"Gold Coast slave, ship bound to cotton fields, sold in a market down in New Orleans..."* chantent Jagger et Richards. Le riff de *Brown Sugar* accompagne naturellement le bayou.

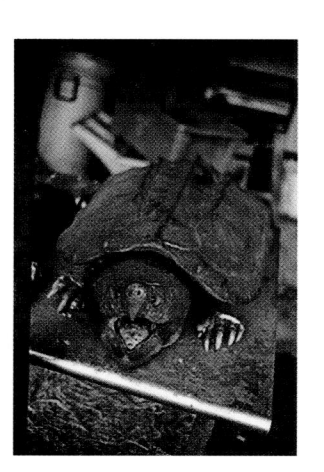

La nature reprend ses droits et l'immensité du bayou longe la route sur la gauche. A l'approche du golfe du Mexique, lorsqu'il atteint la Louisiane, le Mississippi bouleverse la nature et détrempe la terre. Il forme un paysage unique, une voie d'eau extraordinaire bordée d'arbres immenses, comparable à un marais gigantesque et tortueux. Ses méandres, pareils à des boulevards immobiles, sombres et silencieux, forment un paysage onirique.

Les origines de ce nom étrange, à la consonance dangereuse et magique, se sont égarées avec le temps. Une légende veut qu'il ait emprunté au patois indien l'expression *bayuk*, qui signifie littéralement "cours d'eau." Mais les Cajuns, lointains descendants des Français qui jadis peuplaient l'Amérique, rappellent plus volontiers que les siècles ont déformé l'appellation initiale de "boyau" donnée par les premiers colons européens à ces bras calmes et lointains du grand fleuve. L'intérieur du luxuriant dédale laisse échapper le bruissement des ragondins, dont la fourrure a longtemps fait l'objet d'un commerce juteux, des hérons, des chats sauvages et des serpents au venin mortel qui grouillent en son sein. Au pied des cyprès, des alligators viennent se rafraîchir ou guetter une proie. En un plissement d'œil, ces sauriens inquiétants s'enfoncent dans les profondeurs sans un bruit, laissant, pour seule trace de leur présence, quelques cercles concentriques à la surface opaque de l'eau. Ils se glissent alors dans les joncs et les roseaux que dominent des arbres dénudés sous lesquels pendent par grappes entières des lianes chargées de mousse espagnole.

L'air et l'eau se confondent dans la chaleur tant l'humidité est suffocante. A quelques dizaines de pieds au-dessus du sol, de lourds nuages gris se tiennent immobiles et menaçants. Pas un souffle de vent ne vient perturber la communion de ces éléments, dont émane une impression écrasante. Les rares habitants de cette terre inhospitalière sont des Blancs de petite condition. Ils vivent dans des roulottes de fortune et se déplacent à l'aide d'embarcations motorisées. Ici, une vieille Dodge blanche s'est enfoncée dans la boue jusqu'au pare-chocs. Plus loin une bicylette abandonnée a été recouverte par la vase. L'eau a tout envahi.

L'enchevêtrement métallique d'une raffinerie rompt parfois le vert de l'horizon. Des guirlandes d'ampoules qui brillent derrière les clôtures de barbelés illuminent les cheminées d'acier. Les équipes d'ouvriers se relaient sur fond de derricks, leur casques brillant dans le lointain. Du cœur du bayou, la Louisiane extrait ses deux principales richesses, le pétrole et le gaz. La forêt qui recouvre la moitié de l'État fait de l'industrie du papier la troisième source locale de revenu. Malgré une production industrielle en hausse, le chômage fait partie du quotidien. La pauvreté aussi, qui touche près d'un habitant sur quatre. La violence croît régulièrement depuis vingt ans. Son taux de criminalité place le *Pelican State* au cinquième rang américain. Les meurtres continuent ici un peu plus qu'ailleurs à faire la une des quotidiens.

C'est d'ailleurs à Angola, le pénitencier de Louisiane, que John et Alan Lomax découvrent Leadbelly en 1934 ; il purge une peine de quatre ans pour tentative de meurtre. Né Huddie Ledbetter en 1888 à Shiloh, Louisiane, l'homme a connu une rude jeunesse au sein d'une famille de *sharecroppers*. Adolescent, il préfère la liberté aux servitudes de la ferme et part à la découverte du Sud. Dix ans passent avant qu'il ne rencontre Blind Lemon Jefferson à Elm Street, la rue chaude de Dallas.
Leadbelly manie avec un égal talent la mandoline et l'accordéon mais ses dons de guitariste sur un instrument à douze cordes - inspiré des musiciens mexicains qu'il a croisé lors de ses incursions au Texas - dépassent les autres. Il est condamné à trente ans de prison pour meurtre en 1917 et une tentative d'évasion rallonge sa peine. Leadbelly décide d'écrire une chanson au gouverneur du Texas et parvient à attendrir les autorités pénitentiaires. Le même scénario se reproduit à Angola quand John Lomax parvient à obtenir sa libération en arguant auprès du directeur des extraordinaires qualités musicales du détenu. La voix puissante du bluesman et le rythme de sa guitare aux accents de piano lui sauvent encore une fois la mise.
Après avoir travaillé un an comme chauffeur pour les Lomax, Leadbelly s'installe à New York avec sa seconde femme. Il y rencontre Sonny Terry et Brownie McGhee (respectivement à l'harmonica et à la guitare), un des duos les plus célèbres du blues depuis l'avant-guerre. Les trois hommes jouent souvent ensemble et soutiennent,

Leadbelly, né Huddie Ledbetter (1888-1949)

MICHAEL OCHS ARCHIVES

aux côtés du musicien folk Woodie Guthrie, de nombreux mouvements libéraux. Leadbelly compte alors parmi les vedettes du folk-blues : en 1950, les Weavers, un groupe blanc, placent une reprise de son *Good Night Irene* en tête des charts de l'époque - suivront *Black Betty*, *Midnight Special* et bien d'autres. Mais Leadbelly est mort quelques mois plus tôt, pauvre et malade.

Au moment où s'éteint l'une des premières grandes figures musicales de Louisiane, les échos mystérieux du swamp blues - littéralement "blues des marais"- s'élèvent des forêts qui entourent Baton Rouge. La ville se forge une véritable identité musicale en 1950 grâce au flair de Jay D. Miller. Ce Louisianais pur souche fait d'Excello, un label de Nashville, la caisse de résonance du bayou. Il découvre Lightnin' Slim en 1954, puis Slim Harpo un an plus tard. Dans son studio de Crowley, Miller façonne les sessions au gré de son inspiration et modèle le swamp blues. Il retarde le premier enregistrement de Lightnin' Slim le temps de s'acquitter des quarante dollars de caution nécessaires à la libération de Wild Bill Phillips, un harmoniciste qui figure parmi les pensionnaires réguliers du commissariat local. Le disque, *Bad Luck Blues*, introduit un blues aussi dépouillé que la guitare de Lightnin' Slim. Né en 1913 à Saint Louis, Slim descend très jeune en Louisiane avant de s'établir à Baton Rouge au lendemain de la Seconde Guerre mondiale. Miller le remarque alors dans les bars des environs. A la fin des années soixante, il regagne le Nord et s'installe à Detroit où sa célébrité faiblit jusqu'à s'éteindre. Entre-temps, Jay D. Miller s'est entiché de Slim Harpo dont la voix nasillarde se marie parfaitement aux miaulements de son harmonica. Né James Moore en 1924 à Baton Rouge, il connaît les *juke joints* des environs comme sa poche et se retrouve logiquement devant les micros d'Excello où Miller, inspiré par sa frêle silhouette et son jeu précis, lui trouve son nom de scène. Slim Harpo enregistre *King Bee* en 1957 et s'affirme rapidement comme l'une des valeurs sûres du label. Plusieurs de ses compositions connaîtront un réel succès quelques années plus tard grâce aux reprises des Rolling Stones, Kinks et autres groupes anglais pétris de blues. Bon père et bon époux, il mène une vie rangée qui s'achève avec sa mort accidentelle à quarante-six ans.

De son côté, Jay Miller poursuit sa quête de talents

MICHAEL OCHS ARCHIVES

Slim Harpo (1913-1959), l'harmoniciste préféré de Mick Jagger.

autour de la capitale : Silas Hogan, Guitar Kelley ou Whispering Smith. Vers 1955, il remarque Leslie Johnson, un harmoniciste d'une vingtaine d'années surnommé Lazy Lester. Malgré son indolent sobriquet, Lester participe à des dizaines de sessions d'Excello, à l'harmonica mais aussi à la guitare ou aux percussions. Au piano, il installe souvent Katie Webster, une jeune Texane rapidement intronisée reine du swamp boogie. En 1965, le chanteur soul Otis Redding engage la pianiste qui l'accompagnera pendant ses deux dernières années de tournées. Très affectée par la mort accidentelle de la star, Katie Webster interrompt sa carrière en 1967. Elle ne reprendra le chemin des studios que dix ans plus tard pour un retour couronné de succès.

La scène de Baton Rouge connaît son apogée au début des années soixante et l'on retrouve souvent dans les clubs de la ville Lonesome Sundown, un poulain d'Excello. Après avoir tâté du zydeco aux côtés de Clifton Chenier, puis du pur blues, il rejoint la Church of the Lord Jesus Christ en 1964. D'autres bluesmen ont poursuivi une carrière entamée à l'époque, comme Snooks Eaglin, le guitariste aveugle qui a longtemps accompagné le piano d'Allen Toussaint. Il est l'auteur méconnu de l'un des plus gros succès de Little Richard, *Lucille* et du solo derrière Earl King sur *Love is The Way of Life*. Malgré quelques sessions avec Professor Longhair et un album dès le début des années soixante-dix, Eaglin attendra 1987 et sa signature chez Black Top, un label de La Nouvelle-Orléans, pour voir sa notoriété dépasser les frontières de l'État. La mort de Slim Harpo, l'émergence de la soul music et le retrait de Jay D. Miller ont marqué le déclin du swamp blues même si Tabby Thomas en entretient encore la flamme. Au cœur de Baton Rouge, il reçoit dans cette entreprise le soutien du pianiste de Howlin' Wolf, Henry Gray. Les deux voisins ont d'ailleurs brillé à la dernière édition du Jazz Fest dans une participation jointe.

La deuxième ville de Louisiane se fond dans la plaine qui la sépare de La Nouvelle-Orléans. Seule l'apparition des sempiternelles enseignes marque l'arrivée dans l'agglomération qui, après s'être appelée Dironbourg puis New Richmond, tient son nom du bâton recouvert de sang d'animaux sacrés par lequel les Indiens Istrouma délimitaient leur territoire. Il faut atteindre le centre ville pour lever les yeux sur les trente-quatre

Le gouverneur Huey P. Long

étages du capitole, le siège du Parlement. Fiché sur un monticule à l'extrémité d'un parc étroit, le State Capitol de Baton Rouge domine la ville et la marée verte qui l'assiège. Il brise d'un trait de béton la monotonie du paysage. Le symbole de la Louisiane ne peut mentir sur son âge, trahi par un style grandiloquent. Achevé en 1932 au plus fort de la Dépression, le capitole le plus haut des États-Unis est à l'image de son père, Huey P. Long, pris pour modèle par Robert Penn Warren dans *All the King's Men* : un animal politique du Vieux Sud de la même race que Crump, le maire de Memphis. Après des années passées à vendre des suppositoires, Huey Long cultive une verve démagogique grâce à laquelle il gouverne l'État de 1928 à 1931 avant de gagner un siège au Sénat de Washington. En 1930, il décide de construire un nouveau capitole et convoque aussitôt les élus de Louisiane en session extraordinaire. Mais le premier scrutin ne fournit pas au gouverneur la majorité requise, la démesure du projet - un gratte-ciel de 135 mètres - se heurtant à de solides oppositions. Huey Long ordonne immédiatement au Président de procéder une nouvelle fois à l'appel des votants et profite de ce répit pour aller convaincre les derniers indécis dans les couloirs du Parlement. La victoire acquise, il lance l'ambitieux chantier. Après quatorze mois et cinq millions de dollars de travaux, l'édifice personnifie la fierté louisianaise. Un escalier de quarante-huit marches où sont gravés les noms des États américains grimpe vers l'entrée sous le regard vide et martial des statues de pionniers et de patriotes. Dans la pénombre du hall, de lourdes portes de bronze réhaussent le marbre vert. La majesté de l'endroit est pesante. Huey Long y termine sa carrière politique en 1935, abattu dans les couloirs de son donjon à coups de revolver par Carl Weiss, un médecin de La Nouvelle-Orléans. Sa statue s'élève aujourd'hui au pied du monument, le regard tourné vers le Sud et son passé.

Sous ses yeux, la ville déroule sa diversité. Derrière les belles demeures coloniales du carré hispanique se cachent de bien plus modestes maisons. Posés sur des blocs de béton, ces pavillons de bois peints à la va-vite abritent une population indigente. Des gosses traînent dans les rues juchés sur des vélos rouillés. Dans l'embrasure des portes, les femmes serrent dans leurs bras des nourrissons braillards. C'est ici, au cœur du quartier noir, que naquirent Slim Harpo et Tabby Thomas.

TABBY THOMAS

De la grande époque du swamp blues il demeure le dernier pilier. Ernest 'Tabby' Thomas est à la scène de Baton Rouge ce que le capitole est la ville tout entière. Son juke joint, Tabby's Blues Box and Heritage Hall, préserve un blues original et sélectif. Comme Voodoo Party, *le succès fondateur.*

Voodoo Party, en 1962, a fait de vous un homme riche et célèbre ?
Célèbre, à la rigueur, mais riche sûrement pas !
Ma maison de disque a oublié de me dire que c'était un tube. Et je n'ai pas vu passer un seul centime. Le producteur du disque, Jay D. Miller, a ajouté un deuxième auteur dans les crédits de *Voodoo Party.* Un gars dont je n'avais jamais entendu parler ! Et qui a tout mis dans sa poche. Récemment encore j'ai essayé de tirer au clair cette affaire avec le label en question, Excello Records, mais il n'y a rien à faire…

Vous n'avez vraiment pas idée de ce qui a pu se passer ?
Oh si ! Ces pratiques étaient courantes à l'époque. Des gars comme Little Richard se sont aussi fait avoir. Dans mon cas, il paraît évident que Jay D. Miller était dans le coup, puisque l'argent transitait par lui. Il me répondait que le disque ne se vendait pas.

Étiez-vous certain du contraire ?
On passait le disque au Portugal, en Russie, en Chine, partout dans le monde ! Enfin, c'était pas nouveau : j'ai écrit deux chansons pour Slim Harpo et ils n'ont même pas mis mon nom sur le disque. C'était *My baby's got it* et *I'm sorry.* Il y avait des gens à Excello qui trouvaient que j'étais un compositeur du tonnerre mais le boss, Bud Howard, ne voulait rien entendre. Vous savez, je me suis vraiment fait avoir. On m'a délibérément écarté des studios. Comme s'il y avait un complot contre moi, qu'on ne me donnerait pas ma chance. Alors j'ai pris le taureau par les cornes : j'ai ouvert mon propre club et j'ai fondé mon petit label, Bluebeat, chez moi, à Baton Rouge.

Une sorte de retour à la case départ ?
Je n'ai jamais vraiment quitté la ville. Je suis né ici dans une famille de révérends. J'ai donc naturellement commencé à chanter dans la chorale de notre paroisse. Vers huit ou neuf ans, j'ai commencé à écouter les disques de blues de ma mère : Son House, Peetie Wheatstraw, Charley Patton, Big Boy Crudup. Elle était jeune, à peine vingt-quatre ans, et m'avait eu à seize ans.

Les radios jouaient du blues à cette époque ?
Non, fallait pas compter dessus. On ne trouvait du blues que dans les juke-boxes des bars. J'étais fasciné par cette musique. Au lycée, j'ai continué à en écouter, comme tous mes copains. Et on allait au Temple Theater, là où tous les grands venaient jouer : B.B. King, Little Richard, Cab Calloway. Puis j'ai entendu Roy Brown et son orchestre au lycée. Ce jour-là, ç'a été le déclic. J'ai su que c'était ce métier que je voulais faire. Jusque-là, j'avais plutôt envisagé une carrière de footballeur ou de boxeur.

Et comment avez-vous franchi le pas ?
Mon service militaire m'a mené à San Francisco où je me suis présenté à un concours de chant organisé par une radio locale. J'ai chanté un morceau de Roy Brown, *Long About Midnight.* Et j'ai décroché le premier prix, quinze dollars ! Tout çà grâce à ma voix qui peut monter haut dans les aigus et descendre quand il le faut, comme John Lee Hooker. Puis tout s'est enchaîné jusqu'à mon retour définitif à Baton Rouge après les mésaventures d'Excello.
J'étais mieux ici que dans des studios où on ne voulait pas de moi. C'est une petite ville tranquille, B.B. King ou les autres grands bluesmen ne passent pas souvent ici. Alors j'arrivais avec ma guitare et mon groupe. Après nous avoir entendu, les gars du coin passaient mon disque sur le juke-box et j'étais aussi célèbre que B.B. !

Qu'est-ce qui a changé depuis le Baton Rouge de votre jeunesse ?
Le jeu. Maintenant, il y a des machines à sous partout, dans tous les bars. Il y a même un énorme casino au bout de la rue. Beaucoup de gens ont découvert le jeu depuis peu. Et certains sont devenus complètement accros, au point de tout perdre. D'autres engloutissent des millions aux champs de courses.

Le jeu marche fort. Et le blues ?
Mon club attire moins de Noirs que je le voudrais. La plupart ignorent leurs racines musicales et c'est compréhensible : la radio de Baton Rouge ne passe jamais de disques de blues. Par exemple, je n'ai jamais entendu Otis Rush sur les ondes ! Du coup, beaucoup n'ont même pas conscience de leur vraie culture et pourtant le blues fait partie de notre héritage.

D'où vient cette ignorance ?
On n'apprend pas ça à nos enfants à l'école et c'est vraiment dommage. Ç'aurait été formidable d'organiser une rencontre entre une classe d'enfants et quelqu'un comme Silas Hogan, un de mes très bons amis qui est mort au début de l'année. Je l'avais rencontré chez Excello, c'était une des stars de la maison. Il avait pas beaucoup d'éducation, pas de diplôme ronflant mais il n'en avait pas besoin ! À l'écouter, à le voir, ça sautait aux yeux qu'il était un vrai gentleman. Silas, c'était un peu mon père spirituel. Je le respectais : il ne s'énervait jamais, toujours calme. Mon fils Chris a beaucoup appris à

son contact. D'ailleurs, il enregistre en ce moment à Los Angeles. Il joue un mélange de blues et de rap.

Vous voyez un lien entre ces deux musiques ?
C'est difficile à dire. Nos ancêtres africains se servaient de tam-tam pour communiquer d'un village à l'autre. Les mariages, les enterrements, les guerres, tous les messages passaient par les tambours. Le rap, c'est la même chose pour les jeunes Noirs américains, une façon très primaire de dire ses frustrations. Mais l'essentiel du message, c'est le rythme. Et si le rap marche aussi fort, c'est parce qu'ils l'ont dans leurs gènes comme leurs ancêtres d'Afrique. La vraie différence entre le rap et le blues, c'est que ce dernier ne parle pas d'enjeux socio-économiques ni de questions raciales ! Il n'a jamais cherché à attiser les tensions.

Pourquoi cette absence d'engagement social ?
Parce que les bluesmen n'ont jamais ressenti le besoin de se révolter. Ils ont souvent accepté leur condition sans trop se poser de questions. Quand j'étais jeune, je m'installais toujours au fond des bus. Parce que c'était comme ça. Un point c'est tout. Et c'était la même chose pour l'université, pour le sport, sans qu'on n'y trouve rien à redire. Aujourd'hui les choses ont changé, les équipes de basket, de base-ball ou de football sont majoritairement noires. C'est bien la preuve que ce système ne pouvait pas durer.

Dernier vestige du blues de Baton Rouge, 'Rockin' Tabby' règne aujourd'hui en maître débonnaire sur son club. *Tabby's Blues Box* se trouve sur North Boulevard, à quelques blocs au sud de l'artère centrale de Baton Rouge, Florida Boulevard. Le bar porte bien son nom. C'est un rectangle d'une vingtaine de mètres de long sur six de large, avec un plafond haut mais en piteux état, traversé de trois néons. Une boîte d'allumettes en béton aux dimensions de l'Amérique. Tout se comprend dès le trottoir, sous une enseigne que l'on aperçoit, dans le reflet tricolore de la vitrine du barbier. Quelques panneaux racoleurs signalent des machines à sous flambant neuves tandis que des affiches délavées reproduisent le portrait du maître des lieux. Des chaises dépareillées entourent des tables hétéroclites. Un juke-box terni par les ans et une minuscule télévision complètent l'improbable mobilier. Sur les murs, un fatras de photos gondolées et de coupures de presse jaunies par le tabac, la bière et le voile des années. Une guirlande électrique rose clignote entre les bouteilles de whisky de deuxième ou troisième qualité placées derrière le comptoir de formica blanc et tente vainement de rehausser l'ensemble. Le charme est ailleurs.

Au menu de la *blues night*, des musiciens du cru, Noirs et Blancs, des amis de Tabby. Il prépare lui-même la scène, branche les micros et visse sur la batterie un charley poussiéreux. Il s'assied sur une chaise, cale une Fender Telecaster entre ses cuisses et entame un bref tour de chant. Le son délicieusement sale que crache l'ampli de Tabby fige la salle. Ses doigts enchaînent des phrasés courts et percutants. Il passe en revue les standards du swamp blues et laisse à Sam le soin de planter un solo d'harmonica. Tabby se lève en remerciant les musiciens, qui entament alors une reprise du *Red House* de Jimi Hendrix. *La Blues Box* a vibré comme au bon vieux temps, devant une assistance famélique où se glisse un serveur. Sa livrée blanche et son visage grave s'accommoderaient mieux de la solennité d'une maison de maître que de la clientèle avinée de l'endroit. Au bar, une discussion surréaliste s'engage entre un ouvrier venu diluer sa morne existence dans l'alcool et un Belge assez fasciné par la guerre de Sécession pour passer un an de sa vie à arpenter les champs de bataille du Sud. Il est tard, la *Blues Box* va bientôt fermer. Sur le trottoir mal éclairé s'éloignent des silhouettes titubantes.

La Highway 61 poursuit son chemin vers le Nord, en direction de l'État frontalier du Mississippi, tout proche. La bande de béton gris coupe à travers les forêts de Louisiane, se coule dans le paysage et salue les plantations qui la bordent. Des trois mille exploitations que comptait la Louisiane au milieu du dix-neuvième siècle, il ne reste plus qu'une petite centaine de propriétés. Nichée derrière Saint Francisville, au cœur de bois touffus, Oakley Plantation témoigne de ce passé prestigieux. Aujourd'hui, seules deux cabanes posées sur un joli gazon rappellent discrètement le tribut que payèrent les esclaves à la grandeur du Vieux Sud.

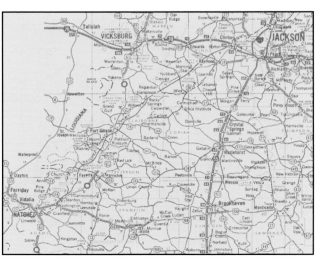

VIEUX SUD

Au sortir de la Louisiane, la Highway 61 s'enfonce dans les collines boisées du sud du Mississippi. Elle pénètre dans un État dont le visage fermé, parfois hostile, porte encore les stigmates de l'esclavage. En 1860, la moitié des Noirs américains vivaient entre La Nouvelle-Orléans et Memphis. Le système autour duquel se sont fédérés onze États du Sud n'a pas survécu à la guerre de Sécession, qui dura de 1861 à 1865 et fit six cent mille victimes.

L'esclavage est une page d'histoire indissociable du Vieux Sud. Depuis le début du XVIIe siècle, il a fourni aux plantations du sud-est de la colonie britannique une main-d'œuvre abondante et bon marché. Jusqu'en 1808, les navires européens débarquent sur la côte orientale des milliers d'hommes et femmes arrachés à leurs villages africains contre des étoffes, de la bimbeloterie ou de l'alcool. Un voyage terrible dans les fers qui s'achève, pour les rescapés les plus faibles, aux Caraïbes. Entassés dans les cales, les Noirs découvrent la cruauté des négriers sous les coups de fouet. Déportés avec leurs familles, certains captifs

ARCHIVES PHOTOS

ont avalé quelques miettes de leur terre natale. Ils ont emporté en eux les pierres sacrées d'Afrique, le mythe des *rolling stones* immortalisé par le titre de Muddy Waters et raflé à son tour par le groupe de rock britannique. Le commerce triangulaire arrache aux côtes africaines ses rites primitifs et ses rythmes lancinants. Deux siècles plus tard, mâtinées d'influences chrétiennes et antillaises, les croyances séculaires de l'Afrique modèleront encore l'imaginaire des fils d'esclaves au terme d'une histoire particulièrement douloureuse.

Vers 1719, les premiers Noirs foulent la terre de ce qui deviendra le Mississippi, traînés par les Français, alors maîtres des lieux. Après les drapeaux anglais et espagnol, le *Stars and Stripes* flotte enfin : le nouvel État du Mississippi rejoint l'Union en 1817. Il poursuit son expansion en achetant les terres aux indiens Choctaws, premiers habitants de la région. Vingt mille esclaves vivent alors entre Natchez et Memphis. Dix ans plus tard, quand commence l'aménagement du Delta, on en recense soixante-six mille.

Arc-boutés derrière les mules, dévorés par les insectes, les Noirs deviennent les instruments du développement conduit par les Blancs. Leurs souffrances modèlent une terre qui ne leur appartient pas. Les chants seuls atténuent la douleur de châtiments qui s'apparentent parfois à de la barbarie pure et simple ; les exécutions sommaires mettent un terme aux évasions malchanceuses. Les Noirs n'ont pas le droit de posséder d'arme à feu, d'acheter ou de consommer de l'alcool. L'instruction la plus élémentaire leur est prohibée, ainsi que les rassemblements et les déplacements sans autorisation expresse du maître ; il en va de même pour l'usage des tambours - par lesquels sont nées de sanglantes révoltes - que les colonies, à l'exception de la Louisiane française, ont appris à interdire. Dans cette succession de brimades et de violences, c'est autour des cases où ils sont parqués que les esclaves trouvent une paix relative. Derrière leurs cabanons, au milieu des animaux de basse-cour, poussent quelques légumes en complément de la maigre pitance du maître.

La reddition des troupes sudistes en 1865 et l'abolition de l'esclavage ne bouleversent pas le quotidien des Noirs. Confinés à une "citoyenneté de seconde classe", ils ne perçoivent qu'un avant-goût de liberté : après la parenthèse euphorique de la période dite de "Reconstruction" consécutive à la guerre, il apparaît au

plus profond du Sud une ségrégation institutionnalisée.
Elle prend le nom d'un pantin : 'Jim Crow'.
Les *minstrel* shows noirs avaient popularisé le
personnage dans un air aux paroles dansantes, *Jump
Jim Crow*. Un saltimbanque grimé en nègre a ensuite
repris le numéro à son compte, gesticulant en une carica-
ture grossière pour amuser les foules blanches.
La ségrégation en vigueur dans le Sud, regardée avec
une tolérance bienveillante par la Cour suprême,
sépare la société en deux entités distinctes. Le bus
devient Jim Crow : les Noirs sont priés de s'asseoir sur
les sièges du fond. Les lieux publics, les écoles, les
églises passent sous la coupe de Jim Crow. Jusqu'aux
urnes, devant lesquelles l'état civil dresse des obstacles,
dont le plus connu, la "clause du grand-père", a été
appliqué en Louisiane en 1898 : elle autorise les seuls
électeurs dont les grands-parents ont voté en 1867
à voter à leur tour. L'électorat noir est muselé.

Comme beaucoup de villes du *Deep South*, Natchez
veille aujourd'hui encore précieusement sur son
héritage *ante bellum*, ces grandes maisons bourgeoises
construites avant la guerre contre les Yankees.
A l'époque bien lointaine où la richesse de ce petit
joyau posé au bord du Père des eaux rivalisait
avec New York.
Quand il atteint la ville natale de 'Hound Dog' Taylor,
le Mississippi déroule sa quiétude entre des rives
escarpées. Plus de bayous, d'étranges ramifications ou
de réseau annexe. Le fleuve trône entre la Louisiane
et l'État qui porte son nom. Naguère source d'immenses
richesses pour la ville, il a lentement perdu le rôle
majeur qui fut le sien pendant plus d'un siècle. Les
immenses convois de barges qui naviguent encore ne
doivent pas tromper.
Des centaines de bateaux à aubes qui croisaient
autrefois entre La Nouvelle-Orléans et Saint Louis,
il ne reste rien. Juste le souvenir du temps où le travail
ne s'arrêtait jamais quand, sous les pontons écrasés de
soleil de Natchez, les esclaves, pareils à des fourmis,
chargeaient des milliers de balles de coton.
La ville a aujourd'hui perdu tout intérêt, si ce n'est son
cœur, minuscule et propret. On y accède par une piste
de bitume bordée d'arbres gigantesques, sous l'éclairage
tamisé des lampadaires où des nuées d'insectes viennent
se blottir. Tracé au cordeau, le quartier historique
semble figé dans ses souvenirs, sans restituer

PHOTO BY COVERT MEMPHIS 1201

NATIONAL COTTON COUNCIL, MEMPHIS

l'effervescence du Natchez d'antan. La ville comptait alors trois rues principales, longues chacune de plus d'un mile. Water Street courait le long du fleuve et regroupait les activités portuaires de la ville. Plus haut, Silver et Royal Street abritaient les somptueuses demeures des marchands les plus puissants.

Natchez occupait une place originale dans l'organisation verrouillée du Sud. La richesse et l'avance du chef-lieu du comté d'Adams ont permis à de nombreux serfs de s'affranchir : plus qu'en aucun autre endroit du Mississippi et de l'Union, les esclaves ont pu acheter leur liberté. Au déclenchement de la guerre de Sécession, sur les vingt mille foyers noirs du comté, les registres de l'état civil de Jackson dénombraient plusieurs centaines de familles libres.

La seule gloire locale se trouve sur la rive gauche du fleuve. Installé dans un bateau à aube dont l'authenticité reste à prouver, le casino *Lady Luck* ne ferme jamais. Ils sont des centaines à venir tenter leur chance et mettre entre parenthèses un quotidien encore moins souriant que les croupiers du lieu. Comme partout en Amérique, c'est la maison qui régale ; des serveuses blasées portent haut leurs plateaux chargés de boissons alcoolisées pendant qu'autour des tables ou devant les machines à sous, un prolétariat fasciné s'évertue à faire sauter la banque.

"Les gens du fleuve, ils vivent comme des rats" se plaint en grimaçant une serveuse du bar qui remplit les verres de Jack Daniel's-Coca devant les jeux de poker électronique. A deux heures du matin, quand les bars ferment, les lumières du jeu brillent toujours sur le Mississippi... Tout le monde ne cède pas au mirage de l'argent facile et de la chance improbable. Le cuisinier du restaurant d'en face, à quarante ans révolus, se désespère du formidable gâchis qui s'étale sous ses yeux.

"On a eu tout ce qu'on demandait, l'égalité des droits, des chances, des écoles pour nos enfants. Mais aujourd'hui, beaucoup de Noirs préfèrent se replier, pratiquer entre eux une véritable ségrégation plutôt que de faire l'effort de mener une vie décente. Moi, j'ai travaillé et économisé dur pour envoyer mon fils au collège. J'en suis fier !"

CENTER FOR SOUTHERN FOLKLORE

Jerry Lee Lewis, période Sun.

De l'autre côté du fleuve, passé un pont métallique et biscornu repose Ferriday, autoproclamée "petite ville avec un gros cœur." Un patelin comme un autre, où la station-service le dispute au fast-food en matière de monument historique. L'office de tourisme affiche porte close et les camionneurs se dépêchent de faire le plein avant de repartir pour des villes plus riantes, vers le sud de la Louisiane. A l'écart de la grand-rue se cache une petite maison de brique, accolée à une épicerie *drive in*. Le rejeton le plus célèbre du cru y a grandi : un petit Blanc dont le jeu de piano, les péripéties amoureuses et le caractère explosif allaient exploser à la gueule de l'Amérique des années cinquante. Il n'y est pas né mais c'est tout comme. Six semaines après avoir vu le jour à Mangone, Louisiane, Jerry Lee Lewis s'est installé avec ses parents au 712, LaPeriod Avenue. Il y reste vingt ans. Construite à un autre emplacement en 1919 et déménagée après la grande crue du Mississippi de 1927, la maison appartient

désormais à sa sœur, Frankie Lee.

La cadette de la famille vit dans un temple à la gloire de son frère. "Rien n'a changé depuis notre enfance" lance-t-elle en guise d'introduction. La moindre étagère, le plus petit recoin célèbrent le culte de Jerry Lee. Siège de bébé, bavette en éponge, certificat d'exemption de service militaire, chemise en coton noir, tout y passe. La mémoire du 'Killer' - surnom hérité d'un jeu agressif, d'une réputation sulfureuse et du sort réservé à quelques pianos - est soigneusement étiquetée, archivée, et exposée aux visiteurs qui rallient Ferriday. Les fans de *High School Confidential*, de *Hound Dog*, ou des reprises saccadées de *Whole Lotta Shakin' Goin' On* y trouvent leur compte.

La célébrité familiale habite Nesbit, dans le nord du Mississippi, pour échapper au fisc louisianais. Mais son ombre plane sur cette modeste maison. "C'est moi qui ai hérité du nez en patate d'oncle Jerry, et il m'a refilé ses pieds plats aussi", feint de se plaindre sa nièce

Melinda, hilare. Jerry Lee revient de temps à autre
 ouvrir les cadeaux que sa sœur lui prépare, au pied
d'un sapin de Noël synthétique dont les ampoules
électriques brillent trois cent soixante-cinq jours par an.
"C'est tous les jours Noël" remâche-t-il à l'occasion.
Rien n'a changé depuis les années où Jerry et Frankie
furent élevés par une nourrice de couleur, dans
ce voisinage de petits Blancs que seul un terrain vague
sépare des quartiers noirs. C'est ici que le jeune écolier
rentrait dormir après être allé se promener dans les
fêtes du samedi soir. A cette table, il avalait "son repas
favori composé de tomato gravy, jambon et biscuits"
débite Frankie Lee. Elle montre enfin la chambre, dont
l'épaisse moquette cache mal le manque de moyens de
la famille. Malgré ses talents de charpentier et des fins
de mois grassement arrondies par la contrebande
d'alcool, le père de famille n'a jamais su mettre un sou
de côté. Reste la maison, encombrée de photos,
de jouets et d'affiches de Jerry Lee Lewis. Un sanctuaire.
Celui d'un bluesman ? La proposition ferait sourire.
L'Amérique regarde avec étonnement cet original
inclassable, perdu quelque part entre la country et le
rock'n'roll. Comme le jeune Elvis Presley qui suit une
évolution synchrone à Tupelo, dans l'est du Mississippi,
Jerry Lee Lewis est un petit Blanc du Sud, un produit
du *white trash*, élevé dans l'Église et profondément
marqué par le blues. Avec son cousin, le prédicateur
Jimmy Swaggart, il est fasciné par la musique d'un *juke
joint* voisin, *Haney's Big House*. "Moi et Jimmy, on avait
l'habitude de se faufiler derrière le bar. Et on a entendu
B.B. King jouer alors qu'il n'avait pas dix-huit ans"
a raconté Jerry Lee Lewis.
L'adolescent fiévreux de *Great Balls of Fire* a le teint
clair. Il apprend qu'un producteur de Memphis cherche
un Blanc qui chante comme un Noir.
Les chemins d'Elvis et de Jerry Lee se croiseront dans
les studios Sun, sur une route pavée d'or par des
chanteurs de blues.

Frankie Lee Lewis, la sœur de Jerry Lee : "rien n'a changé depuis notre enfance."

Long way from Texas

La Highway 20 coupe le Mississippi à Vicksburg. Elle vient de son ouest lointain, au fin fond du Texas, juste avant Pecos, puis traverse Odessa, Abilene et Dallas, trace sa route au nord de la Louisiane dont elle coupe une frange de Shreveport à Monroe. Une route par laquelle les bluesmen texans gagnent le Mississippi et parfois le Nord.

'Blind' Lemon Jefferson, né dans l'est du Texas en 1897 et mort en 1929 à Chicago, fut l'un des premiers à l'emprunter. Aveugle de naissance, il fait à l'âge de quinze ans l'apprentissage du musicien vagabond, parfois mendiant itinérant et hante de sa canne blanche les rues de Dallas ou de Galveston, aux lourds relents de pétrole.

Repéré et auditionné, Lemon Jefferson devient l'un des premiers interprètes masculins à entendre sa voix sur un phonographe. En 1926, la Paramount entame une série d'enregistrements promis à une belle carrière. Son œuvre nous parvient parfois défraîchie, emmêlée d'accents monotones, mais dans le contexte des *roaring twenties* son panache forçait l'admiration. La pureté de quelques titres reste troublante, tel son *Matchbox Blues* qui s'écoute comme un oracle venu préfigurer le rock'n'roll.

Avec *See that My Grave's Kept Clean*, il conforte son statut de star commerciale et devient de 1926 à sa mort en décembre 1929, le plus gros vendeur de disques de blues aux États-Unis, disposant d'une influence considérable : la Paramount, consciente de la popularité de Lemon Jefferson, avait coutume d'offrir ses disques pour l'achat de tout phonographe. Sa disparition n'entame pas la vitalité de la scène texane dont émergent deux musiciens : l'un, 'T-Bone' Walker, a raflé l'héritage du guitariste. L'autre, Lightnin' Hopkins, a cultivé au paroxysme ses dons de parolier et de conteur prolifique.

Né Sam Hopkins en mars 1912 à Centerville, un patelin situé à mi-chemin entre Houston et Dallas, sur l'autoroute 45, l'enfant découvre tôt la mesure de son talent. Il a raconté le souvenir de sa première rencontre avec Blind Lemon Jefferson, en 1920 : au cours d'un rassemblement de l'église baptiste, le garçon aperçoit la star assise sur la plate-forme d'un camion. Il s'en approche et, du haut de ses huit ans, annonce aux badauds incrédules qu'il joue aussi bien que le maître. Il saisit son instrument, attaque un morceau et subjugue à ce point l'assistance que Lemon Jefferson s'enquiert aussitôt du nom du jeune phénomène…

Vers vingt-cinq ans, Sam Hopkins joue avec son cousin Texas Alexander - un des premiers bluesmen texans, imprégné des chants de travail et de prison - et gagne le surnom de 'Lightnin'' à l'issue de ses sessions avec le pianiste 'Thunder' Smith. Il improvise avec une verve déconcertante des histoires à faire pleurer un croque-mort, comme l'appel au secours lancé à *Mr Charlie*. Insatiable, Lightnin' Hopkins enregistre pour plus d'une vingtaine de labels, laissant derrière lui après sa mort en 1982, une des discographies les plus riches et les plus confuses du blues.

T-Bone Walker peut lui disputer l'héritage technique de 'Blind' Lemon Jefferson. Avec le jazzman Charlie Christian - le premier à libérer la guitare de la section rythmique pour la mettre en avant, solo à l'appui - Aaron Thibeaux Walker a vite expérimenté l'électrification. Il a laissé une trace telle qu'aucun guitariste n'ignore son style, fluide, doux et concis. Né en 1910 à Linden, dans l'est du Texas, en bordure de la Louisiane, il fait ses premières armes à Dallas et accompagne Lemon Jefferson dans les rues d'Oak Cliff, le quartier où grandira plus tard un autre virtuose de la six-cordes, Stevie Ray Vaughan. Aaron Walker quitte le Texas pour Los Angeles en 1934 et sera imité par de nombreux musiciens originaires du *Lone Star State*. Il découvre la guitare électrique un an plus tard grâce à Les Paul - de son vrai nom Lester Polfus - musicien de jazz reconnu, reconverti avec succès dans la lutherie et auteur de modèles prestigieux pour le confectionneur Gibson. Enthousiasmé par les possibilités techniques qu'offre l'amplification, Walker doit cependant attendre 1939 pour enregistrer son *T-Bone Blues*. Six ans plus tard, au sortir de la guerre, il livre son chef-d'œuvre : *Call it Stormy Monday* distille ses notes précieuses

Lightnin' Hopkins

MICHAEL OCHS ARCHIVES, VENICE CA

l'inspiration avec un nouveau groupe, les Ice Breakers, et se spécialise dans les titres réfrigérants comme *Frosty*, *Icy Blues* ou l'excellent *Ice Pick*. Alors qu'il bénéficiait d'une popularité nouvelle, Albert Collins meurt en octobre 1993 d'un cancer.

Stevie Ray Vaughan a ravivé dans les années quatre-vingt la flamme parfois vacillante du blues. Né en 1954 et formé à l'école mâtinée de rock du groupe de son frère aîné Jimmie, les Fabulous Thunderbirds, Stevie Ray Vaughan a commencé à enflammer les bars d'Austin à partir de 1978 ; la basse et la batterie de l'énergique duo Double Trouble y appuient sa guitare à merveille.

qui influenceront en ligne directe B.B. King, Otis Rush ou Jimi Hendrix. Son jeu de scène, à base de figures acrobatiques, l'impose comme un artiste complet. Mais T-Bone Walker, alcoolique, meurt en 1975 à Los Angeles.

A la fin des années quarante, l'épicentre du blues texan se déplace de Dallas à Houston. En 1947, Don Robey, propriétaire de plusieurs bars de la ville, fonde son label, Peacock, pour enregistrer Clarence 'Gatemouth' Brown. Originaire de Louisiane où il est né en 1924, le guitariste au Stetson inaugure la liste des victimes de Don Robey et de ses malversations comptables. En accolant son pseudonyme au nom de l'auteur, celui-ci flouera tranquillement quelques-uns des artistes de ses autres maisons de disques Duke et Back Beat. Parmi eux Johnny Ace, un chanteur qui enregistre une poignée de succès de rythm'n'blues et accompagne Big Mama Thornton en tournée avant de trouver une mort tragique dans les coulisses d'une salle de Houston, le soir de Noël 1954 : alors qu'il se détend à l'issue du concert, le jeune homme s'empare d'un pistolet et fait mine de jouer à la roulette russe. L'unique balle du revolver lui perfore le crâne. Après trente ans d'activité, Don Robey vendra l'ensemble de ses labels à ABC en 1973.

Albert Collins a vingt ans quand il fonde son premier groupe, les Rythm Rockers, en 1952. Après six ans passés à écumer les clubs de Houston, Collins décroche son premier enregistrement et sort *The Freeze*, un tube qui découpe le blues avec la précision froide d'un scalpel, sous les riffs de son immuable Télécaster, sanglée dans un capodastre. Après quelques incursions vers le funk au début de la décennie soixante-dix, ce technicien affûté retrouve

Après avoir collaboré au *Let's Dance* de David Bowie, le guitariste sort un premier album en 1983 : *Texas Flood*. Son jeu dense et vibrant, sa voix plaintive et mal assurée insufflent une vie nouvelle à des titres anciens ou accouchent de rocks limpides. Son goût de la saturation électrique le rapproche naturellement d'un Elmore James dont il transcende un titre de 1959, *The Sky is Crying* qui résonne comme une sinistre prémonition le 27 août 1990. Cette nuit-là, l'hélicoptère dans lequel Stevie Ray Vaughan a pris la place d'Eric Clapton s'écrase sur une colline du Wisconsin.

A l'ombre du Delta et des légendes du Mississippi, le Texas prend sa part. Dans une chambre d'hôtel de San Antonio, à l'automne 1936, puis sous le toit d'un entrepôt de Dallas en juin 1937, Robert Johnson dicte son testament par deux fois. Deux sessions d'enregistrement et un passage à tabac pour vagabondage.

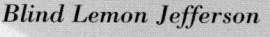

BLUES ARCHIVES, UNIVERSITY OF MISSISSIPPI

Blind Lemon Jefferson

Une route quitte Natchez vers l'est, direction l'intérieur des terres. Elle traverse une succession de collines boisées, les *Piney Woods*. Le lacet d'asphalte perce une immense forêt de pins où se nichent des églises, comme des taches de craie dans l'ombre. Quelques voitures troublent parfois la quiétude des corbeaux qui tournoyent inlassablement au-dessus des cimes. Les hommes ne se sont jamais fixés au cœur de ces vallons verdoyants mais ont établi leurs villes à la lisière de la forêt, le long des autoroutes qui remontent vers Jackson puis vers Memphis. L'une d'entre elles, Hazlehurst, a vu naître Robert Johnson. Par ignorance ou honte, cette petite bourgade ne parle pas du fils qu'elle a jeté à la face du Sud en 1911. Un jeune homme du quartier noir a entendu parler du poète maudit. Il laisse entendre qu'à la mairie, certains esprits éclairés envisagent de réparer cet affront.

Sous un soleil de plomb, Hazlehurst dort à poings fermés et se contrefiche bien des légendes. Seul le château d'eau, qui déborde gaiement et ruisselle en cascade, manifeste un peu de générosité. Ailleurs, les visages se ferment. Blancs et Noirs s'observent depuis des générations et n'attendent plus un geste de l'autre. Au bout d'une rue à peine goudronnée, autour d'une pauvre maison de bois et de quelques voitures défraîchies, une famille célèbre dans la joie et l'ivresse l'enterrement du patriarche. Les larmes sont restées au cimetière, autour de la tombe du vieil homme. Les bras chargés d'enfants, des femmes trinquent et plaisantent. Les hommes restent à l'écart, assis sur le coffre des voitures, silencieux et méfiants. "Si le soleil ne te tue pas, les moustiques s'en chargeront," s'esclaffe Olympia. A seize ans, l'aînée des sœurs Robson exhibe sa féminité dans une robe violette trop étroite pour ses formes généreuses. Sa gouaille et son sourire charnu réveillent l'image d'une Bessie Smith insouciante. Hazlehurst n'est pas le Delta. Les quartiers de la petite ville se sont naturellement logés dans les dépressions d'un relief encore tourmenté où stagnent des fragrances méditerranéennes. Les pins atténuent le feu du soleil qui chauffe à blanc la ville endormie. Un pont surplombe la gare, déserte et silencieuse jusqu'au passage d'un Amtrak lancé à pleine vitesse qui fend le silence de l'après-midi dans un hurlement métallique. Pressé par des impératifs commerciaux, l'Illinois Central méprise la ville qui porte le nom de celui qui l'inventa, l'ingénieur en chef George H. Hazlehurst.

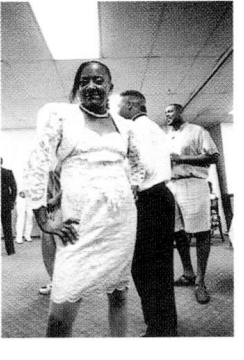

Un peu plus tard, dans la chaleur de la nuit, deux familles noires célèbrent l'union de leurs enfants. Le personnel du motel n'en croit pas ses yeux. L'affluence du mariage et l'ampleur de la fête les a pris au dépourvu. Dans la cour, les Cadillac, Buick et autres Mercury se croisent dans un feulement, promènent leurs phares sur les chambres du motel où elles dessinent des ombres changeantes. Des éclats de rire fusent. Au milieu de la cour, au centre du ballet automobile, la piscine déborde des cris d'enfants, ivres de joie dans la fraîcheur du bain.

Dans la salle du banquet, la fête bat son plein et le groupe remplit sa mission à merveille. L'assistance prend le micro et chante des classiques. Les couples dansent ou bavardent, certains s'éclipsent dans les chambres. Un enfant explique que la porte est fermée et qu'on ne veut pas lui ouvrir. Robert Johnson est retourné à Hazlehurst en 1931 pour se marier une seconde fois, avec Calletta Craft.

Plus au nord se trouve Jackson, la capitale administrative
du Mississippi. Une ville dure, au béton poussiéreux,
où seul le centre-ville offre un visage souriant.
Administrations et entreprises se sont regroupées
autour du *State Capitol*, le long de larges avenues bordées
de pelouses. A l'heure du déjeuner, les cols blancs
prennent d'assaut les rares restaurants du coin avant
de réintégrer le confort aseptisé de la climatisation.
Ce *downtown* là ne vit que pour eux. Quand ces attachés
parlementaires, cadres de banque, hommes d'affaires ou
fonctionnaires rejoignent leurs banlieues résidentielles,
 le quartier se vide de toute animation. Seule la police
montée sillonne les rues désertes, à l'heure où les
derniers rayons du soleil s'accrochent au sommet du
Capitole. Perché sur le dôme, l'aigle du Mississippi
 tourne le dos à Washington, le regard perdu vers le Sud.
Quelques blocks plus à l'ouest, les rues rétrécissent,
le goudron se fissure et de vilaines petites maisons de
ciment ou de bois remplacent les pimpants immeubles
du centre. Les quartiers noirs s'éveillent avec la nuit.
Des silhouettes apparaissent devant les jardinets qui
buttent sur la chaussée. Dans la pénombre de Pearl
Street, les alentours du *Subway Lounge* attirent une
faune interlope et miséreuse. Trois hommes hagards
traînent devant la façade de béton blanchâtre du club.
Ils échangent des propos incohérents et saccadés.
Le temps s'est vidé de son sens et seule compte
la petite pipe en verre où, dans le crépitement de petits
cailloux translucides, ils fumeront leur dose.
Famille, argent, espoir, le crack leur a tout pris.
Sauf ces lambeaux de trottoir où moisit leur vie.
Le *Subway Lounge* accueille malgré tout deux ou trois
concerts de blues par mois. Les Houserockers, un
groupe blanc, font partie des têtes d'affiche locales.
Saint Angelo, leur pianiste, semble apprécier l'endroit :
"on y joue souvent jusqu'à trois heures du mat dans
une drôle d'ambiance. Vous savez, la peur de prendre
une bouteille de bière dans la figure."
La première ville du Mississippi a accompagné les débuts
du blues. Dès la fin des années vingt, Henry C. Speir
repère les talents pour les majors avides d'enregistrements
inédits. Depuis le comptoir de son magasin de musique,
il guide Charley Patton vers les studios de Paramount
en 1929. La notoriété de son flair dépasse les frontières
de l'État : lorsque H.C. Speir donne aux disques RCA
le nom de Robert Johnson, ces derniers se mettent
aussitôt à la recherche du jeune homme.

La scène musicale de Jackson ne présente plus
beaucoup d'intérêt pendant la vingtaine d'années
qui passe mais repart en 1950, lorsqu'une jeune femme
entreprend de créer la compagnie de disques Trumpet.
Lillian McMurry en a assez des livres de comptes du
magasin de son mari. Elle n'a pas trente ans quand elle
enregistre les musiciens qui fréquentent sa boutique de
Farish Street, l'artère commerçante du quartier noir de
Jackson.
Cinq années durant, la ville s'identifie au label.
Lillian McMurry signe très vite un contrat avec
Sonny Boy Williamson - de son vrai nom Rice Miller -
la star du *King Biscuit Time*, le show de blues quotidien
de KFFA, une radio d'Helena, Arkansas. A soixante ans,
l'harmoniciste est au sommet de son art : ·
Nine Below Zero et *Mighty Long Time* deviendront
des classiques. A ses côtés, Joe Willie Wilkins,
le guitariste attitré des sessions de Trumpet, développe
un style précis et limpide. Né en 1923 à Davenport,
Mississippi, Joe Wilkins a joué dans les rues de
Clarksdale et sur les ondes de KFFA avant d'être
engagé par Lillian McMurry. A la disparition de Trumpet,
il déplace ses quartiers à Memphis, où il devient l'un des
musiciens de studio les plus en vue de l'écurie Sun.
Il meurt en 1979 après avoir terminé sa carrière dans le
relatif anonymat des clubs de sa ville d'adoption.
L'autre vedette du label de Jackson s'appelle
Elmore James. Né Elmore Brooks en 1918 près de
Richland, au nord de la capitale du Mississippi, il grandit
à Belzoni où il rencontre Robert Johnson vers 1937.
La guerre l'arrache ensuite aux *juke joints* du Delta
dans lesquels il jouissait d'une solide réputation.
Enrôlé dans l'U.S. Navy, il participe au débarquement
de Guam, dans le Pacifique, avant de rejoindre sa terre
natale. Elmore James reprend sa guitare et joue souvent
avec Sonny Boy. C'est d'ailleurs pendant une session
commune pour Trumpet, en août 1951, qu'il enregistre
son titre phare, *Dust my Broom*. Attribué à l'interprète,
le morceau reprend quasiment note pour note, mot pour
mot, une composition de Robert Johnson intitulée
I Believe I'll Dust my Broom enregistrée le 23 novembre
1936 au Texas. Mais le son saturé, rauque et tendu
d'Elmore James transfigure l'original. Les trois minutes
de *Dust my Broom* posent à vif les bases du rock'n'roll.
Ce succès attire l'attention d'Ike Turner, guitariste
originaire de Clarksdale et *talent scout* à ses heures
perdues au profit du label Modern. En janvier 1952,

LILLIAN McMURRY, BLUES ARCHIVES, UNIVERSITY OF MISSISSIPPI

Ancien réparateur de transistors,
Elmore James bricolait lui-même les micros de sa guitare.

ses patrons, les frères Bihari, descendent de Chicago pour auditionner la révélation de Jackson. Tiré à quatre épingles à la manière de Clark Kent, costard gris et chemise blanche, le superman de la *slide* grimpe dans la Cadillac des deux frères et file vers Canton, à vingt kilomètres au nord. Les Bihari sont prêts à tout pour ravir le musicien à Trumpet. Y compris à l'enregistrer sur-le-champ. Dans la salle déserte du *Club Bizarre*, Ike Turner s'installe au piano pendant qu'Elmore James branche sa guitare.

Les frères Bihari se sont signalés par quelques manquements à l'élégance. Ainsi, quand Bobby Bland, la grande voix de la musique soul, s'est trouvé au creux de la vague, ils lui ont donné pour seul conseil de retourner derrière sa charrue.

Malgré tout, le courant passe bien avec Elmore James. Les Bihari gagnent la confiance de l'ombrageux musicien et celui-ci quitte Lillian McMurry six mois plus tard pour s'établir à Chicago. La jeune productrice surmonte sa déception par le travail. Sa probité, louée par les artistes dans un contexte généralement désabusé, lui facilite la tâche. Trumpet trouve son deuxième souffle en engageant Big Joe Williams, passé à la postérité grâce à *Baby, Please Don't Go* - blues essentiel dans lequel ont puisé des générations de rockers.

Big Joe Williams, né dans l'est du Mississippi en 1903, mène une jeunesse errante ponctuée par de nombreuses parenthèses carcérales. Après avoir joué sa guitare à neuf cordes sur les chantiers et dans des *minstrel shows*, il s'installe à Saint Louis et enregistre pour le label Bluebird, propriété de l'influent producteur Lester Melrose. Après son bref retour dans le Sud, Big Joe Williams revient à Chicago où des maisons de disques comme Delmark et Cobra lui font les yeux doux, pendant que Lillian McMurry, lassée des pratiques malhonnêtes de l'industrie musicale, plie boutique en 1955.

Le siège de Vicksburg.

En 1862, au plus fort d'une guerre à l'issue encore incertaine, le président Lincoln désigne l'objectif stratégique des troupes de l'Union : Vicksburg, 'la clef du Sud', porte du Delta dressée sur une colline fleurie, au confluent de la rivière Yazoo et du Mississippi. Tapis dans les flancs de Vicksburg, ses canons interdisent le passage aux vaisseaux du Nord. L'armée du général Grant doit s'emparer du 'Gibraltar des Confédérés' pour rétablir la liaison fluviale entre Saint Louis et La Nouvelle-Orléans, tombée entre leurs mains dans les premiers mois de la guerre. Le siège de Vicksburg dure quarante-sept jours, au milieu de combats acharnés. Le général Pemberton rend les armes le 4 juillet 1863. Le Sud a difficilement avalé la défaite. Vicksburg ne s'en est jamais remise, elle qui pendant près d'un siècle n'a pas célébré *Independence Day*, la fête nationale américaine, pour mieux entretenir la mémoire de ses enfants tombés au champ d'honneur. Cent trente ans après la victoire des Yankees, la plaie n'est pas refermée. Le *National Military Park* qui ceinture la ville retrace l'histoire du siège sur les lieux mêmes de la bataille. La route serpente au milieu des collines boisées, passe en revue une étourdissante succession de stèles de bronze, de mausolées et de statues. Pointées vers le fleuve, les pièces d'artillerie confédérées rêvent d'une revanche. Mais la fierté sudiste n'a que faire des musées. Elle vit au plus profond de la mémoire collective et s'exhibe dans cette Amérique marquée au fer du drapeau confédéré qui claque sur les mâts des maisons en place du *Star and Stripes*. Solidement agrippé à sa colline, Vicksburg n'a que faire du temps qui passe. Aux limes de la ville, l'autoroute qui relie Atlanta au Texas laisse le gros bourg à ses souvenirs et file vers le soleil couchant. Au début du siècle, Vicksburg se classait au deuxième rang des villes du Mississippi. Sur la terre baignée des eaux fangeuses de la Yazoo grouillait une société cosmopolite. Des émigrés chinois, syriens et italiens se pressaient entre le port et la gare dans un incessant tourbillon d'activités plus ou moins illégales. L'endroit vit aujourd'hui des heures plus sereines. Des herbes folles poussent dans l'enchevêtrement des rails. Des wagons attendent, tordus par le poids du coton, du grain et du bois, portés sur des milliers de kilomètres. Rongés par la rouille et déformés par les années, on pourrait les croire finis. Ils reprendront du service et repartiront

L'assassinat d'Abraham Lincoln vu par le cinéaste David W. Griffith.

vers Shreveport en Louisiane ou vers Chicago,
tout au Nord.
De l'autre côté de la route, une usine Union Compress
semble abandonnée. Le bourdonnement de quatre
bouches d'aération se mêle au fracas d'un chantier
lointain. L'activité industrielle se maintient difficilement.
C'est ici que le jeune Willie Dixon, un beau jour de
1929, a sauté dans un train pour gagner Chicago.
Pour lui comme pour des dizaines de milliers
de paysans, le chemin de fer a symbolisé la possiblité
de fuir vers un monde plus clément, loin des champs de
coton et des pesanteurs ségrégationnistes du Vieux Sud.
Aux dernières heures de l'esclavage, il flottait déjà autour
du rail un parfum de liberté insufflé par l'*underground
railroad* de Harriet Tubman, une filière secrète pilotée
depuis le Nord pour franchir la ligne Mason-Dixon.
Deux grandes compagnies assuraient avant-guerre
la jonction verticale des États-Unis : l'Illinois Central
Railroad, épine dorsale du Mississippi qui établissait
la liaison La Nouvelle-Orléans-Chicago en vingt-quatre
heures et la Gulf, Mobile and Ohio (M&O). Ces noms

Willie Dixon

"Now everybody's talkin' about the seventh son
In the whole round world, there is only one
I'm the one, yes, I'm the one
I'm the one they call the seventh son."

Il est une croyance répandue dans l'imaginaire des Noirs du Sud : celle du "septième fils" béni des dieux. En donnant le jour à un septième enfant le 1er juillet 1915 à Vicksburg, Daisy Dixon nourrit la légende. Vif et curieux, son fils grandit dans l'effervescence cosmopolite du restaurant de sa mère. Willie Dixon s'initie à la musique à travers le gospel. Plutôt doué pour le chant, il se produit avec les Union Jubilee Singers, un quartet de renommée locale régulièrement invité sur WQBC, la radio de Vicksburg.
Un épisode déplaisant marque son enfance : à l'âge de huit ans, des gamins blancs le pourchassent à coups de pierre sur le chemin de l'école. Profondément meurtri par cet épisode, Dixon concevra toute sa vie une certaine méfiance envers la société américaine et des doutes sur sa capacité d'intégration.
A douze ans, il est arrêté pour vol qualifié de matériel de plomberie, plaide non coupable mais finit en maison de correction, où il découvre le blues et ce qui deviendra son sujet de prédilection : les femmes. En 1929, l'adolescent est de nouveau mis sous les verrous, cette fois pour *hoboing*. Il purge trente jours de prison à la Harvey Allen County Farm, s'en évade à l'aide d'une mule et saute dans le premier train pour Chicago. La Dépression ravage alors l'Amérique et Dixon comprend qu'il ferait mieux de s'en retourner chez lui plutôt que de croupir dans les longues files de chômeurs de ce Nord glacial. Il accumule les petits boulots et profite de son temps libre pour composer sa première chanson, une ritournelle : *The Signifying Monkey*.

Quand il s'installe définitivement à Chicago, en 1936, Willie Dixon pèse un bon quintal et s'est déjà taillé une petite réputation dans le milieu de la boxe, catégorie poids lourds. L'année suivante, il remporte l'Illinois State Golden Gloves, un championnat amateur et passe professionnel dans la foulée. Un temps *sparring partner* de Joe Louis, il dispute à peine quatre combats avant d'abandonner cette voie pour cause de différends financiers avec son manager. A vingt-deux ans, Dixon entretient déjà des rapports passionnels avec l'argent et soupçonne chaque Blanc d'en vouloir à son portefeuille. Quand il raccroche les gants, il revient naturellement à la musique. Willie Dixon fonde son premier groupe, les Five Breezes, en 1939. A l'époque, deux hommes tiennent le blues à Chicago : J. Mayo Williams travaille pour Decca et Mercury, Lester Melrose recrute pour Vocalion, Okeh et Bluebird. C'est sur ce dernier label que le groupe enregistre en novembre 1940. Dixon maintient une ligne solide sur sa basse acoustique, un instrument qu'il pratique depuis quelques années. A la guitare lui répond Leonard 'Baby Doo' Caston, son meilleur ami. L'entrée en guerre des États-Unis en décembre 1941 complique la situation : la police arrête Willie Dixon sur scène, au milieu d'un concert des Five Breezes. Malgré de multiples convocations, Dixon n'entend guère se rendre sous les drapeaux. Interné, il se déclare objecteur de conscience et passe plusieurs fois devant une cour militaire, clame à qui veut l'entendre sa défiance envers le gouvernement et puise dans l'histoire tourmentée des Noirs américains les arguments de sa propre défense.
Libéré à la fin de la guerre, il forme en 1946 le Big Three Trio où l'on retrouve Leonard Baby Doo Caston - cette fois au piano -, Ollie Crawford à la guitare et Dixon lui-même à la basse. Ainsi baptisé en référence à la conférence de Yalta, le groupe place rapidement son morceau fétiche, *The Signifying Monkey*, à la tête des *charts* ryhtm'n'blues, le hit-parade des ventes d'artistes noirs. Le Trio tourne sans interruption pendant quatre ans à Chicago et sur les scènes du *Middle West*. Dixon dira rétrospectivement de cette période qu'elle portait en germe ses meilleurs titres, qu'interpréteront quelques années plus tard Muddy Waters et Howlin' Wolf.
En marge des centaines de concerts du Big Three Trio, Dixon attire l'attention de Leonard et Phil Chess, propriétaires du label Aristocrat de Chicago, où enregistrent Muddy Waters et Sunnyland Slim. En 1951, quand les démêlés sentimentaux

Willie Dixon entouré de Muddy Waters et de Johnny Winter.

pour multiplier ses apparitions. Il joue avec J.B. Lenoir, Junior Wells, Sonny Terry ou John Lee Hooker. Son jeu simple, puissant et régulier tire le meilleur d'une contrebasse que l'électricité chassera bientôt des studios.

Le succès et la popularité de Dixon ravivent la convoitise de ses anciens employeurs. Il réintègre l'écurie Chess en 1959. Devenu le bras droit de Leonard Chess, Dixon se consacre de préférence à Howlin' Wolf et Muddy Waters. Au premier il donne *Spoonful*, *Little Red Rooster* et *I Ain't Superstitious*.

Il dédommage le second avec *I'm Ready*, *You Need Love* et *You Shook Me*. Les compositions que Willie Dixon offre à ses poulains les propulsent au firmament.

De la basse aux consoles, Dixon fait tout. Il modèle le son Chess à son image, carré comme une mécanique sous des dehors enjôleurs et utilise au mieux les possibilités de chacun. Il retient en dernier lieu la prise où s'est glissée une petite erreur, celle qui lui confère un aspect faillible et humain. Le talent confirmé de Sonny Boy Williamson lui-même, sur *Bring it On Home*, profite à son tour de sa plume prolifique. En 1966, Dixon signe son dernier hit chez Chess : la chanson s'appelle *Wang Dang Doodle* et lance une chanteuse venue de Memphis, Koko Taylor.

Dixon se sépare du label en 1970, un an après la mort accidentelle de Leonard. Il ouvre son propre studio, le Blues Factory et crée la Blues Heaven Foundation en 1982, une institution destinée à populariser le blues dans les écoles et à aider les artistes démunis. Après un dernier album publié en 1988, *Hidden Charms*, Willie Dixon meurt en janvier 1992. L'enfant de Vicksburg laisse derrière lui une œuvre de plus de cinq cents titres, un puits où se sont abreuvées des générations de musiciens.

de Leonard Baby Doo Caston mettent un terme à l'aventure du Trio, Dixon, qui flirte alors avec les cent cinquante kilos, rejoint le label des frères Chess, désormais éponyme. L'âge d'or commence. La première session où apparaît le nom de Willie Dixon date de 1952 - il tient la basse sur *Back Door Friend* de Jimmy Rogers - mais il n'explose véritablement qu'en janvier 1954, quand Muddy Waters enregistre *Hoochie Coochie Man*.

La composition, archétype indémodable du blues moderne, résume la méthode Dixon : écrire une chanson simple, facilement identifiable et enfin la confier à l'interprète adéquat. Il faut deux ans à Willie Dixon pour convaincre Little Walter, l'harmoniciste attitré de Muddy Waters, d'enregistrer *My Babe*, un succès colossal.

Dixon prend une importance considérable dans le développement de Chess. Il joue derrière Chuck Berry, Sonny Boy Williamson, Roosevelt Sykes, Homesick James ou Bo Diddley, qu'il prétend d'ailleurs avoir découvert dans la rue. Surtout, il compose à la pelle les succès qui alimentent les caisses de Chess.

Toujours méfiant dès qu'il s'agit d'argent, Dixon est persuadé de se faire rouler par les deux frères. Il quitte Chess en 1956 et rejoint le label concurrent Cobra, où le producteur Eli Toscano l'accueille à bras ouverts. Promu directeur artistique, Dixon recrute Otis Rush, Buddy Guy et Magic Sam. Sous son égide, les trois guitaristes posent les bases du *West side* blues, un style résolument moderne dont s'inspireront des groupes anglais comme Led Zeppelin qui reprend *I Can't Quit You Baby* - composé par Dixon et initialement interprété par Otis Rush - sur son premier album. Jouissant d'une totale liberté chez Cobra, Dixon profite de l'expansion continue du blues

n'avaient pas cours dans le vocabulaire noir du Sud, où un certain génie de la langue a vite rebaptisé les lignes. L'autoproclamé 'père du blues' W.C. Handy raconte qu'un ouvrier qui posait les rails pour le compte des chemins Yazoo Delta, en levant le nez sur les deux initiales de la compagnie inscrites sur une locomotive, avait traduit *Yellow Dog*.

Le blues avait déjà déformé les patronymes de ses interprètes, à base de *lightning*, de *slim*, de *big* et d'autres particularismes. Les trains ne porteraient pas non plus leurs noms originels mais ceux inventés par les hommes, des images forgées par des siècles de tradition orale. "Dans les années trente" rappelle Robert Palmer, "le chemin de fer était à la fois la ligne de vie de la nation et une institution nimbée d'une aura mythique." Les bluesmen ont compris les premiers la puissance de cette charge émotionnelle dans l'esprit des Noirs. Chaque famille n'a-t-elle pas fait l'expérience d'une séparation difficile sur un quai de gare ?

La mélopée du *Love In Vain* de Robert Johnson laisse entrevoir ce déchirement, bien que la vie itinérante des joueurs de blues ait enfoui ce sentiment en eux depuis toujours. Ils n'ignoraient rien de ce moyen de transport pratique, salvateur en cas d'ennuis et très économique. Pour les hobos, passagers clandestins du rail qui "brûlaient le dur", il fut naturellement une source d'inspiration inépuisable.

Personne n'a mieux transfiguré la force de cette complicité que John Lee Hooker dans *Hobo Blues*.

"When I first start the hoboin',
I took a free train to be my friend.
You know I hobo'ed a' hobo'ed,
long long way from home.
Well next time I start the hoboin',
I'll have my babe by my side.
Lord have mercy, have my babe by my side.
Then my road won't be so rough,
I won't be travelling all by myself."

La sobriété absolue de l'univers de John Lee Hooker,
entre les notes de guitare qui tombent comme des
grosses gouttes de pluie, pareilles à des larmes.
Ses pieds battent la mesure, la voix est sincère et
poignante. Les chanteurs de blues savaient la clientèle
des trains régulière et ponctuelle. A Tutwiler et dans
d'autres gares, ils attendaient le rendez-vous fixe de
l'après-midi, l'heure où les dépôts regorgent de passagers
et où les casquettes débordent de pièces.
De tout cela, la gare de Vicksburg ne se souvient plus.

Une masse anthracite approche par l'ouest et l'on
devine un mauvais nuage. Le vent s'est levé, forme des
tourbillons de poussière sporadiques qui affolent les
chiens. Le grondement se rapproche, survole la colline
arrogante de Vicksburg. La bourrasque éclate après
quelques grosses gouttes d'avertissement. Un torrent
continu balaye les rues et les voitures, tandis que
les gouttières ploient sous l'ampleur du déluge.
A l'abri sous une véranda, une femme attend, cachée par
le rideau de pluie qui s'écoule de l'auvent. Les bras bal-
lants, une cigarette à la main, elle roule
des hanches sous son tee-shirt. Un petit garçon court
à ses pieds, une voiture électrique jaune dans les mains.
Leona attend la fin de l'orage et surveille son fils
d'un œil distrait.
Elle doit se rendre au commissariat central, à l'exact
opposé de la ville. "Faut qu'j'aille dire à la police que
c'est pas ma faute," maugrée-t-elle en serrant les dents.
"C'est pas vrai que j'ai volé et j'ai jamais rien fait de
mal. J'ai pas mérité de me faire taper dessus ni de me
faire traiter de salope." Sur le chemin du commissariat,
Leona raconte ses déboires de la veille et sa nuit en
prison. "La vieille, dans la boutique, elle a commencé
à dire que j'avais pris du parfum et tout ça. Après elle
m'a fouettée et puis elle m'a cognée avec un balai.
Les flics m'ont embarquée sans discuter."
En sortant de prison, dans la chaleur naissante du petit
matin, les policiers lui ont fait comprendre qu'il lui
faudrait revenir avec le nom de famille de la gérante
du magasin si elle voulait porter plainte. Elle sillonne
la ville dans ce but illusoire. Derrière elle, son petit s'est
allongé sur la banquette arrière et s'est endormi sans
demander son reste, en serrant son jouet contre lui.
"Je jure que c'est la première fois que j'me colle de
pareils ennuis" dit Leona avant de maudire la "foutue
négresse" qui l'a envoyée en prison. Les essuie-glaces
battent la mesure d'une cadence folle. "J'arrive pas
à trouver du boulot et j'ai pas de chez moi. Vivre au
motel, c'est pas une vie. Maman, elle, travaille au
casino, sur le fleuve, et j'vais essayer de m'trouver
une place là-bas moi aussi."

Chez *Bertha's*, un bar aveugle posé à la sortie de la ville,
la clientèle noire préfère jouer au billard ou danser
sur le blues que passe le disc-jockey. Le whisky se vend
à la demi-pinte sous le regard nonchalant de
la patronne, qui se promène de la caisse au bar dans

un déhanchement lascif. Autour de la table de billard, les hommes, jeunes pour la plupart, s'affrontent dans des parties où la variété des coups surprend autant que l'allure bigarrée des compétiteurs.

Le DJ c'est Richard C. Une moustache fine et un long nez égyptien enfouis derrière les platines, entre trois malles de compacts et de vinyles : il occupe le fond de la salle à lui tout seul. "Tout ce qu'il y a là" dit-il en montrant sa collection de disques, "c'est rien que du blues. Les seules exceptions, c'est quelques albums de rock - par là j'ai Elvis - et de rap. Les jeunes aiment bien le rap, alors je suis obligé d'en avoir. Mais bon..." Richard interrompt un disque alors qu'un petit incident éclate à une table. Quatre hommes se sont levés et les sarcasmes fusent. Il annonce au micro qu'il n'y aura plus de musique tant que les esprits ne seront pas apaisés. Le calme revenu, il lance un morceau et chante dessus pendant les premières mesures.

Devant lui, des couples bougent sur la piste de danse qui s'étire dans la largeur de la salle. Plus loin, passé les nappes rouges des tables, l'activité se concentre autour des deux billards.

A ce jeu-là Anthony excelle. A l'occasion, il devient un *hustler*, un arnaqueur, à la manière de Paul Newman, histoire de laisser des gogos le battre le temps de faire monter les enchères et de rafler la mise à l'arrivée.

Il remue son short rouge et or et bombe son torse nu
en pérorant. "J'ai sept femmes à moi. Une pour chaque
jour de la semaine." Barbe Bleue éclate de rire.
Quand Bertha passe devant lui, il chuchote
qu'elle ferait la huitième idéale.

Plus loin, sur le même côté de la route, se dresse au
matin un monde étranger à cet univers païen. Celui
du révérend Dennis, monument kitsch bâti à la gloire
de Dieu. Un jeu de Lego géant où les briques bleues,
rouges et blanches s'entassent dans une marche insensée
vers le ciel. A soixante-dix-huit ans, le révérend Dennis
poursuit son œuvre et repasse chaque jour une couche
à l'ensemble architectural le plus invraisemblable
de Vicksburg. Le vieil homme ne vit plus que pour Dieu.
Les mains jointes, le regard perdu vers le ciel,
il laisse ses dents clairsemées bafouiller des remercie-
ments au Seigneur pour l'inspiration qu'il lui donne.
Son esprit est ailleurs, depuis longtemps.
L'intérieur du drugstore recèle des trésors d'imagination.
Dans un coin, une arche d'alliance faite de couronnes en
plastique, de fleurs artificielles et de paillettes
multicolores. Une bombe de peinture dorée à la main,
le révérend Dennis appose quelques retouches à son
chef-d'œuvre. Dans un effort dont on ne l'aurait jamais
cru capable, il soulève le coffre, le cale contre ses

maigres jambes et se dirige cahin-caha vers le porche.
Malgré les panneaux accueillants accrochés à la façade,
il est une chose dont le vieux prêtre ne veut pas chez lui,
une chose qu'il est prêt à chasser à coups de pied s'il le
faut : le blues. "C'est la musique du Diable
et moi je prêche l'Amour, j'aime Dieu. Et les hommes"
s'exclame-t-il avec une véhémence où affleure la colère.
Mais l'ire du révérend ne dure pas. Couvé d'un sourire
plein de tendresse par sa femme, Dennis repart dans ses
rêves.
Au nord de Vicksburg, à quelques miles, s'élevait
autrefois la *Rock House*. Dans les premiers champs
de coton du Delta, des dizaines de jeunes se retrouvaient
chaque samedi pour danser dans une ferme abandonnée
qui tremblait sous leurs bonds et leurs trépidations,
quand les musiciens ne s'arrêtaient de jouer qu'au petit
matin. Un soir, dit la légende, le plancher s'est effondré
et il n'y eut aucun survivant.

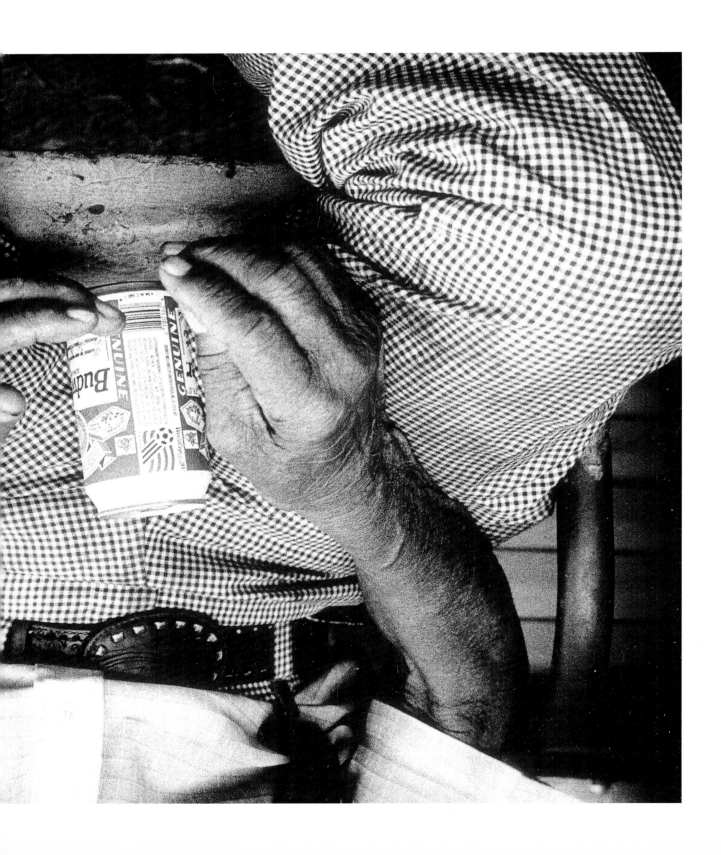

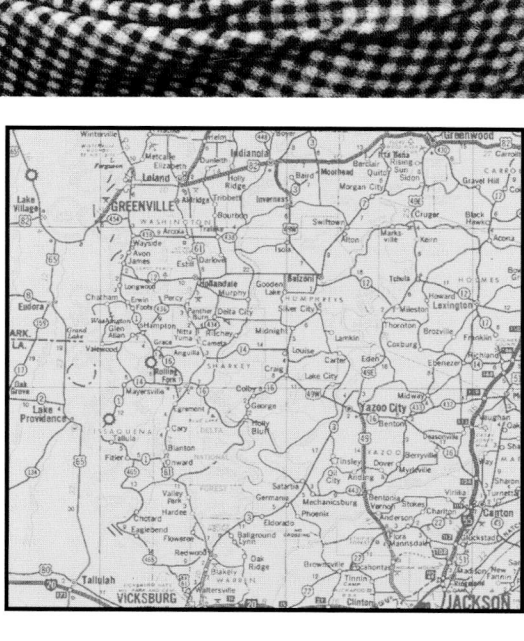

3

LE DELTA

La Highway 61 lâche Vicksburg par un vieux pont
de fer posé comme une agrafe géante en travers de la
rivière Yazoo. Un peu surélevée, elle coupe à travers les
clairières et fait ses adieux à une forêt dont elle ne
verra plus le reflet sombre avant le Tennessee. La route
s'enfonce dans un labyrinthe de coton plat comme le
dos de la main, une mer verte qui s'ourle d'écume au
début de l'automne. Un pays "riche et perfide" écrit
William Faulkner ; "cinq mille miles carrés sans
la moindre colline, si ce n'est les mottes de boue que
les Indiens ont élevées pour s'y réfugier lorsque le fleuve
débordait" : le Delta. Une plaine alluviale comprise
entre le Mississippi et la rivière Yazoo, large d'une
centaine de miles au plus, qui s'étire entre Vicksburg
et Memphis. Des colons vinrent s'établir avec leurs
esclaves aux premières lueurs du XIXe siècle, lorsque
les indiens Choctaws se retirèrent de la rive orientale
du fleuve, recouverte de terres riches mais insalubres.
On y envoya les esclaves sous le prétexte réconfortant
d'une immunité au soleil et aux moustiques. Au prix de
cadences prométhéennes ils eurent tôt fait d'assainir la

Jimmy Holmes

région et de substituer aux marais cette terre grasse, foncée et maléable qui fourmille d'insectes sous les immenses flaques jaunes que déposent les orages. Une plaine que sa fertilité nouvelle voua à la culture exclusive du coton. Avide de bras, elle fixa dans le Delta une concentration massive d'esclaves, dont la descendance façonna un genre musical unique, le blues.

Bentonia est encerclée par le coton. Rien n'accueille le visiteur parce qu'il n'en passe pas. Seule la devanture du *Blue Front* attire un peu l'œil de celui qui traverse les voies du chemin de fer. Bentonia a des allures de ville fantôme. Devant une épicerie dont on ne sait si elle ouvre encore quelquefois ses portes, deux Noirs regardent passer le temps. Ils échangent quelques mots ; plus loin, un homme décharge lentement des caisses de la plate-forme de son pick-up.
C'est Jimmy Holmes, le patron du *Blue Front*.
Ses parents ont ouvert en 1949 ce bouge au plancher vermoulu devenu le havre du blues local. Depuis vingt-quatre ans qu'il tient la caisse, Jimmy a tout vu : les soirs de fête où la foule répandait sa liesse jusque sur le parking du bar comme les samedis de disette, quand trois clients perdus dans leurs souvenirs ressassaient le bon vieux temps. Lorsque la guitare de Skip James chantait encore...
Né à un jet de pierre de la voie ferrée en 1902, Nehemia 'Skip' James, fils d'un homme d'église, a longtemps joué dans les rues de Bentonia avant que H.C. Speir ne le découvre à la fin des années vingt. Son style en picking, caractéristique du blues rural, lui ouvre les portes des studios. En 1931, il enregistre une quinzaine de 78 tours à Grafton, Wisconsin, mais la Dépression ralentit un parcours pourtant prometteur. Déçu, le guitariste part pour Dallas et fonde un groupe de gospel. Comme Mississippi John Hurt, autre interprète de folk-blues enregistré à la même époque, James trouve dans le *Blues Revival* une occasion de relancer sa carrière jusqu'à sa mort, en 1969.
Le bitume ne recouvre que les rues principales de Bentonia. De l'autre côté des rails, un pauvre voisinage s'est cloîtré dans sa misère. Le vent arrache des tourbillons de poussière aux chemins de terre, sous le linge qui sèche entre des bicoques et des arbres chétifs. Dans ce triste faubourg d'Afrique, des enfants dépenaillés jouent sur un terrain vague.
Benjamin 'Bud' Spires habite une sommaire maison de

bois dans Fontaine Street. En ouvrant la porte d'entrée,
passé le battant en aluminium d'une moustiquaire
déchirée, on entre dans un salon peu reluisant.
Un vieux poste de télévision est remisé dans un coin,
sous un napperon poussiéreux. Bud a perdu la vue
il y a cinquante ans.
"J'ai commencé à avoir mal aux yeux à douze ans", dit-il.
"Quand le soleil tape dans les champs, ça brûle...
Ma mère est allée en parler au patron de la plantation.
Il lui a simplement répondu que ça allait finir par passer.
Un an plus tard, j'étais aveugle." Le propriétaire de
la plantation, Bob Hancock, Bud en parle très
naturellement comme du *big white man*.
Deux bicoques plus loin, une rue porte son nom.
Bud a soixante ans passés. Il se tient enfoncé dans son
canapé, avec pour tous vêtements un pantalon râpé et
des chaussettes à moitié relevées. Une femme s'affaire
dans la cuisine pendant qu'il parle avec deux garçons.
Ils s'occupent tous les trois de lui et les enfants, Jerry et

Milton, sont captivés par ses anecdotes. A tel point que leur mère doit sortir sur le perron d'en face leur intimer l'ordre de rentrer. Ils traînent les pieds.

De sa poche, Bud Spires sort un harmonica. Son père, 'Big Boy' Spires, jouait de la guitare. Avant de partir à Chicago, il a essayé de lui en transmettre le goût. Peine perdue : Bud a vécu son premier amour avec le *Marine Band* Höhner que sa mère lui a offert pour le Noël de ses cinq ans. "Quand on est accro à l'harmonica, c'est difficile de passer à la guitare."

Bud revient sur le Vieux Sud. "Nous, les Noirs, on a grandi à la dure. Les Blancs ne nous faisaient pas de cadeaux. D'ailleurs rien n'a changé, c'est pas comme dans le Nord. Quand j'étais plus jeune, le patron de l'épicerie de Bentonia m'a demandé de lui ramener une jeune Noire qui soit jolie. Je lui ai posé la question suivante : et si moi je vous demandais de me trouver une belle Blanche, qu'est-ce que vous diriez ? Il m'a regardé droit dans les yeux et m'a demandé de retirer mes paroles si je tenais à vivre."

Les femmes absorbent les pensées de Bud : "De toute façon y'a rien à en attendre. Mon meilleur ami s'est fait avoir par une fille de quatorze ans. La garce lui a dit que pour dix dollars elle irait dormir avec lui et cet imbécile a accepté. Pas plus tard que le lendemain, elle l'a fait chanter. Il a pris six mois de prison. A son âge, il a l'air malin !"

Le dimanche, Bud Spires aime à retrouver Jack Owens, son vieux compagnon et l'un des derniers interprètes du blues rural d'avant-guerre, qui habite à l'écart de la ville. Bud connaît la route par cœur et sait aussi les arrêts où l'on peut se procurer de la bière. La loi du Mississippi interdit la vente de whisky le jour de la messe. Assis à la droite du chauffeur, il indique l'itinéraire sans jamais hésiter. La route se mue en une piste caillouteuse et plonge dans une mer de coton. Bud glousse, dégoupille une cannette et rit des secrets de ce Mississippi ankylosé.

Jack Owens attend devant chez lui, debout dans les hautes herbes de la maison qu'il habite depuis trente ans. La mort de sa troisième femme l'a laissé seul avec son chien, qu'il appelle affectueusement Boy pour oublier qu'elle ne lui a pas donné d'enfant.

En face du porche sous lequel trône un fauteuil décati, son antique Oldsmobile n'espère plus reprendre la route. L'intérieur ne brille pas davantage. Une tête de

daim jette un regard mort sur une entrée jaunie comme un vieux papier journal où préside un poêle à charbon. Elle donne sur la chambre, obscure et renfermée. Une simple couette cousue de patches multicolores aux teintes africaines recouvre les deux lits. Des rideaux de fortune pendent par-dessus d'épaisses couches de voilages opaques. Au mur, une collection de photos et, soigneusement encadrée, une lettre de félicitations du président des États-Unis pour sa "contribution à l'héritage culturel américain." La pièce sent la mort.

"Je suis assis sur une tombe, mais c'est la mienne" lâche Jack en s'agenouillant pour enfouir sa main sous son lit. Il en sort un étui à guitare, le pose sur le poêle de la maison et l'ouvre pour en extraire son instrument, une Eko endormie dans un lit de fourrure pourpre où traîne un rasoir blanc.

Même si l'instrument est conçu pour douze cordes, Jack n'en a installé que six parce que "il n'y a plus beaucoup de jeux de cordes dans la maison en ce moment." La guitare acoustique pèse un poids déraisonnable.

"Je suis né le 17 novembre 1904. Mon grand-père, Sam, était fermier et me faisait travailler dans les champs de coton. J'y ai passé un bail, ça oui ! Pour un dollar par jour. J'ai même récolté du maïs." Sec et fripé, Jack Owens porte avec la même élégance ses quatre-vingt-dix ans et son petit chapeau de paille. Il a vécu la grande crue de 1927, quand le Mississippi a brisé la digue avant d'inonder le Delta.

Il s'est tassé mais son allure est intacte : "Mon père est parti quand j'avais douze ans et c'est ma mère qui m'a élevé. J'ai grandi avec une guitare entre les mains. Je rampais encore ! Plus tard, j'ai continué à jouer le soir alors que je travaillais du lundi au samedi à vingt-cinq miles d'ici. Juste avant mes trente ans, j'ai été engagé comme travailleur agricole à l'année par un paysan noir. Le samedi soir, je jouais pour faire danser les autres ouvriers. Il me donnait cent vingt-cinq dollars par an et j'étais très bien traité, j'avais même une mule. Ce type s'appelait John Coney, ou Cony." Jack Owens ne sait pas écrire.

Sans quitter son refuge, il rencontre Robert Johnson, Mississippi Fred McDowell et se coule dans les traces de Skip James. Il se souvient du temps où les *juke joints* pullulaient. "On jouait toute la nuit pour quelques dollars, les uns après les autres. Pour un peu, on se serait marchés dessus ! Puis j'ai ouvert mon *joint*, dans une cabane de l'autre côté de la rivière. Grâce à mes

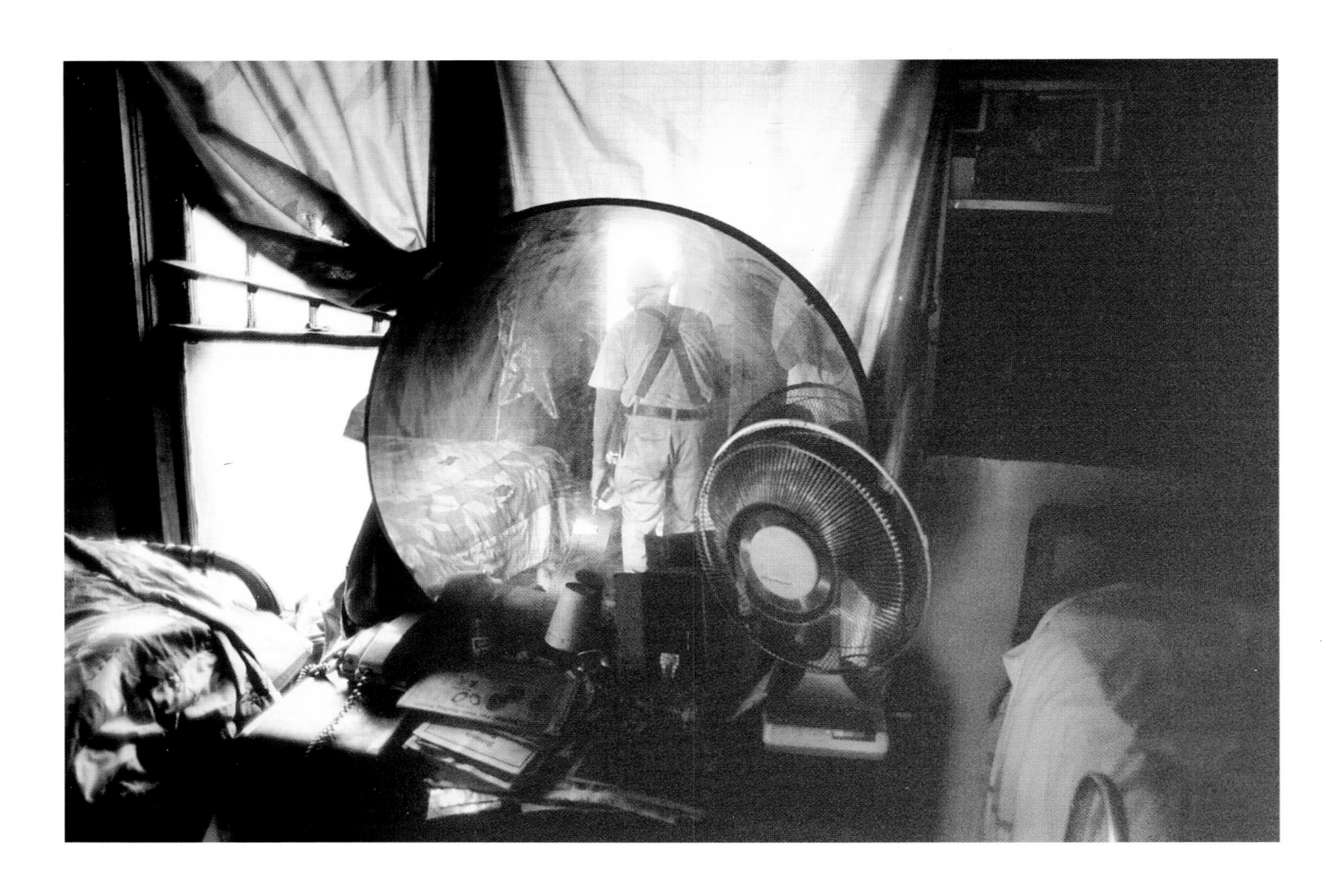

économies, j'ai acheté cette maison l'année de mes soixante ans." En 1966, Jack enregistre quelques morceaux à la faveur du *Blues Revival* : "J'ai fait un peu d'argent avec mes disques. Y'a des producteurs qui ont été réglos, d'autres qui m'ont payé comme un chien. Un peu de tout..."

Bud souffle dans son harmonica pendant que Jack se prépare. Le vieil homme règle un *open tuning* en *mi* jusqu'à ce que ça sonne juste. Il se plaint de sa main droite, qui "ne fonctionne plus très bien" dit-il alors qu'un pouce mal assuré cherche les cordes dans la rosace de la guitare. Il place très haut sa voix que le temps a muée en feulement rauque.
Bud lui répond par des riffs bien sentis, parfois des *"take your time, Jack"* et des *"Lord have mercy."* Il tape du pied, de ses énormes péniches qui vont pointer autour du 50. Jack chante : *"Oh woman, take*

care of old Jack, take good care of me." Il parle du Seigneur et des démons de l'âge. Ses bretelles retiennent un vieux pantalon pied-de-poule dont l'extrémité frotte ses chevilles nues. Jack plisse les yeux et regarde vers le ciel. *"Oooh... Mmm, take good care of me."* Il annone des paroles décousues, pousse un cri, trouve des rimes justes : ses chansons se coulent dans un canevas typique de douze mesures, en strophes organisées en AAB, de telle sorte que le troisième vers réponde aux deux premiers. Ses doigts enchaînent les trois accords de tonique, sous-dominante et dominante-tonique, concluent par une pirouette rapide. Bud attaque un deuxième morceau derrière, le *Give Me Back My Whig* cher à Hound Dog Taylor. A la dernière note, il cherche à tâtons sa bière entre ses pieds et raconte illico une blague qui n'en finit pas. Il se fait allumer une cigarette, mentholée comme en raffolent les Noirs américains.

En remontant vers Yazoo City, une route part vers
l'ouest. Près du fleuve se trouve Rolling Fork, la ville
natale de McKinley Morganfield - alias Muddy Waters -,
figure de proue du Chicago blues. Un kiosque se dresse
au milieu des plates-bandes régulières qui jouxtent la
rue principale et lui tient lieu d'hommage. La tonnelle
hexagonale fait face à une épicerie indigente. Quelques
silhouettes se dessinent dans un halo de chaleur.
Des notes de guitare s'échappent. A mesure que l'on
approche du petit groupe, le chapeau de paille d'un
homme d'une cinquantaine d'années s'incline
doucement sur son instrument. Il s'appelle J.C. Moore
et chante *Rock Me Baby*, un standard. Sa maigre
compagnie savoure la quiétude d'un après-midi oisif.
Absorbé par la démonstration du guitariste, Joe laisse le
temps filer. Son camion cuit sous le soleil et les clients
peuvent attendre. Un autre sirote une bière, l'air dubitatif.
Ses paupières enflées s'entrouvrent parfois ; de son
regard torve, il flatte les courbes des filles qui passent.

Un vieux Blanc complète l'étrange assemblée. Il sombre dans un demi-sommeil entrecoupé d'histoires confuses que répète sa voix fluette. Son visage bouffi disparaît par endroits sous une barbe inégale et drue.

J.C. - prononcer "djay-si" - éclate de rire dans un mélange naturel de dérision et d'autosatisfaction. Il fait mine de succomber aux applaudissements et enchaîne sur un classique de Big Joe Williams - certains l'attribuent à la femme de Lonnie Johnson - immortalisé par Muddy Waters : *Baby Please Don't Go*. Il balade sa guitare en bandoulière, sous le regard amusé des jeunes de Rolling Fork. Une porte de planches disjointes, fermée par un cadenas grossier, sépare son antre de la rue. Il songe à transformer l'ancien café en *juke joint*. "Il appartenait à ma sœur Bertha. Elle me l'a laissé parce qu'elle est partie pour Vicksburg, où elle tient un bar, la *Bertha's Lounge*. Tout est là ! Une scène, des tables et un juke-box. Et puis il y a une clientèle pour le blues. Je n'ai plus qu'à trouver un groupe et le tour est joué." Son frère habite Chicago. Lui-même y a vécu seize ans

avant de revenir, le dos usé par le travail. J.C. conduisait un bulldozer sur les chantiers mais s'est lassé du bruit de la grande ville. L'appel du Sud et l'envie de jouer le blues prenaient le dessus. "Quand j'étais gosse, mon père suspendait sa guitare à un mur avant de partir au boulot. J'étais tellement fasciné que je me débrouillais toujours pour la récupérer."

J.C. nourrit également un penchant pour le jeu : "J'ai toujours aimé les cartes et les dés. Essayer de tuer l'autre au jeu, c'était la règle ! Parce que dans les champs, je gagnais trois dollars par jour à ramasser le coton. Avec une femme et deux enfants, comment s'en sortir ? Pour faire du fric maintenant, il faut jouer dans les *juke joints* le week-end, mais c'est devenu dangereux. Tout le monde marche au crack et les flics ont beau nettoyer le coin, la drogue revient comme le chiendent." Il ne se fait guère d'illusions sur l'avenir du blues, parce que "les jeunes arrivent pas à bosser la guitare." Ses enfants ont vite arrêté ;

son fils, un temps dans l'armée, assure la sécurité d'une banque au Texas et sa fille travaille dans un hôpital. "Mais le sang du blues coulera éternellement dans la famille", dit-il. Sa sœur a épousé le frère de Muddy Waters, Ellis Morganfield.
"Muddy revenait de temps en temps ici. Il s'asseyait quelques heures dans un fauteuil du jardin public, parlait avec les gens du coin et serrait des mains. Il partait ensuite jouer à Greenville où ailleurs. La dernière fois que je l'ai vu, ça devait se passer juste avant sa mort, au début des années quatre-vingt."
Il attaque *Catfish Blues*, ses doigts effleurent les cordes, accompagnés de sa voix veloutée. Il constelle les paroles d'ajouts personnels et d'images nouvelles, évoque Rolling Fork ou d'autres noms qui lui traversent l'esprit. L'humeur du lieu et les derniers épisodes féminins font varier les classiques ; c'est pourquoi les bluesmen se sont si fréquemment emprunté des mélodies agrémentées de couplets différents.

Le coton

NATIONAL COTTON COUNCIL.

Pour établir sa fortune, le Sud s'est plié au rite immuable du roi coton : la récolte. Le travail commun y était cadencé par des chants surprenants, un folklore peu familier aux oreilles blanches où, à l'appel d'une voix, tous répondent en chœur. Au cours du XIXᵉ siècle, ces incantations sont devenues des *work songs*, chansons traditionnelles qui peignent le quotidien des Noirs. Contrairement au jazz, qui se développe dans l'atmosphère plus tolérante des grandes métropoles, le blues naît dans un univers clos, violent et ségrégationniste ; il n'en dénonce pas l'oppression mais y puise toute la substance de son art.

Venu d'Inde et cultivé par les Égyptiens dans le Delta du Nil en l'an 3000 avant notre ère, le coton a traversé deux océans et un continent. Il atteint les côtes de Floride en 1556 et la Virginie s'y consacre entièrement dès le début du XVIIᵉ siècle. Mais il faut attendre 1793 et l'invention par Eli Whitney de la machine à égrener, le *cotton gin*, pour que s'ouvrent les perspectives d'une culture industrielle. Ses rendements dépassent de cinquante fois ceux obtenus par le travail des hommes et la valeur marchande de la récolte américaine bondit de cent cinquante mille à huit millions de dollars en dix ans. Le coton devient alors, au même titre que le tabac, la principale richesse agricole dans de nombreux États du Sud.

Depuis près de deux siècles, le coton rythme la vie du Delta, dans lequel poussent les quatre cinquièmes de la production du Mississippi. Le cycle commence au milieu du mois de mai, quand les socs d'acier peignent la terre meuble et que l'on sème les précieuses graines. Gavé de la chaleur et du soleil du printemps, le cotonnier fleurit en été et se récolte à l'automne. Jusqu'à sa mécanisation, au sortir de la Seconde Guerre mondiale, la cueillette s'effectuait à la main. Le dos courbé, les ouvriers enfouissaient le coton dans des sacs qu'ils soumettaient ensuite à la balance du contremaître. Payés au rendement, les *cotton pickers* devaient ramasser plus de cent cinquante kilos par jour pour survivre.

En 1947, l'apparition progressive de machines spécialisées met un terme à cette pratique séculaire et poursuit la modernisation globale de la filière. Délicatement arrachée à son plant, la fibre est traitée par le *cotton gin* qui la débarrasse des graines et de ses impuretés. Le coton est ensuite tassé et empaqueté dans des balles de cinq cents livres. Selon sa qualité, le prix d'une balle peut osciller de deux cents à quatre cents dollars. De la ferme au bluejean, le coton génère un chiffre d'affaires de cinquante milliards de dollars et assure trois cent mille emplois.

Les négociants traitent directement avec les grandes exploitations ou les coopératives, puis revendent la matière première aux industries qui s'approvisionnent au *Cotton Market Exchange* de Memphis. Très apprécié pour sa qualité, le coton du Mississippi sert principalement à la confection de vêtements. Malgré une productivité en hausse et des efforts de moderni-

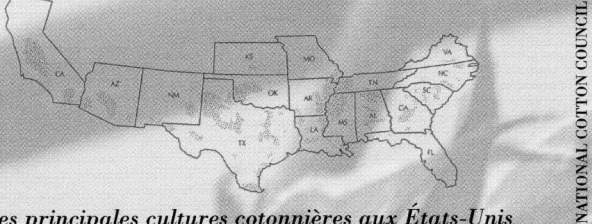

Les principales cultures cotonnières aux États-Unis

NATIONAL COTTON COUNCIL

sation, le Delta ne reçoit guère les bénéfices de ses richesses : le revenu annuel moyen par foyer y est inférieur d'un tiers à la moyenne nationale.

L'abolition de l'esclavage n'a pas freiné la production. Elle s'est appuyée sur le système du métayage : le *sharecropping*, littéralement "partage de la récolte" qui oblige le propriétaire blanc à fournir au fermier une terre, un logement, de l'essence, des semailles et la moitié des engrais. Le paysan, en échange de son travail, reçoit entre 30 % et 50 % des revenus de la récolte. Équitable en apparence, le procédé est redoutable : pour acheter les biens de consommation nécessaires à la bonne marche de l'exploitation, le fermier s'endette auprès du propriétaire. Quand arrive le partage de la récolte, il peut à peine les rembourser. Condamné par la Cour suprême en 1911, cinquante ans après l'abolition de l'esclavage, le *sharecropping* ne s'éteindra réellement qu'à l'arrivée des machines.

En 1910, un fléau venu du Mexique s'abat sur les champs de coton comme les sauterelles de Moïse sur l'Égypte des pharaons. Le *boll weevil* ravage toutes les récoltes, du Texas à la côte atlantique. Ce charançon nourrit une passion dévastatrice pour les graines du cotonnier et dévore la manne des paysans en quelques mois. Des centaines de milliers de familles voient fondre leurs maigres ressources à mesure que le terrible coléoptère avance. Elles partent pour le Nord alors que le *boll weevil* fait son entrée au répertoire des bluesmen.

Kokomo Arnold avec *Bo Weavil Blues* et Leadbelly - *The Boll Weevil* - relatent ses méfaits dans des compositions sur lesquelles on danse bientôt dans tous les *juke joints* du Sud. Synonyme de souffrance et d'injustice, le coton trouve une place naturelle dans l'univers du blues. *Cotton Patch For Hoots* de Walter Horton précède *Cotton Picking Blues* de Son Seals. Un peu plus tard, le bien-nommé James Cotton, un des harmonicistes les plus en vue du Chicago des années cinquante, signe *Cotton Crop Blues* : "Je ne vais plus faire pousser de coton" avise-t-il en préambule, "c'est comme jouer aux dés :

NATIONAL COTTON COUNCIL

on travaille tout l'été mais ça ne vaut plus rien quand vient la récolte."

Pour les jeunes Noirs du Sud, la guitare et l'harmonica ont longtemps constitué, avant même que l'accès à l'université et au sport de haut niveau ne leur soit ouvert, la seule alternative au travail dans les champs. Mais de nombreux Noirs américains, soucieux de tourner cette page douloureuse de leur histoire, s'accommodent mal de ces souvenirs. Aux récits redondants des vieux guitaristes, les enfants de la grande migration préfèrent les balancements saccadés du rythm and blues et de la soul. *School Days* de Chuck Berry le proclame en une ligne : *"Hail! Hail! Rock n' roll, deliver me from the days of old."*

Robert Morganfield

Rural ou urbain, le blues s'est développé autour de quelques thèmes musicaux peu à peu transformés par ses interprètes. D'emprunts en reprises, les accords essentiels se parent de couplets inédits. En 1934, James Arnold retaille le *Kokomo Blues* de Scrapper Blackwell, lui adjoint un *Old Original* et se rebaptise lui-même Kokomo Arnold. Deux ans plus tard, Robert Johnson livre son interprétation personnelle du titre qui devient *Sweet Home Chicago*. En 1952, c'est au tour de Johnson de se faire relifter : Elmore James sort *Dust My Broom*, une simple relecture du *I Believe I'll Dust My Broom* de 1936. Raccourci et revivifié par l'électricité, le titre appartient désormais à Elmore James sur la pochette. En 1958, B.B. King signe *Rock Me Baby* et s'adjuge la paternité d'un riff élémentaire que seul Muddy Waters avant lui avait osé s'approprier. Le morceau devient un classique. A la fin des années soixante, Hound Dog Taylor le joue régulièrement sur scène. Dans l'album live *Beware Of The Dog*, le titre ne crédite pas pour autant B.B. King. Le blues s'accomode fort bien de la régénération de ses thèmes fondamentaux ; loin de le vider de sa substance, chaque nouvelle version enrichit de quelques alluvions la plaine fertile sur laquelle il croît.

Le demi-frère de Muddy Waters, Robert Morganfield, n'a jamais songé à quitter Rolling Fork. Il habite une maison comme les autres de China Street, une rue au nom irréel dans cette petite ville. De douze ans le cadet de Muddy, Bob est né du deuxième lit d'Ollie Morganfield. Le père commun a épousé Gertrude en secondes noces et s'est fixé à Rolling Fork tandis que le jeune McKinley a été élevé par sa grand-mère à la plantation Stovall, près de Clarksdale, quelque cent miles plus au nord dans le Delta.

"On se rendait visite de temps en temps" rappelle Robert. "Il jouait quelquefois dans les parages, avant d'être connu. Quand j'ai eu l'âge d'aller l'écouter, je ne le ratais pas." Robert porte les pommettes hautes et saillantes de la famille ; la finesse de ses lèvres trahit deux incives disjointes. "Notre père lui-même jouait de la guitare de temps en temps, lors de réunions familiales, alors il se réjouissait plutôt de voir Muddy l'imiter."

Ollie travaillait dans une plantation avant de se mettre à son compte sur un bout de terre. Il gagnait assez bien sa vie pour que les siens ne manquent de rien. La famille vivait en contact direct avec le Nord par le biais de cousins, nièces et toutes sortes d'amis disséminés autour du lac Michigan.

"La première fois que j'ai rendu visite à Muddy à Chicago, il habitait une maison sur South Lake Park." Cousin Bob s'amuse de ces souvenirs : "il m'a prêté sa voiture et son chauffeur, je me baladais comme un pape. Muddy était tellement populaire à l'époque que toutes les portes s'ouvraient devant lui. Les gens se l'arrachaient."

Robert n'a jamais songé à s'en aller, sauf peut-être au milieu des années cinquante, quand les machines agricoles ont investi les champs. Les voisins sont partis avec l'exode engagé depuis la première moitié du siècle. Robert aime à rappeler que la vie est trop chère là-haut. Sa fille Beverly, descendue passer la semaine à Rolling Fork, hoche la tête. Elle habite à Chicago. Sa vie à lui est ici : à l'église baptiste de Clarksdale où officie son cousin Willie Morganfield. Et puis Robert s'est marié au retour de son séjour dans l'armée, avant d'être embauché à l'usine. Il a travaillé pour une fabrique de semelles de Greenville, une cité industrielle du Delta, à quelques kilomètres au nord, où il a tenu des responsabilités syndicales.

Greenville, au bout de la Highway 82. La géométrie
du blues a imposé, à mi-chemin de Bourbon Street
et de Beale Street, à Memphis, une cousine parallèle :
Nelson Street, la vésicule biliaire du Delta. Elle porte
en ses flancs la dèche du comté de Washington, l'un des
plus pauvres du Mississippi. Nelson Street se traverse
comme un tunnel hostile, bordé de carcasses métalliques
et de bars louches. Des pneus brûlent sur le trottoir et
dessinent l'ombre chancelante d'une violence à peine
contenue. La liste de ses victimes s'allonge chaque
semaine dans l'indifférence générale. La mort appartient
au décor, les coups de feu à la bande-son. Les rares
voitures qui empruntent l'artère crasseuse filent vers
la digue et les bateaux-casinos. Adossée à un bras mort
du fleuve, la ville respire difficilement. Sa mauvaise
réputation y a attiré une nuée de bluesmen. Johnny 'Big
Moose' Walker y naît en 1929. Il apprend le piano dans
les *juke joints* des alentours avant de devenir l'un des
musiciens de studio les plus en vue de Chicago où
Lowell Fulson, Earl Hooker et Magic Sam l'embauchent
tour à tour. Aujourd'hui, la scène est occupée par Booba
Barnes, qui a rouvert le *Playboy Club* en 1985, après
avoir tenté sa chance à Chicago.

James 'Son' Thomas 1926-1993

C'est aussi à Greenville que James 'Son' Thomas
a troqué sa guitare pour un autre art. Le sculpteur
a modelé dans l'argile une succession de personnages
pathétiques, happés dans leur élan par une carapace
de glaise. La poignée de disques qu'il publie après sa
rencontre avec Bill Ferris, étudiant de Pennsylvanie
aujourd'hui docteur de *Ole Miss*, l'université
du Mississippi, en a fait un bluesman anticonformiste
qui chante :

"I spent two years in a european country
way out across the deep blue sea
and since I've been around here,
home don't seem like home to me"

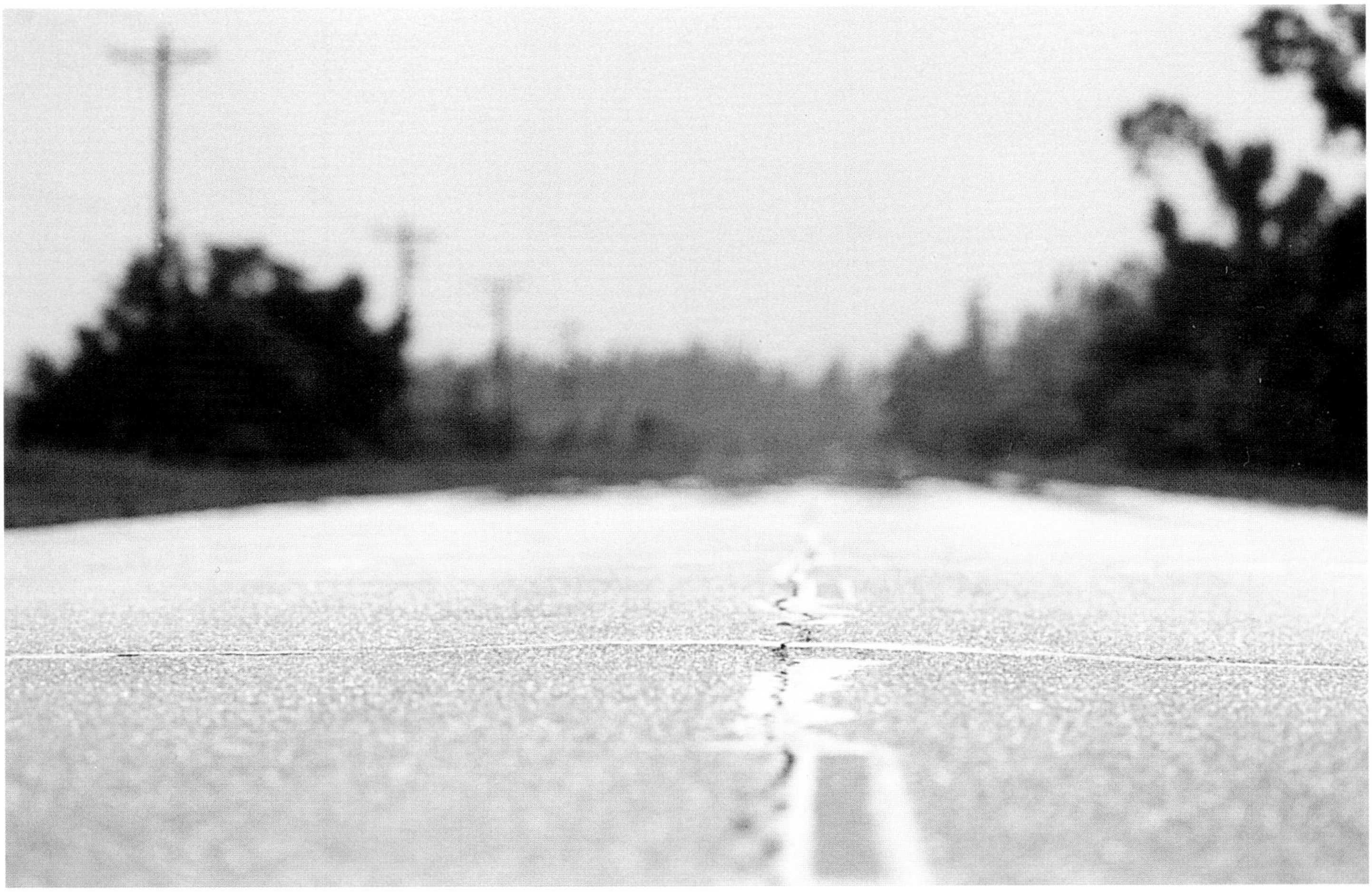

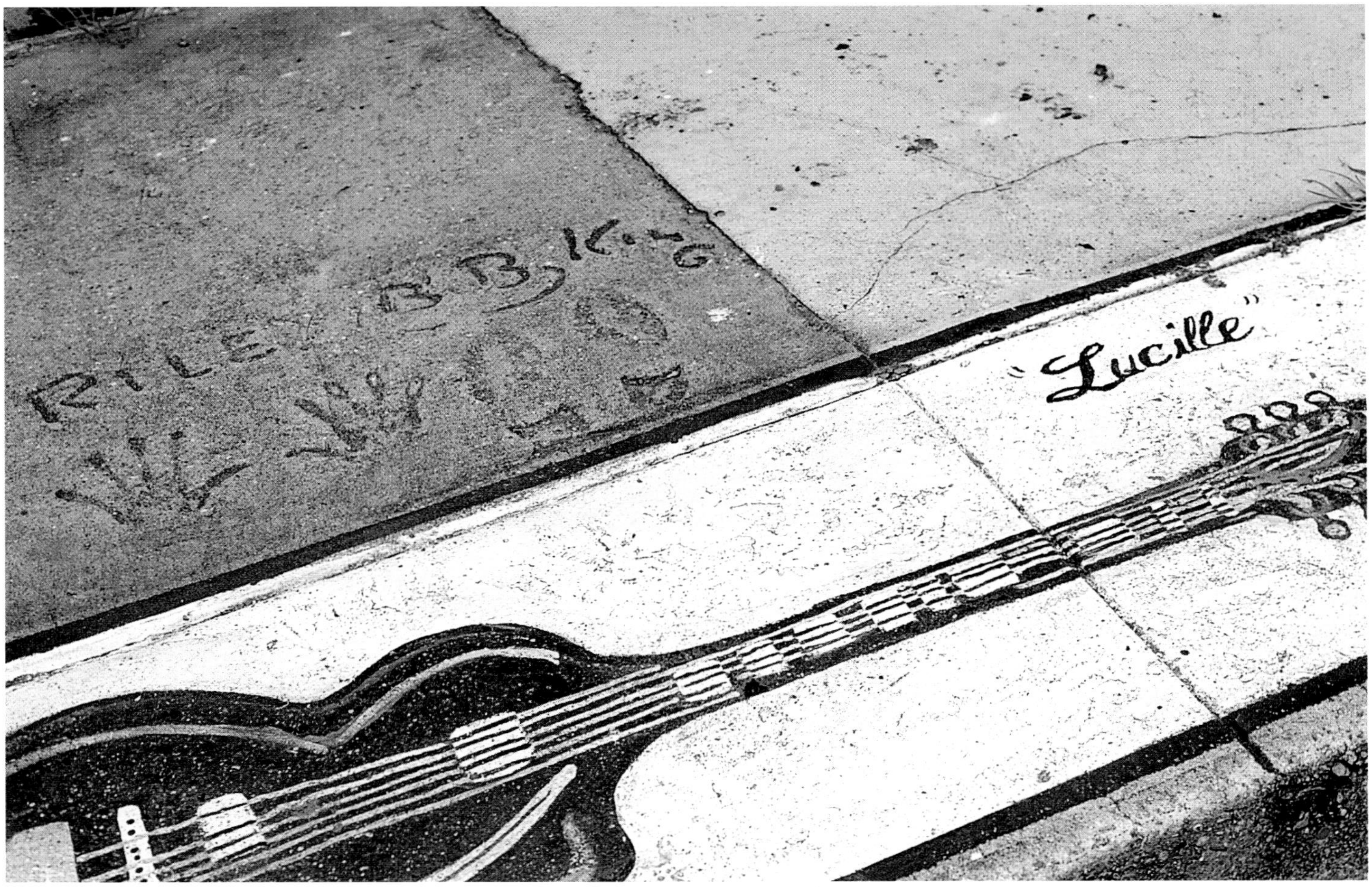
RILEY
B.B. King
"Lucille"

Entre Greenville et Greenwood, Indianola, dans le
Sunflower County, compte onze mille habitants et un
souverain, sa majesté B.B. King, que tous appellent
affectueusement "B.B." - prononcer "biii biii".
La municipalité ne plaisante pas avec ça. Elle a installé
un panneau géant inmanquable "Indianola, home of
B.B. King" qui s'attribue sans vergogne la paternité du
'roi du blues.' Le petit Riley B. King est en fait né
plus loin, sur la route d'Itta Bena. Indianola s'en moque,
qui a baptisé une rue et un parc au nom de l'illustre
guitariste devenu à l'aube de ses soixante-dix ans le
bluesman le plus célèbre de la planète. La gloire ne
l'a pas changé. Fidèle, l'enfant du pays revient tous
les ans donner un concert gratuit sur l'immense terrain
de sport de l'école. Indianola se frotte les mains.
Parmi les siens, B.B. livre un récital magique et la foule
reprend en chœur son *How Blue Can You Get*, l'un des
morceaux favoris de son répertoire scénique. Autour du
maître, un groupe sur mesure où brillent les cuivres.
Rôdée au millimètre, la mécanique accouche d'un
spectacle illuminé par la grâce du roi. Enrobé dans une
veste rutilante, B.B. mène le bal. Ses doigts virevoltent
sur le manche, font jaillir un vibrato aérien, puis
glissent à Lucille une réponse de trois notes imparables,
prodigieuses de simplicité et d'inspiration. Et lorsqu'il
laisse sa compagne s'envoler en solitaire, le showman
aux proportions pachydermiques danse, sa guitare sous
le bras, vissée par des années de complicité ;
il émane de son visage rayonnant un bonheur parfait.

Après une enfance partagée entre le Delta et l'intérieur
du Mississippi, le jeune Riley B. King rejoint son cousin
Bukka White à Memphis quand s'achève la Seconde
Guerre mondiale. Le jour où il entend Sonny Boy
Williamson sur KWEM, la radio de West Memphis
dans l'Arkansas, le jeune homme file au studio lui
proposer ses services. Sa prestation ravit les auditeurs.
La tenancière du *16th Street Grill*, l'engage pour
quelques soirées. Débrouillard, il décroche aussi un
contrat avec une station concurrente, WDIA, où il joue
chaque jour dix minutes dans un show publicitaire à la
gloire du Pepticon, un breuvage à base d'alcool. Il
gagne alors le surnom de 'Blues Boy', bientôt réduit à
'B.B.'. Le mythe est en marche.
Il se façonne à Twist, Arkansas, et épouse les formes
généreuses d'une guitare demi-caisse reconnaissable
entre mille : la Gibson ES 355. Les faits remontent à

B.B. King

Vous êtes né dans le Sud, près d'Itta Bena, Mississippi. Quel souvenir en gardez-vous ?

Le divorce de mes parents. J'avais cinq ans. J'entends encore mon père dire à ma mère : "Tu prends les enfants avec toi." On a quitté la maison paternelle d'Itta Bena, pour revenir chez elle, à Kilmichael. Fini les grandes plantations. Là-bas, il n'y avait que des fermes. Des petites fermes.

Kilmichael ?

C'est une petite ville, dans les collines du Mississippi. Ma mère y était née et je m'y suis tout de suite senti chez moi. Je travaillais dans les champs avec elle. J'étais garçon de ferme.

Ça a duré combien de temps ?

Pas longtemps. Ma mère est morte au bout de deux ans. Ma grand-mère est morte à son tour, quelques mois plus tard. J'avais dix ans : je suis resté dans la maison où on vivait tous les trois. Le propriétaire de la ferme m'a pris sous son aile. Il s'appelait Blake Cotledge, c'était un type bien : il jugeait les gens à leur travail, pas à la couleur de leur peau. J'ai vécu avec les Cotledge et j'ai travaillé pour eux.
A ce propos, je voudrais éclaircir un point bien précis : ils m'ont toujours traité comme si j'étais de la famille. Ils ont toujours été pleins d'attention pour moi, comme pour n'importe lequel de leurs enfants. A une époque où la ségrégation était le lot quotidien des Noirs…

Bref, c'était le paradis ?

Quand même pas ! Les journées étaient dures. J'avais dix vaches à traire chaque matin avant d'aller à l'école. Quatre kilomètres aller, quatre retour, ç'était une sacrée trotte. Et le soir, à peine rentré, je devais de nouveau traire mes vaches avant d'aller travailler dans les champs jusqu'à la tombée de la nuit. Il fallait bien que les Cotledge s'y retrouvent !

Y avait-il une place pour la musique dans votre vie?

Et comment ! Je connaissais déjà des bluesmen comme Blind Lemon Jefferson, Lonnie Johnson ou le révérend Gates. Je les avais découverts chez ma tante, à Kilmichael. Elle avait un gramophone et des tas de disques que je passais tout le temps.

A treize ans, quand mon père est revenu me chercher et que j'ai dû le suivre, j'étais déjà imprégné de musique et notamment de blues.

Comment se sont passées les retrouvailles avec votre père ?

Très simplement : il m'a ramené dans le Delta, où il vivait. C'était à Corns Switch, près de Tchula, un bled avec un drôle de nom ! Comme lui, je travaillais à Lexington. Je ramassais du coton dans une grande plantation.

C'était comment ?

Pas plus agréable que d'aller à l'école. Labourer, récolter le coton, c'est pas vraiment marrant. Mais j'avais un cousin - il est devenu pasteur - dans les champs avec moi, et on avait trouvé un jeu pour tuer le temps : c'était à celui qui ramasserait le plus de coton du lever au coucher du soleil. Il était imbattable ! Il récoltait jusqu'à cinq cents livres par jour et moi je ne dépassais jamais les quatre cent quatre vingt.
C'est à ce moment-là que j'ai commencé à m'intéresser à la guitare. Acoustique, bien sûr, on n'avait pas encore entendu parler de l'amplification.

La guitare était un instrument de séduction ?

Oui. A l'époque, je ne me trouvais pas terrible. Alors je chantais des chansons pour dire aux filles : "Je ne suis peut-être pas aussi bien que les autres, mais j'ai un cœur gros comme ça, une bouche et deux yeux ; et si tu me donnes une chance, tu ne seras pas déçue." Et ça marchait !
Les femmes savent bien de quoi je parle, elles ont un côté maternel et sont attendries par les héros malheureux comme par les enfants. Croyez-moi, ceux qui chantent le blues ne se sont jamais privés de jouer là-dessus. Au point d'en faire un de leurs thèmes de prédilection.

Et puis la guerre est arrivée.

A dix-huit ans, l'armée m'a convoqué. Comme je venais de me marier, je n'y ai pas fait long feu. A peine trois mois. Pour faire le même job qu'à la plantation de Lexington : on faisait pousser du coton et du maïs, sauf que c'était pour le compte de l'armée.

C'est là que j'ai appris à conduire un tracteur. Après le service, quand je suis retourné à la plantation, j'étais devenu une superstar, perché sur mon engin, un grand sourire aux lèvres. Croyez-moi, les filles ne me regardaient plus de la même façon !
Parce que des jeunes comme moi, on n'avait que les filles dans la vie. Y avait pas grand-chose d'autre à faire là-bas. Et on ne pouvait pas espérer faire mieux que nos parents, c'est-à-dire travailler dans les champs.

C'est pourquoi vous êtes devenu musicien ?
Oui. J'ai toujours voulu en faire mon métier, depuis le tout début. Mon premier disque, je l'ai enregistré en 1949 à Memphis, dans le studio de la radio WDIA, où j'étais disc-jockey. Il y avait six musiciens pour m'accompagner sur ce premier morceau, *Miss Martha King*. Et depuis, j'ai toujours essayé d'avoir un orchestre de cette taille avec moi, enfin chaque fois que j'ai pu me le payer.

Un *big band*, n'est-ce pas inhabituel dans le blues ?
Mais je n'aurais jamais cru que je deviendrais un chanteur de blues ! Quand j'étais jeune, je me voyais plutôt chanter du gospel. De toute façon, les deux sont très proches, et encore aujourd'hui la frontière qui les sépare est mince.

A cette époque, le blues venait du Mississippi ?
Pas seulement. Il y avait aussi des gars du Texas, de Georgie, de l'Alabama, de partout. Dans tout le Sud on jouait le blues et spécialement dans le Delta. En ce temps-là les gens bougeaient beaucoup, avec les migrations... Et puis la ségrégation était réelle dans le Sud. Il n'y avait pas cinquante façons de communiquer. Le blues en était une.

Pourtant, le blues était rejeté par les Noirs.
Et il l'est encore ! Tout bien considéré, je crois que c'est lié à la diffusion même de cette musique. Elle est toujours restée limitée dans ma communauté. Ne vous y trompez pas : les gens de ma couleur n'ont jamais reconnu le blues à sa juste valeur. En Europe, je suis considéré comme une légende, mais pour un jeune Noir américain, je ne suis qu'un chanteur de blues parmi d'autres. Je n'ai jamais draîné de public jeune parmi les Noirs. Et même les plus grands bluesmen comme Big Bill Broonzy ou Memphis Slim n'étaient pas suivis par les jeunes. Mais je ne baisse pas les bras : je veux montrer aux jeunes que le blues n'est pas entièrement négatif.

C'est-à-dire ?
Dans l'esprit des gens, le blues est souvent une affaire d'ivrognes, de pauvres types qui, après une dure semaine, se prennent une bonne cuite et maltraitent leur femme. Ils se retrouvent le dimanche à la messe et remettent ça la semaine suivante. C'est caricatural.
Il y a beaucoup de types dans ce genre, bien sûr. Comme il y en a d'autres plus tranquilles. Moi, je n'ai pas touché un verre d'alcool depuis cinq ans, je ne fume pas, je dors très bien et je suis végétarien. Bref, je fais beaucoup de choses qu'un bluesman ne devrait pas faire !

l'hiver 1949, dans une grange improvisée en *juke joint* où B.B. donnait un spectacle. Celui-ci fut interrompu par une dispute qui éclata au fond de la salle : deux hommes s'expliquaient à coups de poing. Dans la bagarre, l'un d'eux renversa un réchaud à pétrole. La grange prit feu comme un fétu de paille et tous décampèrent. B.B. avait filé comme les autres mais s'aperçut une fois dehors qu'il avait oublié sa guitare dans la précipitation. Il décida de retourner sauver l'instrument précieux auquel il avait consenti tant de sacrifices. Le lendemain matin, de retour sur les décombres de l'incendie, fatal aux deux hommes, il apprit qu'une femme prénommée Lucille était la cause de la dispute. Pour se rappeler de ne plus risquer sa vie sur un coup de tête, il baptisa sa guitare de son nom.

Retour à Memphis. B.B. étend sa culture musicale à la faveur d'un passage derrière les platines de WDIA, puis se laisse emporter par son amour de la scène. Il joue avec les Beale Streeters (Rosco Gordon, Bobby 'Blue' Bland, Johnny Ace). A l'instar de nombreux musiciens du Memphis d'après-guerre, son chemin croise en 1951 celui du dénicheur de talents Ike Turner, qui organise deux sessions d'enregistrement pour Modern. A la clef, *Three O'Clock Blues*, une reprise de Lowell Fulson qui passe quatre mois à la première place des charts R&B. La carrière de B.B. est lancée, les demandes de concert affluent, ses disques s'arrachent. Sa guitare redonne une seconde jeunesse à des titres de Memphis Slim - *Every Day I Have the Blues* - ou de Tampa Red - *Sweet Little Angel*. Une quinzaine d'années s'écoulent avant qu'il ne signe lui-même ses grands classiques, *Lucille* ou *Nobody Loves Me But My Mother* mais ses capacités de compositeur n'égaleront jamais tout à fait la magie du guitariste et du chanteur.

Victime des mesquineries comptables des Bihari, B.B. quitte les disques Modern en 1958 et enregistre aussitôt un morceau pour Chess, *Recession Blues*. Willie Dixon lui déconseille de poursuivre dans cette voie et il se tourne vers ABC sous l'influence de Fats Domino. L'affaire se conclut pour vingt-cinq mille dollars en 1961. La maison de disques, qui entend faire de lui une vedette par tous les moyens, dilue son blues dans les arrangements douceâtres des studios pour séduire une clientèle massive. "Lors de la première session, il y avait dix-huit violons et des chœurs ! Quand j'y repense, c'était effrayant" raconte B.B. dans une interview au magazine *Living Blues*.

Reste la scène, où le guitariste donne le meilleur de lui-même comme le prouve l'album *Live At The Regal*, enregistré en novembre 1964 à Chicago. Pétulants ou mélancoliques, les dix titres synthétisent l'essence d'un style qui réfute les clichés sinistres et préfère une lecture plus riante des douze mesures.

L'année 1967 marque les débuts de son association avec Sidney Seidenberg qui deviendra un manager aussi redoutable qu'efficace, renégociant à la hausse le contrat avec ABC en même temps qu'il renforce la diffusion commerciale des disques de son protégé. Avec le développement du 33 tours, B.B. King modifie la structure de ses morceaux et accorde une place plus grande aux solos de Lucille. *The Thrill is Gone*, une reprise d'un morceau de Roy Hawkins qu'il enregistre en 1970, permet à B.B. King d'asseoir définitivement sa réputation de roi du blues. Ce succès le récompense d'un premier Grammy Award et lui ouvre les portes du *Lounge Circuit* où il poursuit sa conquête du public blanc, entamée dans les années soixante par plusieurs apparitions avec les Rolling Stones.

Après quelques détours aventureux vers la soul - Stevie Wonder lui écrit *To Know You is To Love You* - B.B. recadre le débat en 1975 avec l'album tranchant *Lucille Talks Back*. La scène demeure au centre de la vie itinérante du guitariste. Il enchaîne près de trois cents concerts par an, et franchit les portes des prisons américaines. "Pendant ma jeunesse, je suis allé plusieurs fois voir Bukka White à Parchman, le pénitentier du Mississippi. Plus tard, j'ai voulu y retourner pour les autres."

B.B. prend très au sérieux sa mission d'ambassadeur. Introduit dans tout ce que l'Amérique compte de *Hall of Fame*, décoré à titres divers dans plusieurs pays, gratifié d'innombrables distinctions musicales, il fait l'unanimité. Albert Collins, Albert King, Bobby Bland ou Buddy Guy ont bu à sa source. B.B. habite désormais Las Vegas. Quand il rentre à Indianola donner son concert annuel, par une chaude nuit de juin, il passe invariablement à l'*Ebony Club*, au 404, Hanna Avenue. Derrière le bar de bois, son amie Mary Shepard veille depuis vingt ans sur les nuits d'Indianola. Les lumières sont tamisées, l'air climatisé et la décoration soignée. Tout en longueur, l'*Ebony Club* est une enclave de tranquillité, des fauteuils de velours rouge aux billards de l'arrière-salle. Indianola et ses environs remplissent la boîte à l'occasion d'un samedi soir de fête, d'une nuit de

danse sur de la soul ou du rap. Un écriteau glissé contre la glace du bar signale qu'une bagarre se paye cinq cents dollars, petit déjeuner compris, dans la prison du comté. Mary s'est lassée des pochards et raconte que son fils, une montagne de muscles, ramène les cas critiques chez eux.

L'endroit a ouvert en 1948 sous une autre enseigne. A l'époque, on payait un dollar pour venir y entendre les stars du blues. L'*Ebony Club* sera baptisé ainsi en 1950 quand Ruby Edwards, la belle-mère de Mary, le rachète. A l'époque, l'actuelle propriétaire suit son mari, militaire de carrière, dans ses affectations successives. En 1973, alors que la guerre du Viêt-nam touche à sa fin, Megar Shepard saute sur une mine et se fait rapatrier d'urgence. Malgré de multiples opérations, il reste paralysé, une plaque de métal incrustée dans le crâne. D'aucuns auraient ici laissé filer leur vie mais Mary s'accroche à une nouvelle tâche : la gestion de l'*Ebony Club*, que sa belle-mère lui a confié.

"J'ai accepté pour mon mari. Il était bien mieux ici, à s'occuper de l'équipe de basket de la ville, qu'à se morfondre en Pennsylvanie" explique-t-elle. A peine ses valises posées à Indianola, elle se passionne pour ce nouveau métier et retrouve avec plaisir la douceur de son Sud natal.

Pour sa crémaillère, Mary Shepard veut un grand nom du blues. Elle songe déjà à faire revenir B.B. à Indianola. Mais l'enfant du pays est une superstar à trois mille dollars par soir. Après avoir essayé Bobby Bland et Albert King, trop chers eux aussi, Mary se tourne vers Little Milton. Il accepte sa proposition. Le succès du concert d'inauguration scelle le début d'une réelle amitié avec le chanteur guitariste.

Mary Shepard s'emploie depuis à offrir des affiches prestigieuses : Denise LaSalle, ZZ Hill, Albert King et Bobby Rush ont joué ici, "quand les gens aimaient encore le blues" se souvient-elle, le regard nostalgique. Elle engage aujourd'hui des groupes de rap ou un DJ

pour faire venir du monde, un peu à regret :
"je n'aime guère le rap. Ni la musique, ni les paroles.
Le blues, lui, a un sens."
L'*Ebony* déborde une fois l'an, à la venue de B.B. :
"Malgré le premier échec, je n'avais pas abandonné
l'idée de le voir un jour dans ces murs." En 1976, elle
parvient à décrocher une date et un énorme succès.
Stimulé par l'expérience, B.B. revient en 1977 et
l'année d'après. Aujourd'hui, le concert de l'*Ebony*
est une pierre blanche dans son agenda surchargé.
Preuve de l'amitié qu'il porte à Mary Shepard, le roi
ne pratique pas ses tarifs habituels qui s'élèvent à vingt
cinq mille dollars, mais joue pour son plaisir. "Jusqu'en
1986, je payais les quinze chambres de motel,
la nourriture et les frais d'essence du groupe. Depuis,
B.B. ne me demande plus rien" confie Mary. Devant
son club, elle se passe la main sur le visage tandis
qu'un vent léger caresse les branches des arbres.
Il apporte dans son souffle le murmure de la Highway
82 qui s'enfuit vers l'est jusqu'à Greenwood,
poste-frontière du Delta.

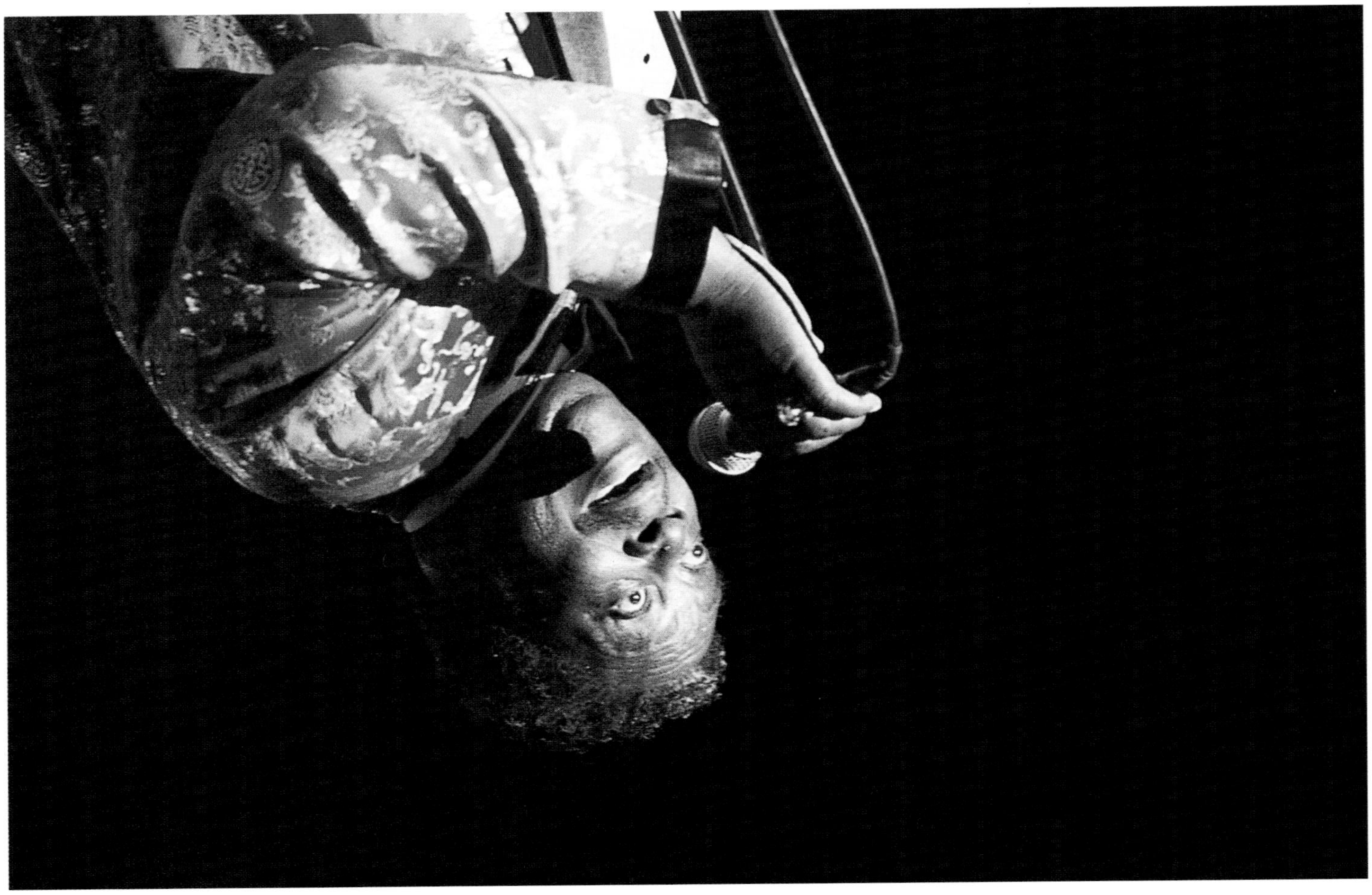

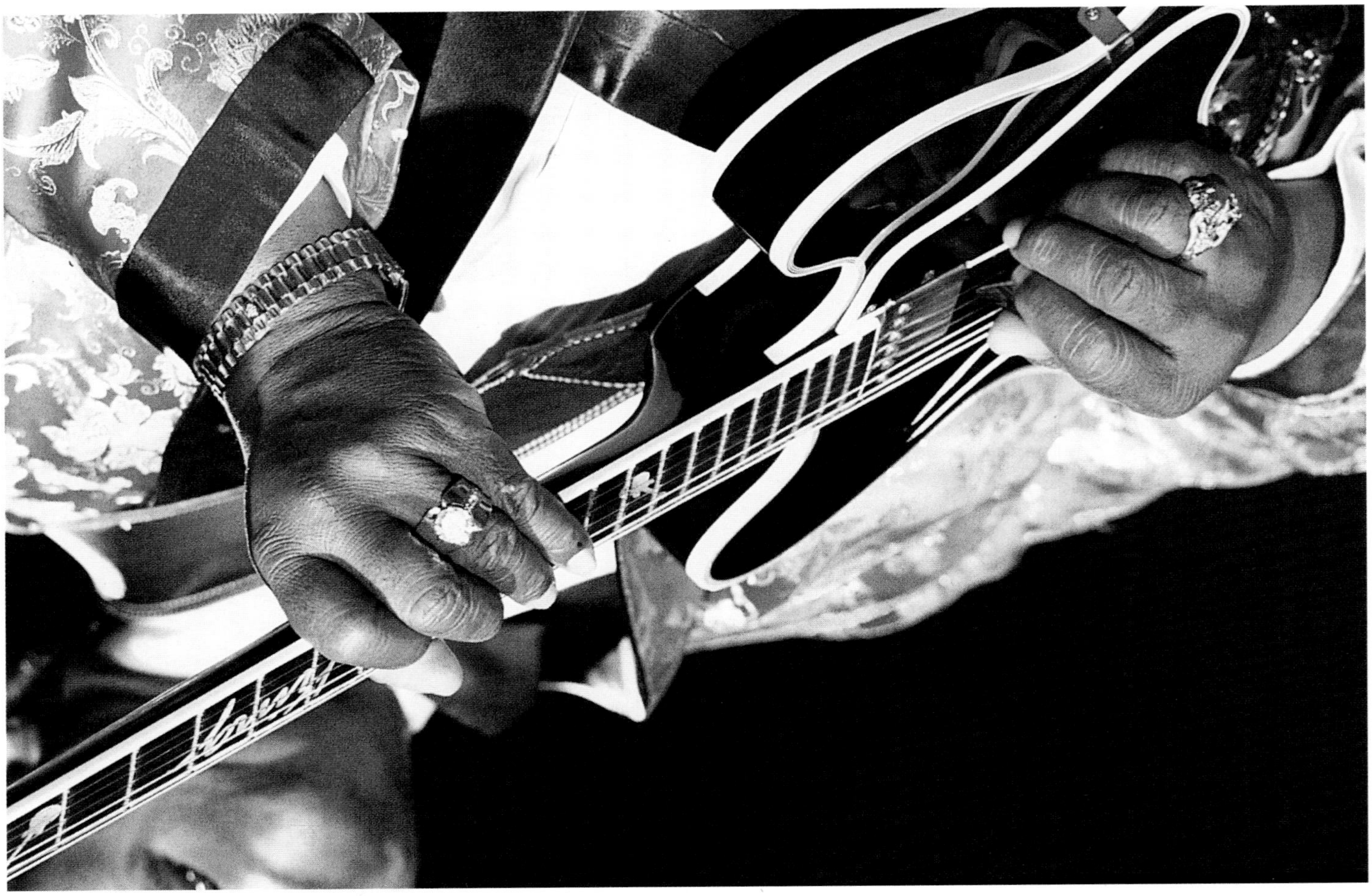

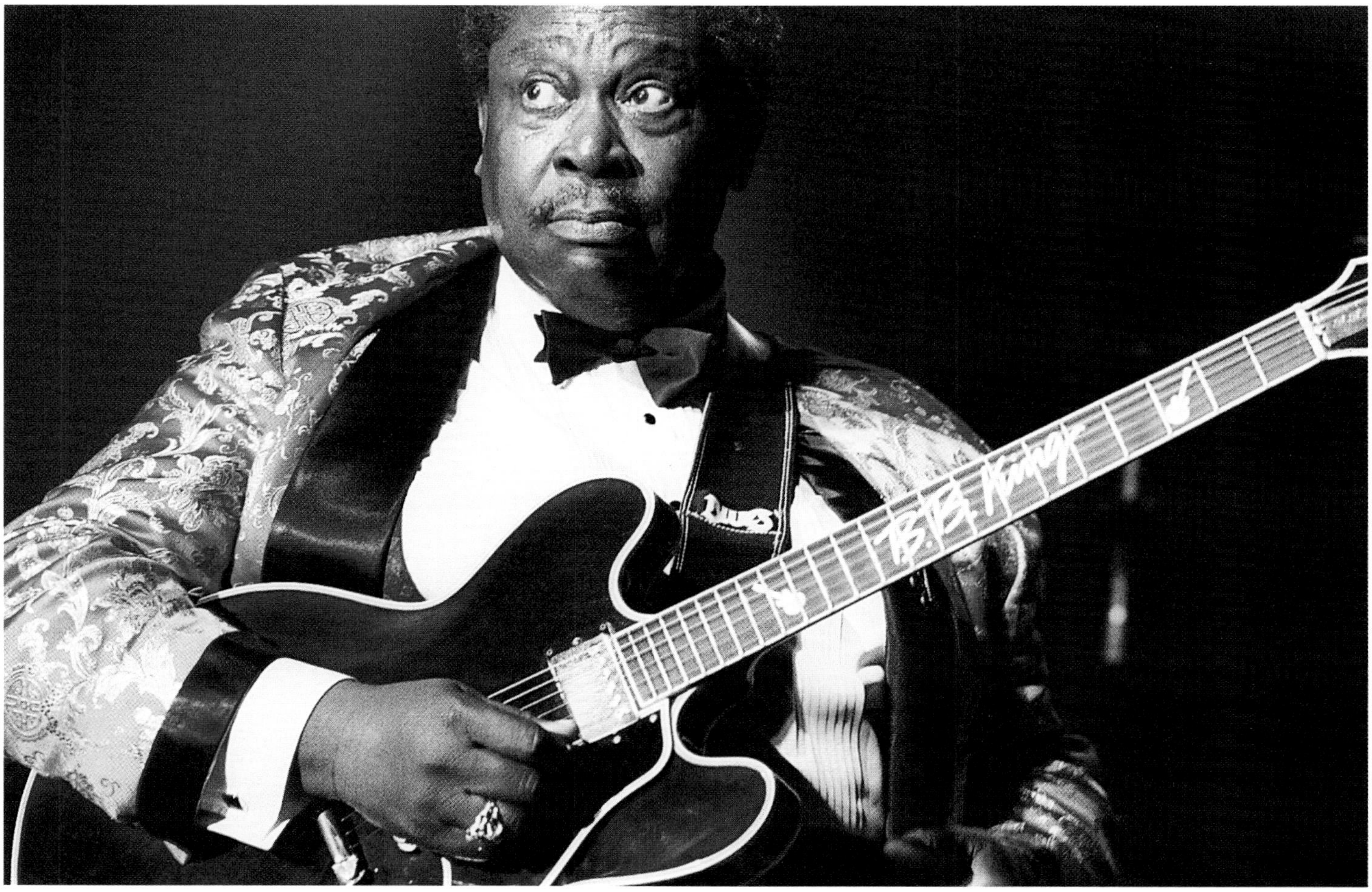
B.B. King

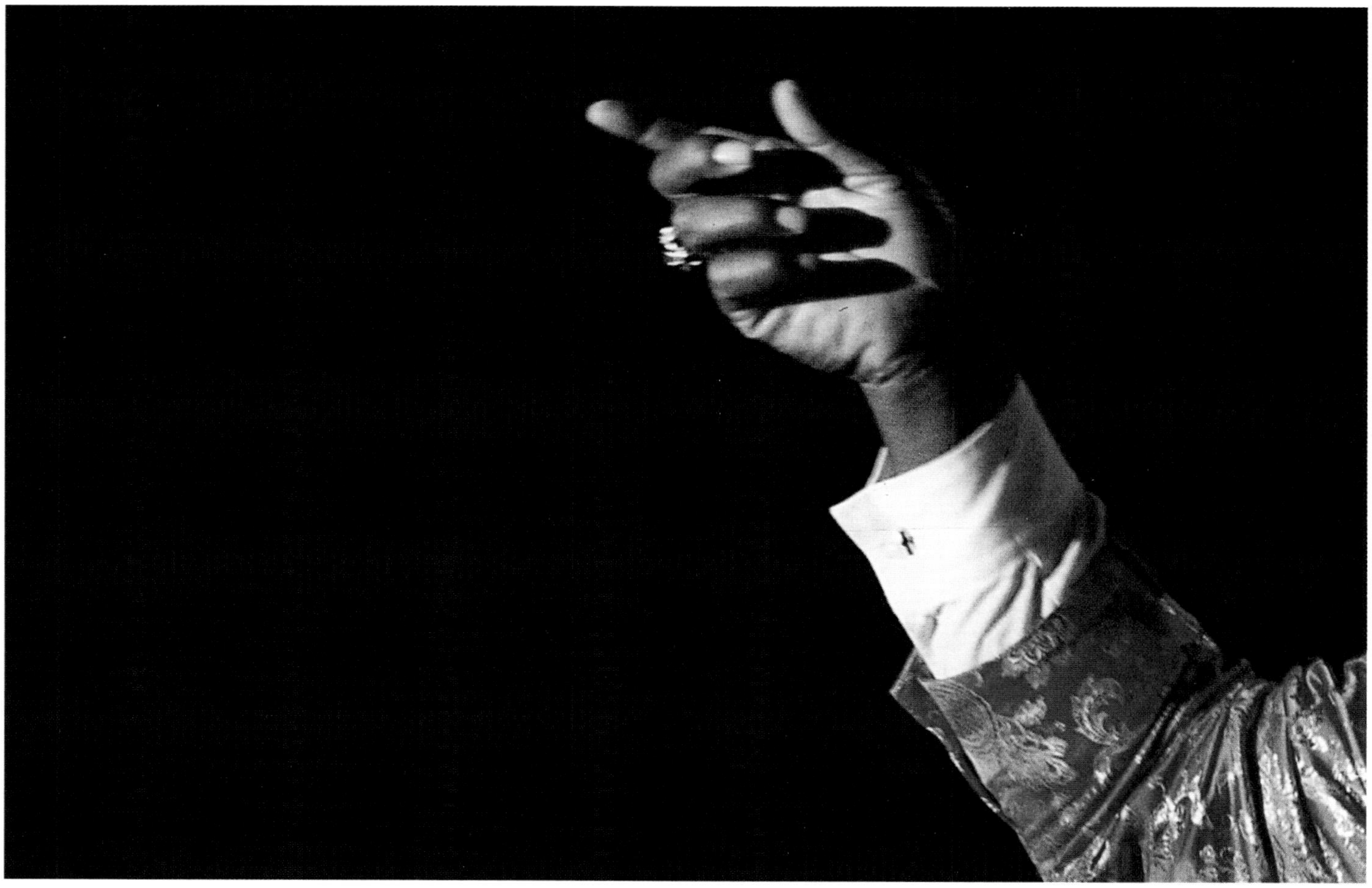

4

MORE DELTA

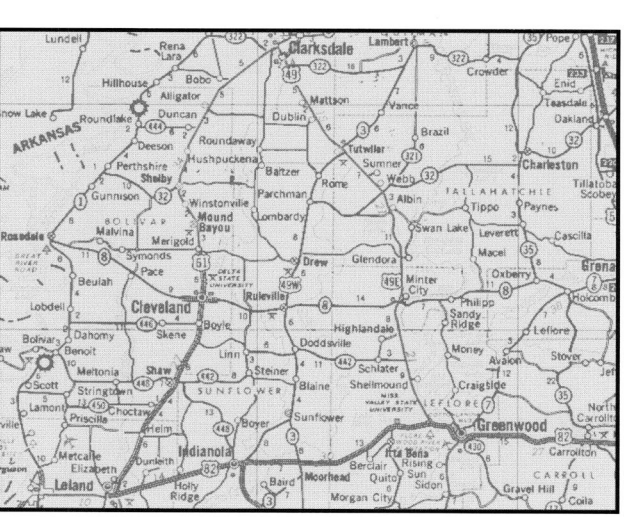

Le Delta regorge de lieux-dits comme celui-là,
à mi-chemin du village et de la pompe à essence.
Il a poussé des Ruleville partout et nulle part dans ce
dédale de coton impénétrable. Aussi les paysans ont-ils
identifié l'endroit du seul nom de la plantation,
fondée en 1895 : *Will Dockery*.
Le domaine connaît rapidement ses plus riches heures :
un chemin de fer, le *Pea Vine*, le relie à Boyle, d'où ses
balles de coton sont expédiées à Memphis ou à
La Nouvelle-Orléans. Des centaines d'hommes et de
femmes y travaillent à l'année, d'autres ne viennent que
pour la récolte, alléchés par les cinquante cents que
leur octroie chaque jour la plantation ; trop contentes
de trouver un salaire fixe et un gîte, des familles
entières se posent le temps d'une saison. Le soir, on se
retrouve autour d'un feu pour danser et chanter sur des
airs que le temps façonne chaque jour davantage en un
genre musical distinct : le blues. Dans la foule, le jeune
Charley Patton dévore des yeux et des oreilles les
joueurs de guitare ou de mandoline qui rythment
de leurs notes généreuses la bacchanale.

BLUES ARCHIVES UNIVERSITY OF MISSISSIPPI

Charley Patton, fondateur du Delta blues,
né vers 1890 et mort en 1934.

Les Noirs restent entre eux, à l'écart de la société blanche qui guette le moindre faux pas pour réaffirmer brutalement sa loi. Giles Oakley a retrouvé un article du *Vicksburg Evening Post* de 1904 qui raconte un lynchage à Doddsville, à deux pas de *Dockery*.

"Luther Holbert et sa femme, des nègres... furent attachés à un arbre et pendant qu'on préparait les bûchers funéraires, on les força à tendre les mains pour en trancher un à un les doigts, que l'on distribua comme souvenirs. On coupa les oreilles aux deux meurtriers. Holbert fut battu comme plâtre, son crâne fut fracturé et un de ses yeux, énucléé à coup de badine, pendait hors de son orbite, n'étant plus rattaché que par un lambeau de chair. Quelqu'un dans la foule se servit d'un grand tire-bouchon qu'il enfonçait dans les chairs de l'homme et de la femme, aux bras, aux jambes, sur tout le corps ; en ressortant, la spirale arrachait de grands lambeaux de chair vive et palpitante."

Pour échapper à cette barbarie, Patton se consacre à la guitare sous l'égide de Henry Sloan, une figure de la plantation. De cet homme, on ne sait presque rien. Son état civil est inexistant. Un fantôme. Après avoir révélé ses secrets au gamin, il quitte vraisemblablement la ferme avec la première vague migratoire et disparaît dans la grisaille urbaine du Nord. Patton mûrit son style dans les pique-niques et les fêtes où se retrouvent les ouvriers agricoles. Grand buveur, amateur de conquêtes féminines, il se fait vite remarquer. Ses traits fins, sa peau claire et son caractère ombrageux attirent les foules, comme son jeu dense, efficace et poignant. Patton ose tout, murmure des paroles incompréhensibles, frappe sur la caisse de sa guitare, la fait ensuite tournoyer dans son dos et termine son numéro par terre, vaincu par le rythme frénétique de ses propres mains. Tommy Johnson et Howlin' Wolf puiseront dans sa rencontre l'essence de leur jeu de scène.

Patton forme l'archétype du bluesman tel qu'il est perçu depuis. A coups de gnôle, de couteaux et de poings, il trace le premier sillon dans la violence des nuits du Mississippi. Avec Willie Brown, venu de Clarksdale, le duo illumine de son succès les années vingt et éveille l'attention de H.C. Speir, qui dirige Patton vers les studios de la Paramount en 1929. Il grave une mélodie pure, *A Spoonful Blues*, et pose en quelques titres le fondement du Delta blues : le *delay*, retard infime perceptible à l'oreille, lorsque la note de guitare ne rattrape la mesure qu'au dernier instant. Charley Patton tâte de la prison puis s'acoquine avec Bertha Lee, une femme à son image. Le couple infernal, version originale.

Ses chansons peignent un univers tourmenté, où la mort
côtoie le *boll weevil* et les crues meurtrières du grand
fleuve. Sa réussite commerciale lui attire les grâces
de sa maison de disques, qui utilise son charisme pour
recruter d'autres musiciens. Le guitariste sert ainsi
d'entremetteur à Willie Brown, Louise Johnson
et Son House. Mais sa destinée chaotique l'use. Trahi
par une santé défaillante, Charley Patton ne résiste pas
à une ultime session d'enregistrement à New York mais
au-delà du personnage, son œuvre perdure grâce
à Robert Johnson, Muddy Waters et les autres.
Il meurt en avril 1934 à Indianola.

On l'a enterré à Holly Ridge, à une encablure de la Highway 82, une transversale du Delta. Holly Ridge se résume à un bar-quincaillerie organisé autour d'un billard et d'un juke-box. Johnny Davis connaît bien l'endroit. Quinze ans ont filé depuis qu'il a commencé à conduire un tracteur pour le compte d'une plantation. Quinze ans à glisser son *quarter* dans la fente de ce juke-box à l'éclat fané dont les disques n'ont pas changé depuis des lustres. Les touches de sélection, mécaniques, se devinent plus qu'elles ne se lisent là où la sueur a gommé les chiffres. Les premières notes de la *Lucille* de B.B. King réveillent la clientèle pendant que Johnny s'empare d'une queue et toise d'un seul regard le billard et son adversaire du moment. Arrive le refrain, que ses quatre amis reprennent gaillardement, comme le perroquet blafard qui du fond de sa cage s'égosille pour un peu de blues, de *straight blues* comme on dit ici, droit sorti des champs de coton.

Trois Mexicains attendent leur tour, une canette à la main, les yeux dans la fumée de leurs cigarettes. "Je suis arrivé ici il y a quatre ans" confie Manuel dans un soupir. "En fait, il y a toujours du travail dans le Delta. Il suffit d'en vouloir un peu. Si les gens du coin bossaient, ça se saurait ! Et on serait pas ici" conclut-il, un brin méprisant. Il loge dans une baraque en préfabriqué garée sur un terrain vague voisin. "Le blues, je le chante pas mais je sais ce qu'il veut dire. Ma femme et mes quatre filles sont restées au pays et il me tarde de les revoir. Dans un an je rentre, de toute façon, parce qu'ici la vie est trop ennuyeuse." Partagée entre sa caisse et la pièce attenante qui lui sert d'appartement, la patronne, une petite femme dont les cheveux teints et le maquillage grossier cachent mal l'âge avancé, ne prête guère d'attention à ce spectacle mille fois recommencé. Elle préfère choyer son petit caniche jaune.

Dans un champ mitoyen, contre le soleil déclinant, le portrait de Charley Patton orne sa tombe. Il fixe, dans un tête-à-tête étrange et silencieux, un énorme *cotton gin.* Le fondateur du Delta blues repose au sein de la terre qui a nourri son art. La stèle a été offerte par John Fogerty, le leader du groupe Creedence Clearwater Revival. Derrière le simple rectangle de marbre, une succession de champs immenses avec au loin les habituels rideaux d'arbres, ces barres sombres posées sur l'horizon. La New Jerusalem Church contemple ce même paysage derrière le *cotton gin.* Ses planches de bois blanc, émiettées par les années, ont entendu jouer Patton bien avant la crise mystique qui marqua la fin de sa vie.

"Le blues est une musique chrétienne, un point c'est tout. J'ai joué de la guitare à l'église, comme lui. Ainsi que Robert Johnson et tous les autres. Alors si vous croyez que le blues est la musique du Diable, allez à l'église et ouvrez grand les oreilles : vous verrez que c'est la même chose." Ces mots sont de L.T. Clerk. A soixante et onze ans, L.T. - prononcer "el tii" - a tout fait, notamment dix-huit ans dans la police du Bolivar *county* voisin. Il habite l'un des premiers lotissements de Boyle, en bordure de la 61. "Le blues raconte les ennuis qui vous arrivent. Il vous vient des histoires d'argent, de femmes, ou des histoires tout court. Le blues raconte la peine des pauvres, Noirs ou Blancs d'ailleurs, c'est la même chose. Voilà pourquoi cette musique est éternelle."

Jamais le Delta n'a autant fourmillé de talents que dans l'entre-deux-guerres, quand ses forces vives ne l'avaient pas encore abandonné pour les mirages du Nord. Parmi les musiciens qui croisèrent un jour Charley Patton, Tommy Johnson se targue le premier d'avoir signé un

Tommy Johnson (1896 - 1956), auteur de Canned Heat Blues.
BLUES ARCHIVES UNIVERSITY OF MISSISSIPPI

pacte avec le Diable, nourrissant ainsi l'opprobre jeté par l'Église sur les bluesmen et leur musique. Il maraude dans les *juke joints* du Delta, multiplie les rencontres et joue parfois avec Charlie McCoy, le frère de Kansas Joe - mari de Memphis Minnie. Tommy Johnson enregistre une poignée de disques à Memphis en 1928 mais sa voix limpide ne résiste pas longtemps aux breuvages hallucinants dont il s'imbibe à longueur de journée. Quand il a fini son tord-boyaux, la *booze*, Johnson boit de la cire liquide ou de l'alcool pur. Sa trajectoire se perd dans les brumes d'une cuite ininterrompue qui s'achève avec sa mort en 1956.

La disparition de Patton laisse Willie Brown désemparé. Dans la force de l'âge, le guitariste s'associe à un nouveau compagnon de voyage, Son House. Né avec le siècle, ce dernier se destine à une carrière ecclésiastique avant de délaisser le prêche pour la six-cordes. Il forge son style cinglant dans les bars du Mississippi et sur l'estrade d'un charlatan dont il vante les décoctions. Condamné pour un meurtre qu'il n'a pas commis, Son House purge un an de prison avant de s'affirmer

Son House, influence majeure de Muddy Waters.

comme l'un des chantres du Delta blues. Il enregistre pour la Librairie du Congrès les échantillons les plus incisifs de son répertoire au début des années quarante. Sans doute plus respectueux de sa personne que ses acolytes, Son House poursuit sa carrière longtemps après la guerre. Le public consacre le guitariste de Clarksdale comme l'une des principales figures du *Blues Revival*, jusqu'à sa mort en 1988. Bukka White s'attire lui aussi les faveurs de la jeune audience blanche qui s'éveille au blues dans les années soixante. Ce solide gaillard compte parmi les grands noms du Delta, époque Dépression. Fils d'un ouvrier des chemins de fer, il s'essaye au base-ball professionnel avant d'opter pour la musique. En 1937, il tue un homme au cours d'une rixe. Recherché par la police, Booker T. Washington White - son vrai nom - parvient à gagner Chicago où il enregistre *Shake 'Em on Down*, son titre phare, avant d'être arrêté et transféré au pénitencier du Mississippi : Parchman. Alan Lomax vient l'y dénicher la même année. Malgré ces débuts agités, rien n'entame la vitalité de Bukka White, sauf un cancer qui l'emporte à Memphis, en 1977. Les débuts du Delta blues sont aussi indissociables de la famille Chatmon : les frères Sam et Lonnie forment avec Walter Vinson l'épine dorsale des Mississippi Sheiks, un orchestre de rue qui joue des blues, des ballades et des rags en vogue. Leur tube *Sittin' on Top of the World* résonne dans les nuits du Delta et Howlin' Wolf le reprendra trente ans plus tard à Chicago. Le Wolf, familier de la plantation *Dockery*, a lui aussi connu Patton.

Robert Johnson

1911-1938

> *"Les plus désespérés sont les chants les plus beaux,*
> *Et j'en sais d'immortels qui sont de purs sanglots"*
>
> *Alfred de Musset*

Le blues le prend au berceau le 8 mai 1911 à Hazlehurst, Mississippi. Enfant illégitime de Julia Dodds et de Noah Johnson, le jeune Robert grandit dans le tourbillon des amants de sa mère qu'il accompagne dans ses déménagements successifs. A Robinsonville où se pose Julia, il s'initie avec bonheur à l'harmonica puis, au contact de guitaristes de l'envergure de Charley Patton, Willie Brown ou Son House, change définitivement d'instrument mais ne recueille que les sarcasmes de ses aînés.

Robert tombe amoureux et épouse à dix-sept ans une jeune fille du nom de Virginia Travis. Il veut un fils et le répète à l'envi mais le rêve s'écroule en 1930 : son épouse meurt en accouchant et emporte avec elle l'enfant tant désiré. Accablé de chagrin, Johnson file à Hazlehurst dans l'espoir d'y rencontrer ce père qu'il n'a jamais connu. Le jeune homme se réfugie bredouille chez une femme plus âgée que lui, séduite par son personnage. Il reçoit les conseils d'Ike Zinnerman, un musicien originaire de l'Alabama qui prétend avoir appris à jouer le blues à minuit assis sur une tombe. Johnson se fait entretenir, délaisse le travail aux champs et se consacre exclusivement à la guitare. Il revient à Robinsonville après plus d'un an d'absence et subjugue ses amis par une technique et une aisance inouïes. Un proche répand la nouvelle : "Le Diable est venu, il a donné le talent à Robert. Mais il lui reste huit années à vivre sur terre." Sa réputation maléfique précède désormais Johnson, qui la cultive à l'extrême et chante *Me and the Devil, was walkin' side by side* ou plus insidieusement *I mistreated my baby, I can't see no reason why.*

Il choisit Helena pour base arrière où il rencontre Esther Reese, mère d'un garçon prénommé Robert comme lui et de quatre ans son cadet. Fasciné par son beau-père, le jeune Robert Jr Lockwood apprend aussitôt la guitare. D'ordinaire, Johnson cesse de jouer lorsque les regards des autres guitaristes épient le travail de ses mains. Sa nature méfiante se dissipe pourtant face à Robert Jr, à qui il enseigne patiemment les clefs de sa technique. Son instinct vagabond l'emmène à Chicago, à New York et au Canada où le suit son comparse Johnny Shines qui a raconté leurs errances devant les épiceries et autour des gares, de ville en ville, en train ou en voiture. "Je pouvais réveiller Robert à tout moment, il était prêt à partir." Dans les années trente, Johnson s'accompagne parfois des guitares de Darling et James Harrison, deux amis de Greenville. Darling se souvient de la voiture du chanteur : "Une Terraplane blanche d'occasion qui montait à soixante-dix kilomètres heure maximum, pas plus, sinon elle tremblait de partout. En 1938 il en a acheté une deuxième, flambant neuve cette fois : une grosse voiture de couleur claire, grise ou verte, avec des clignotants énormes. On montait à cinq dedans et on roulait sans réfléchir." Johnson ne s'éloigne jamais longtemps du Delta, où l'attendent ses femmes. Sa dernière conquête lui est fatale. Robert Johnson succombe le 16 août 1938 à Greenwood des suites d'un empoisonnement perpétré par un mari jaloux. Il a vingt-sept ans.

En novembre 1936 et en juin 1937, le guitariste grave au Texas un testament d'anthologie en quarante et une prises. L'œuvre résulte d'un lent processus de maturation qui trouve son aboutissement dans les studios de San Antonio et Dallas. Grâce à sa maîtrise totale de l'instrument, il s'autorise toutes les fantaisies, interprète des polkas ou des chansons du folklore juif pour divertir son auditoire. Son oreille restitue des morceaux dès la première écoute. Robert Johnson transcende ceux de Lonnie Johnson, Blind Blake ou Blind Willie McTell, atteignant de ses immenses phalanges des notes inhabituelles, comme il fait progresser la technique musicale en imposant le *hammering* sur *Cross Road Blues* - une note obtenue en frappant la corde de la seule main gauche. Johnson développe avec magie d'autres traits spécifiques, des brèves réponses glissées à coups de slide aux *turnarounds* qui annoncent, par un enchaînement rapide d'accords, la fin du couplet. Il chante avec la même précision, lâche un falsetto entre deux vers.

*Robert Johnson est vraisemblablement mort ici,
au 107 Young Street à Greenwood.*

"Hot tamales and they're red hot, yeah, she got 'em for sale" : la voix ralentit, s'arrête, repart doucement et se démultiplie, se répond enfin à elle-même en un dialogue facétieux soutenu par des *walking basses*. Robert Johnson puise dans un travail acharné la puissance de sa musique et de ses chansons qui évoquent le Diable, ses déboires féminins et son errance perpétuelle. Il s'en dégage une poésie majestueuse et troublante. A Greenwood, le connaisseur Pat LeBlanc affirme que "Johnson était atteint d'une syphilis congénitale qui lui interdisait tout rêve de vieillesse." Pris de cauchemars, le guitariste chante *Hellhound on my trail*, les cerbères aux trousses et pressé par une sinistre prémonition, manifeste le désir impatient d'immortaliser son œuvre.

Robert Jr Lockwood, Shines et Elmore James l'interprètent après sa mort mais ses enregistrements ne sont réédités qu'en 1961. Le *Blues Revival* s'empare du personnage dont la dimension faustienne comble les exigences d'un public avide de légendes. Sur la foi des notes de pochette qui accompagnent le disque, les Blancs alimentent à leur tour le mythe. Johnson est élevé au rang de gourou par Eric Clapton, suivi en cela par des milliers de disciples. Tous fantasment sur ce personnage dont on ignore jusqu'au visage : aucune photo de Johnson n'a alors été publiée. Pendant ce temps, deux limiers se lancent successivement sur la piste du poète assassiné. Mack McCormick, un spécialiste du blues texan et Steve LaVere, collectionneur de disques basé à Los Angeles, tentent d'éclaircir sa vie et retrouvent à quelques années d'intervalle la demi-sœur du musicien. Celle-ci a précieusement gardé dans ses tiroirs trois photos de son frère. "Après avoir découvert que McCormick n'était pas tout à fait franc, la sœur m'a assigné en 1974 l'héritage familial incluant par le fait même deux photographies ainsi que les droits d'auteur sur vingt-neuf chansons" explique LaVere, qui affirme être le premier à l'avoir localisée. Fort de ce montage juridique sans faille, l'homme d'affaires gère depuis la Californie les royalties qui pleuvent sur les cendres du guitariste. Le grand perdant, McCormick, n'a pas non plus réussi à mettre la main sur la mystérieuse troisième photographie et retouche depuis près de vingt ans sa *Biographie d'un fantôme*, l'enquête qu'il annonce la plus achevée à ce jour.

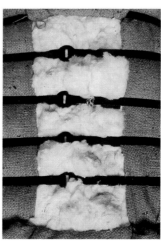

Greenwood se trouve à l'est de *Dockery,* derrière
les rivières Yalebusha et Tallahatchie, sur la Yazoo, un
cours d'eau aride sans rapport avec le bras majestueux
qui se jette dans le Mississippi devant Vicksburg : sa
source égarée à quelques miles plus au nord, la Yazoo
serpente à l'infini dans un lit creusé entre la plaine
et les collines, comme un ruban bleu jeté aux contours
de ce Delta cotonnier. Les présentations obéissent aux
États-Unis à un protocole simple et efficace, l'échange
de cartes de visite. Greenwood ne déroge pas à la règle
et prévient par un écriteau géant que l'on pénètre
ni plus ni moins dans la "capitale mondiale du coton."
Rien ne rappelle la tragédie classique qui s'est jouée
en quinze jours au cœur de l'été 1938, sous le soleil
de plomb des *dog days*.
Un drame en trois actes dans la canicule de Greenwood.
Hitler a annexé les Sudètes quand Robert Johnson pose
sa guitare en ville. Le musicien s'installe là où
les shérifs ne viendront pas lui chercher d'ennuis, dans
Baptist Town, le quartier noir qui se trouve du mauvais
côté des rails, *on the wrong side of the tracks*. Il ne lui
reste pas deux semaines à vivre. Robert Johnson écume
les *juke joints*, étanche sa soif de musique, d'alcool
et de femmes. On l'aperçoit en compagnie de Honeyboy
Edwards et de Sonny Boy Williamson, avec lesquels
il joue parfois devant le *Three Forks*, une épicerie
située au sud de Greenwood, vers Quito.
L'ancien policier L.T. Clerk avait quinze ans et se
rappelle parfaitement ses escapades pour aller écouter
Johnson : "Ma famille ne me laissait pas sortir parce que
j'étais trop jeune : ces musiciens avaient la réputation
d'être des brutes et des ivrognes ! Malgré tout, on filait
en douce, mon frère et moi ! Il jouait devant l'épicerie,
ainsi qu'un tas de chanteurs ; ils devaient être deux ou
trois en permanence, mais Robert se détachait nettement
du lot. On le reconnaissait de loin. Il avait un style
à tout casser : grand, souvent un chapeau melon sur le
crâne et une cigarette au bec. Il se les roulait et fumait
comme un troupier. A force, il portait en permanence
une marque blanche au coin des lèvres. Les gens

adoraient ses chansons. Il était tout simplement fascinant. Il avait une bonne descente aussi, mais remarquez, dans le Delta des années trente, on voyait passer autant d'alcool que de balles de coton. Et les bluesmen buvaient tout ce qu'ils trouvaient, des litres de whisky à base de n'importe quoi, la contrebande qui se vendait sous le manteau. C'est bien simple, chacun distillait son propre mélange pour faire un dollar. Y'avait un monde fou devant le *Three Forks* : dès que les gars commençaient à jouer, on se passait le mot. Les nouvelles circulaient vite dans le coin. Et monsieur Hooper, le propriétaire, était bien content que les gens rappliquent, ça lui faisait toujours quelques clients supplémentaires. Il lui aurait suffi de siffler pour que la foule décampe."

Robert Johnson profite de ces concerts improvisés pour annoncer où il se produit le soir même. Il s'agit souvent d'une cabane située à quelques centaines de mètres, où les musiciens jouent toute la nuit. Un *juke joint* comme tant d'autres à ceci près que son tenancier, Jonas Thomas, ne porte pas le guitariste dans son cœur : Johnson entretient une liaison amoureuse avec sa femme.

Lorsque Jonas Thomas l'engage pour animer ses soirées, Johnson sous-estime le risque encouru et accepte l'offre sur-le-champ. Le deuxième samedi d'août, il se retrouve donc aux côtés de Sonny Boy Williamson dans une ambiance torride, la cabane est pleine à craquer. Transcendé par son jeu, sûr de lui et l'esprit vaincu par l'alcool, le guitariste ne cache plus son attirance pour l'épouse du taulier. Malgré les mises en garde de son compagnon de scène, Johnson boit tout ce qu'on lui tend, y compris des bouteilles déjà ouvertes, de provenance suspecte. Sous l'effet du whisky empoisonné, il est pris de convulsions terribles.

Le diacre Darling Harrison, soixante-dix-sept ans, aujourd'hui installé à Saint Louis, Missouri, a bien connu Robert Johnson. Son frère et lui le fréquentaient assidûment. "Tout le monde savait le patron du *juke joint* coupable, mais comment le prouver ? C'est rageant ! Quand je pense à tous les avertissements que Robert avait reçu, de ne jamais boire une bouteille qui n'ait été ouverte devant lui ! Il n'en faisait qu'à sa tête," dit-il. A vingt-sept ans, Johnson rassemble encore assez de

forces pour lutter contre la strychnine qui le pétrifie. On
le ramène à Greenwood, au 107 Young Street. L'agonie
dure trois jours, le temps qu'il faut à la mère pour
accourir au chevet de son fils et recueillir ses dernières
paroles. Alan Lomax a rencontré une certaine Mary
Johnson lors d'un voyage dans le Sud, en 1941, une
femme qui se présentait comme la mère de Johnson :
"Quand j'suis arrivée où il vivait, il était allongé sur
le lit, sa guitare posée sur le ventre. Dès qu'il m'a vue, il
a dit : 'Maman ! Je n'attendais que toi. Tiens,' il a fait en
me donnant sa guitare, 'accroche-la au mur, j'en ai fini
avec tout ça. C'est elle qui m'a foutu en l'air, maman.
T'avais raison, c'est l'instrument du Diable
et je n'en veux plus.' Il est mort pendant que
j'accrochais la guitare au mur."
La maison où Robert Johnson a rendu son dernier
soupir n'existe plus. Rasée à la fin des années soixante,
elle a laissé la place à un autre pavillon tapissé de
planches jaunes. Après seize ans passés ici, les Jones
ont décidé de vendre l'endroit. Leur fils Chris se montre
à la fois surpris et ému d'apprendre qu'il a dormi sans le
savoir à l'emplacement où l'un de ses musiciens
favoris est mort. "J'ai acheté ses disques il y a deux ans,
c'est vraiment un des plus grands musiciens noirs."
Carrie, son amie, soulève un œil inquiet à l'évocation du
guitariste.

Johnson mort, sa personnalité dérange encore.
On l'enterre en catimini à Quito, dans la pénombre d'un
jour qui s'achève. "J'étais dans le coin quand il l'ont
tué. Parce qu'ils l'ont tué ! Si je l'avais su à temps,
je serais venu. Mais tout s'est enchaîné très vite après
sa mort. Ils lui ont improvisé son enterrement, à un
homme comme lui !" raconte Darling Harrison, dépité.
On accède au carrefour poussiéreux de Quito après une
maison anodine où s'amusent trois gamins, passé un
cours d'eau asséché, enjambé par un pont ridicule.
Un drugstore lui fait face, avant-poste d'un village
qu'étouffe une chaleur équatoriale. Le magasin est
une réplique du *Three Forks*, reconstruit depuis.
Sur la gauche part un chemin : la *Leflore County
Highway* matricule 512 n'est qu'une piste de terre
cahoteuse orientée à l'ouest. Elle longe d'abord une
église simple en bois blanc, posée en face de quatre
maisons. Là, un arbre solitaire marque l'entrée du
cimetière. Couchée dans l'herbe, une modeste pierre de
granit indique l'endroit supposé où gît Robert Johnson.
Resting in the Blues pour seule épitaphe et les
moustiques comme gardiens. La tombe brille par son
dépouillement, dans ce petit champ serti d'un bois touffu.
Une autre stèle lui dispute son authenticité quelques
kilomètres plus au sud, à Morgan City, et conteste
la version d'un enterrement à Quito presque à l'écart
des autres sépultures, à l'ombre de la Payne Chapel.

D. SHIGLEY

Sunnyland Slim (au piano)

Le chemin de fer transperce Greenwood de part
en part, d'une courbe imperceptible. Le quartier noir
donne sur les rails qu'il contemple comme l'arête
d'un poisson mort depuis longtemps. Des enfants
s'affairent devant une épicerie et traversent les voies
de manière insouciante en fouillant dans leurs sacs en
papier kraft. Les voitures enjambent ce gué de ballast
pour filer à l'autre extrémité du bourg. La scène est
ordinaire tant l'activité ferroviaire de Greenwood s'est
éteinte. Dans l'avant-guerre, les façades s'éclairaient
du passage des convois et tremblaient au tumulte du
dehors. Les trains sillonnaient le Delta à toute vitesse,
traçant leur chemin au mépris des obstacles.
Ils étaient spécialement redoutés dans la nuit
mississippienne, que la lune éclaire faiblement.
Le folklore local regorge d'histoires comme celle de
Casey Jones, conducteur de train du début du siècle.
Sur le trajet de Memphis à Canton, Mississippi
le convoi déraille. Des débris encore fumants de
la locomotive, on retire le corps brisé du cheminot.

Le guitariste Furry Lewis reprendra l'épisode à son
compte sous le titre de *Kassie Jones*.
Albert Luandrew a également joué sur le registre
du danger et la fascination morbide de son auditoire.
Né en 1907 à Vance, il grandit dans le souvenir
du mari de sa tante, fauché par un train lancé comme
une flèche dans les champs de coton. Il devient
Sunnyland Slim en référence au *Sunnyland Express*.
Un rien cabot, il a confié des années plus tard que
l'image de ce serpent géant imprévisible et mortel
convenait parfaitement à sa minceur et à sa grande
taille. Devenu l'un des premiers pianistes à s'imposer
dans le Nord avant la guerre, il a présenté sans
succès au producteur Lester Melrose un Muddy
Waters fraîchement débarqué à Chicago. Sunnyland
Slim se lie aussi d'amitié avec un autre poulain de
Melrose, Peter Cleighton, alias 'Dr Clayton', mort
alcoolique et désespéré en 1946 après un
accident de train où périrent sa femme et ses
deux enfants.

La grande migration

"Le peuple apprit que l'Éternel avait visité les enfants d'Israël et qu'il avait vu leur affliction : ils s'inclinèrent et ils l'adorèrent. Après cela, Moïse vint et dit à Pharaon : laisse aller mon peuple."

(Exode, Chapitres IV et V)

La détresse des Noirs du Sud reçoit un message d'espoir au début du siècle. Il leur parvient dans les lettres envoyées par un frère ou un oncle de New York, Cleveland ou Chicago qui vantent la bienveillance des métropoles industrielles où s'éveille enfin la conscience d'une dignité nouvelle et glissent l'appoint précieux par lequel on devine des rues pavées d'argent facile. Derrière sa mule, le soc enfoui dans un sillon gras et profond qui ne viendra jamais à bout de ses dettes, le paysan noir de Dixie rêve de cette terre promise froide et lointaine. La rive gauche du Mississippi oppose deux mondes aux antipodes.

L'industrie connaît une croissance record, soutenue par l'effort de guerre, et les besoins de main d'œuvre du Nord deviennent critiques : ses cols bleus désertent les ateliers pour aller se battre en Europe. La politique restrictive du gouvernement en matière d'immigration, les "quotas", décide les empires industriels naissants, euphoriques, à exploiter le gisement humain qui s'étale sous leurs yeux. Ils se tournent vers des *labor recruiters*, employés itinérants capables de convaincre des hommes par des contacts discrets et assez téméraires pour essuyer les coups de fusil des autorités locales. Les nombreux cheminots noirs incarnent ce type de relais dès la Première Guerre mondiale. Mais d'autres capitaines d'industrie, comme le constructeur automobile Ford, s'adressent à l'Église dont les racines plongent d'assemblées en cultes jusqu'au golfe du Mexique. Les représentants des communautés religieuses descendent dans leurs villages natals chercher des bras vaillants, couverts par le soutien sans faille de l'opinion publique. Un hebdomadaire noir s'engage dans une campagne virulente contre l'apartheid en vigueur sous la ligne Mason-Dixon, où le journal est interdit mais se dévore en cachette. Le *Chicago Defender* encourage les cousins à l'exode et déclare la guerre à Jim Crow. Il personnifie la générosité d'un Nord qui regorge d'associations d'aides aux migrants et tend la main à un peuple écarté des responsabilités publiques et des affaires, où la réussite attire l'attention et la corde de lynchage. Vivre avec une seule recommandation : *"to stay quiet"*, pas de vagues.

L'exode n'attend que l'étincelle. Elle jaillit aux heures sombres du Sud, quand le redoutable *boll weevil* ravage les récoltes de coton à partir de 1910. Lorsque survient la crue du Mississippi, cinq ans plus tard, les fermiers ont tout perdu. Les bagages sont prêts. Reste à braver les hommes des plantations. Dans les gares, les familles sont renvoyées chez elles sans ménagement, parfois passées à tabac. Pour déjouer la vigilance des shérifs, certains expédient leurs valises devant et prétextent une absence ordinaire, en réalité définitive. Le prix élevé du trajet incite les migrants à couper au plus court. A l'est, la communauté noire rallie New York, Philadelphie ou Pittsburgh ; dans le Mississippi elle met le cap sur Chicago. Entre le Delta et la *Ville des Vents* Saint Louis devient une halte précieuse en raison du coût du déménagement. Et un premier palier de décompression hors de ce Sud paternaliste

CENTER FOR SOUTHERN FOLKLORE

et tyrannique. Dès les années vingt, les Blancs sont majoritaires dans certains comtés de Louisiane et du Mississippi.

La population noire de Detroit ou de East Saint Louis explose dans la première moitié du siècle. A Chicago, elle bondit de 150 % entre 1910 et 1920, progresse encore au rythme de 80 % de 1940 à 1950. L'installation n'est pas des plus aisées : par logique économique et par intimidation s'il le faut, les arrivants se sont regroupés à la périphérie des grandes agglomérations, dans des zones séparées des quartiers résidentiels. Cette discrimination tacite frappe aussi les Juifs d'Europe orientale, déjà rompus à la pratique du ghetto par des siècles d'ostracisme et logés à la même enseigne autour de Maxwell Street, dans le Chicago des *South* et *West sides*. Une série d'émeutes éclate peu après l'installation des premiers arrivants : à East Saint Louis, dans l'Illinois en 1917 puis à Chicago, où quatre jours de révolte saccagent la ville au début de l'été 1919, faisant près de quarante morts et six cents blessés. De retour au pays, les soldats noirs ne retrouvent pas les responsabilités et l'estime que la confusion d'une Europe en guerre leur avait consentis. En 1925, de pareils affrontements surviennent à Detroit. L'exaspération latente et les émeutes contrastent

avec la soumission docile du Sud.

La deuxième vague migratoire entraînée par la Seconde Guerre mondiale s'inscrit dans un contexte différent : le Sud ne cherche plus à retenir les candidats au départ, laissés sur le carreau par la mécanisation systématique de la culture du coton. Comme Muddy Waters, ils ont le sentiment d'arriver "à l'autre bout du monde." La machine de guerre américaine repart et draine vers les grands lacs une main-d'œuvre pléthorique. Dans l'industrie automobile de Detroit, les complexes sidérurgiques de Gary ou les abattoirs de Chicago, les ouvriers assimilent les cadences infernales de la chorégraphie taylorienne : le Mississippi découvre la révolution industrielle et ses avatars.

La musique a suivi l'exode dans les valises et les étuis à guitare. Elle s'est adaptée à sa nouvelle terre d'élection. Issus de la première génération ayant grandi hors de l'esclavage, les bluesmen avaient déjà pris la route pour compagne. Dans leur errance volontaire, ils trouvaient l'antidote à une douleur enfouie au plus profond : le déracinement.

Les rails filent vers l'ouest entre les herbes folles et tra-versent Itta Bena sous la potence d'un signal lumineux qui clignote nuit et jour. Les voies débouchent peu après sur une clairière où s'enchevêtre un nœud inextricable écrasé par le soleil : Moorhead. Une épicerie fantôme surveille l'intersection d'un regard distant. Ses réclames vantent les mêmes articles depuis 1930. Sous le porche, trois rocking-chairs se languissent de grincer dans la quiétude d'une fin d'après-midi immobile. Les voies déboulent des fourrés et convergent vers un hameau que les cartes routières ignorent superbement. Cette localité abrite pourtant un carrefour ferroviaire majeur, au croise-ment des deux lignes perpendiculaires du Delta : la *Southern Railroad* et la *Yazoo Mississippi Valley*, aujour-d'hui *C&G* et *Illinois Central*, se croisaient quatre fois par jour. Ce lieu-dit était familier à tous les chemineaux prêts à sauter en marche pour changer de cap. Moorhead appartient au patrimoine du blues en tant que mythe fondateur : c'est là que *"the Southern cross the Dog."*

Le one strand *a tenu lieu de premier instrument à de nombreux bluesmen comme Albert King ou Magic Sam.*

Ces mots datent de 1903. Ils constituent le premier vers de blues jamais rapporté et trouvent leur signification en remontant la ligne, quarante miles au nord. L'histoire a été racontée par un témoin du début du siècle, W.C. Handy, alors à la tête d'un orchestre de Clarksdale, les Knights of Pythias. Le jeune homme attendait un train retardé de neuf heures et cherchait le sommeil dans un recoin de la gare de Tutwiler lorsqu'il entendit une musique qui le fit tressaillir : "Un Noir hâve et dégingandé, vêtu de haillons, commença à claquer les notes de sa guitare alors que je dormais. On pouvait lire toute la misère du monde sur son visage. Tout en jouant, il glissa la lame d'un couteau sur les cordes à la manière des guitaristes hawaïens. Je fus sidéré par l'effet obtenu et par la chanson elle-même : *Goin' where the Southern cross the Dog*. Il répéta le vers trois fois, en s'accompagnant à la guitare de la musique la plus étrange que j'aie jamais entendue."

Le récit apporte un éclairage précieux. Il distingue l'apparition, au tournant du siècle, d'un genre inconnu à W.C. Handy, un musicien pourtant établi dans le Delta. Le blues se répand alors à la vitesse d'une crue aux quatre coins du Sud. L'anecdote pose aussi certains traits constitutifs immuables : l'évocation de choses simples, comme un voyage en train et un vers répété trois fois. Handy décrit aussi un son caractéristique du blues, la guitare *slide*, effectivement popularisée par les guitaristes hawaïens. Les bluesmen en imitaient l'effet à l'aide d'un goulot de bouteille brisé - un *bottleneck* - ou d'un tube en métal enfilé à un doigt, en général l'annulaire ou l'auriculaire. Le principe est identique à celui du *one strand*, fil de fer tendu entre deux clous sur le mur d'une maison, sur lequel on fait glisser une bouteille. Ce procédé a toujours été extrêmement répandu, avec pour principal effet de copier la voix humaine et de répondre en écho au chant.

Le train ne s'arrête plus depuis bien longtemps à Tutwiler mais le quai de gare est toujours là, fait d'un béton usé par le temps, recouvert d'éclats de verre et de branches cassées. A l'écart repose une large dalle d'où saillent des tiges d'acier tordues comme des crayons dans le béton. L'ancien dépôt se tenait à cet emplacement. Un vieux chêne, seul et immense sur la place de la ville, protège la plaque de bronze qui célèbre le cachet historique de la gare de Tutwiler. Amoureux des beaux-arts, le pétrolier Exxon a financé le geste et signé sa réalisation. Derrière la gare, les patrons asiatiques de l'épicerie, seul commerce ouvert, s'insultent copieusement avec la clientèle. Plus loin, une pharmacie à la devanture délavée laisse encore deviner une vieille réclame pour Coca-Cola et deux corbillards attendent sur le parking d'un magasin de pompes funèbres, sous les façades de brique rouge. Une voiture traverse au ralenti cette arène dépeuplée. L'ancien château d'eau fait pâle figure face au nouveau, tiré droit d'un Tintin lunaire, qui du haut de ses échasses contemple la plaine et devine une tache sombre à quelques miles au Nord, Clarksdale.

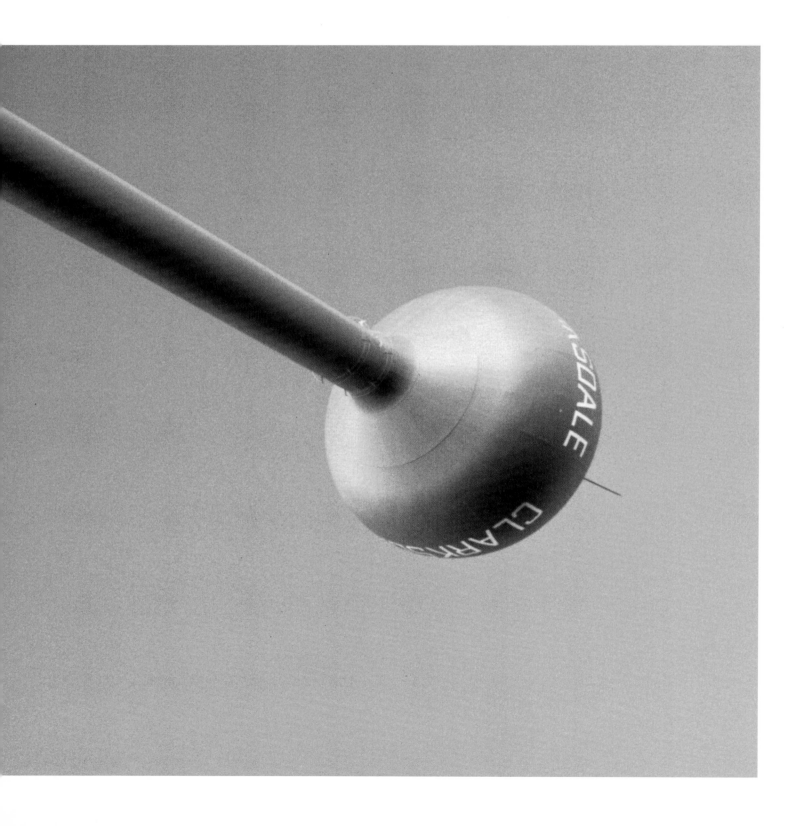

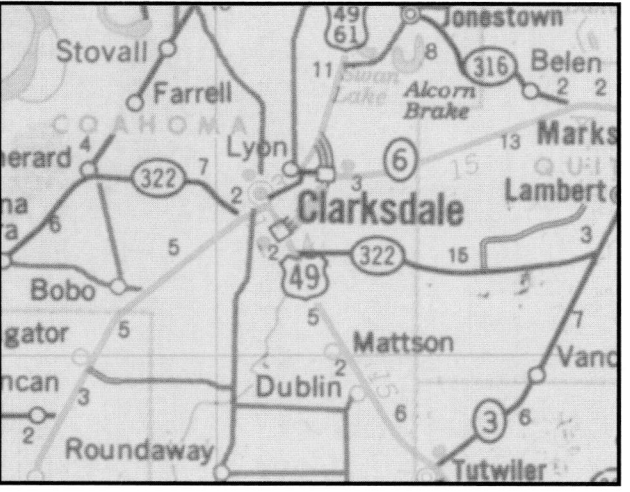

5

CLARKSDALE, MISSISSIPPI

Le 4 juillet 1776, les États-Unis déclarent leur indépendance : "Tous les hommes sont créés égaux ; ils sont doués par le Créateur de certains droits inaliénables et sacrés", proclame le texte fondateur.

Deux siècles se sont écoulés et à Clarksdale, les Noirs fêtent de leur côté *Independence Day* sur l'ancienne plantation *Adams*, que les paroles de Thomas Jefferson n'ont jamais éclairée. Comme chaque année, 'Little' Jeno Tucker tient son *blues show* dans un champ. L'harmoniciste de Helena, Frank Frost, la gloire locale de la six-cordes Big Jack Johnson et le batteur Sam Carr sont attendus.

La piste s'enfonce vers les bois, avant d'atteindre la plus grosse ville du Delta. L'affiche du spectacle prévient : "A trois miles au sud de Clarksdale, de l'autre côté de la voie ferrée." Elle longe un champ de coton et débouche sur une poche de verdure,

Big Jack Johnson.

une trouée ceinte d'un rideau de chênes et d'épicéas, séparée du chemin par une barrière de bois taillée la veille. Le gabarit du vigile de campagne ne donne pas envie de badiner, pas plus que le gros revolver suspendu à son ceinturon. Le videur ne plaisante pas et recompte doucement les dollars qu'il serre entre ses mains de géant en ânonnant les chiffres, puis fait signe de se garer ; la voiture passée, il rallume un joint et tire une bouffée qui n'en finit pas.

Adossée à une cabane délabrée, la scène domine un public bonhomme où se sont glissés quelques Blancs venus partager en toute quiétude leur amour du blues. C'est un rassemblement jovial, une fête pour le plaisir, entre amis. Chacun a apporté à boire pour faire passer le barbecue. Entre chaque set, un disc-jockey balance quelques rythm'n'blues bien sentis pour maintenir l'ambiance ; "Is-it-grooovy-now ?" hurle-t-il. Les gamins en profitent pour remonter sur l'estrade et s'installer derrière la batterie, sous les affiches publicitaires des sponsors. Au bout de la clairière, d'autres improvisent une partie de football américain.
Little Jeno est heureux, sert quelques mains et veille à la bonne marche de son micro festival. Son groupe

MON., JULY 4 - 1994

10:00 A. M. UNTIL DARK

B. T. AND J'S PRODUCTION PRESENTS

A Full Day Of Outdoor Entertainment & Cooking

≡ HISTORICAL ≡
ADAMS PLANTATION
PECAN ORCHARD BLUES RESORT

(3 MILES SOUTH CLARKSDALE ACROSS THE TRACKS ON OLD HIGHWAY 49 SOUTH)

★ ★ ★ FEATURING ★ ★ ★

J. B. AND THE MIDNIGHTERS
BIG JACK JOHNSON
LITTLE SAM CARR AND
FRANK FROST, DAVID PORTER

LITTLE JENO
TUCKER

And a Host of Others
Will Be on Hand

★ ★ ★ ★ ★ ★ ★ ★ ★ ★ ★ ★

COOLERS WELCOME - BRING
THE WHOLE FAMILY

Admission Adults $4.00 - At Gate Children 12 & Under Free

Robert Walker

chauffe sans lui et tourne à vide sur un instrumental.
La foule appelle : "Je-no, Je-no." Santiags et Stetson
en cuir noir, il saute sur scène dans une tenue verte
et commence le numéro. La guitare de Big Jack
Johnson et une basse bondissante l'accompagnent sur
une de ses compositions obscures et originales. Il
enchaîne avec le *Thrill is Gone* de B.B. King. Sam
Carr le soutient derrière. Little Jeno le présente :
"Sam Carr, un vieux de la vieille."
A soixante piges bien tassées, le batteur a derrière
lui une belle carrière : après avoir porté les valises
de son guitariste de père, Robert Nighthawk, il a joué
avec Frost dans le groupe de Sonny Boy Williamson.
Les deux compères ont ensuite recruté Big Jack
Johnson pour former les Jelly Roll Kings.

En retrait du podium, Frank Frost attend dans son
coin, calé dans un fauteuil pliant comme une vieille
cigogne. Il sourit devant une bière ou s'enferme dans
un silence rogue. La Budweiser semble prendre le
dessus et Frost, son feutre mou sur la tête, titube en
grimpant les trois marches qui le séparent du micro.
Une main secourable lui sert d'appui. Frost tangue
encore, arrache le micro de son pied, le plaque

contre son harmonica et se contorsionne dans un
hurlement. Ce Giacometti flotte dans ses vêtements
comme un épouvantail et se casse en deux en
poussant des rugissements successifs.
Il s'arrête : "one time now !", reprend de plus belle
en tenant son auditoire qu'il quitte sur un solo
éblouissant, à la rupture de ses poumons. Frost
regagne son fauteuil avec la même démarche incertaine, un sourire au coin des lèvres après cet étalage
de puissance et de maîtrise insoupçonnées.
Le disc-jockey rompt le silence par des classiques de
la soul, *Higher and Higher* et *Papa's Got a Brand
New Bag*.

Big Jack Johnson reprend la scène. Depuis cinquante-
quatre ans qu'il traîne ses guêtres dans le Delta, Jack
connaît tout le monde. Sa silhouette massive fait
partie des meubles. Avec Frost et Carr, il s'est taillé
un joli succès local pendant les années soixante,
enregistrant même un album pour Sam Phillips à
Memphis. La musique ne nourrit pas un poids-lourd
comme Big Jack, converti en camionneur pour subvenir
aux besoins de sa famille. Sa guitare vermillon en
main, le poète excelle dans le rôle du chroniqueur

des faits marquants de Clarksdale, où nul n'ignore ses compositions. Son arrivée sur les planches revigore l'assistance. Le visage fermé, ses grosses mains recroquevillées sur l'instrument, il mouline à tour de bras et balance froidement un pont repiqué note pour note à Creedence Clearwater Revival au milieu d'un de ses morceaux. Envoûté par le guitariste, un bambin grimpe sur les planches et se trémousse sur un solo de *slide*.

Un musicien encore plus dégingandé que Frost monte à l'invitation pressante de Little Jeno, prend sa guitare et part dans un long blues au tempo moyen, griffé par les cris stridents d'un larsen à fleur de note. Il joue à cheval sur les deux premières cordes, se lance naturellement dans une reprise de Chuck Berry, truffée de "Johnny's" et de "Go's", qu'il accompagne d'un *duck walk* enlevé à la manière du maître. Le tout avec une simplicité et un bonheur rares. Le tempo accélère pour suivre ses envolées prodigieuses et la vitesse stupéfiante de son jeu de jambes. Son nom : Robert Walker. Inutile de lui demander s'il a entendu parler de Chuck Berry. "Chuck qui ? Connais pas. Eh, moi j'ai rôdé ce numéro depuis trente ans et personne n'en fait autant dans le coin, d'accord ?"

L'après-midi touche à sa fin quand le disquaire change de répertoire et passe aux rythmes électroniques de la *dance.* Un ballet tribal s'improvise. M.C. Max s'empare du micro et ne le lâchera plus. La lotion capillaire du maître de cérémonie ruisselle tandis qu'il mène la danse, gainé dans ses vêtements noirs. Il vocifère dans le micro en tapant du pied et pointe son bras sur la foule qui l'entoure. Une femme au regard masqué s'avance. Ses hanches roulent, puis son corps entier entre dans la danse et provoque son vis-à-vis. Max passe sous les jambes de la prêtresse qui se caresse ostensiblement. Les enfants s'abandonnent au rythme, battent la cadence de leurs mains potelées. La danse les a pris au berceau dans une communion charnelle avec la terre, qu'ils frappent des pieds comme la peau d'un tambour.

Souvent liées aux pratiques religieuses, les danses venues d'Afrique se sont répandues avec la *diaspora* des esclaves : dans les Caraïbes, on pratique la *calenda* ou la *chica*. Le *breakdown* et le *cake walk* naissent dans les plantations de la fin du siècle dernier, dans les fêtes où le blues apparaît avec le *slow drag* - aussi appelé *snake hip*, la "hanche du serpent". Le vocabulaire chorégraphique étend son emprise sur les mots quotidiens : "le 'juke' utilisé dans *juke joint* ou *juke box* est originaire

Frank Frost

de l'africain 'juga' qui signifie danser, prendre du bon temps. De la même façon que 'jazz' - dérivé de l'expression *'to jass'* - évoque l'acte sexuel," explique Bill Ferris, directeur du *Center for the Study of Southern Culture* à l'université du Mississippi. L'auteur du pénétrant *Blues From the Delta*, rappelle que "le blues est d'abord une musique dansante."

L'auditoire blanc examine avec un intérêt et une méfiance mêlés la suite des événements comme des invités surpris par la suite du programme. La moyenne d'âge de ces étudiants de l'*Ivy League*, les prestigieuses universités de Nouvelle-Angleterre, n'atteint pas vingt-cinq ans. Tous se sont portés volontaires au programme de soutien scolaire *Teach For America*, braqué sur les zones les plus sinistrées en matière d'enseignement et donc le Mississippi. "Le niveau est catastrophique, les

classes sont surpeuplées, constate Sam. Pour s'en sortir, il faut une volonté à tout casser à laquelle rien ne prédispose. J'ai vu beaucoup d'enfants comme cette élève de treize ans dont je parle souvent, Lea. Elle marche très fort et pourrait poursuivre des études brillantes. Mais sa famille lui répète à longueur de journée qu'elle devrait se chercher un mari et s'installer avec lui. Sa meilleure amie est déjà mère de famille et garde son enfant au lieu de me rendre ses devoirs. Comment voulez-vous sortir du Mississippi ?"
L'école ouvre une brèche très mince, une alternative ténue aux Noirs du Sud, mais au moins existe-t-elle : dans le passé, les propriétaires terriens avaient réduit l'année scolaire à une peau de chagrin, une garderie aux saisons creuses du coton, et rappelaient aux *share-croppers*, que les bras de leur progéniture ne suffiraient pas à les rembourser. Vue de Chicago, la situation semble plus attrayante aujourd'hui et des centaines d'enfants ont été envoyés chez leurs grands-parents, dans le Delta, pour les soustraire à la violence urbaine. Au Nord, des détecteurs de métaux ont été vissés sous les préaux des *high schools*.

Ce reflux apporte son lot de nuisances à l'école : la consommation de drogue est partie comme une traînée de poudre dans les rues de Clarksdale, sous l'œil vigilant et froid des gangs en formation.
Peu de buildings dépassent les deux étages. Seule la carcasse du château d'eau culmine à la tombée de la nuit au-dessus des banques, climatisées et moquettées, et des restaurants ouverts jusqu'à dix heures. Le jour n'en finit plus quand les habitants s'installent sur leur pas de porte et profitent du répit que leur consent la baisse du thermomètre. A l'heure du dîner, dans une station-service, une femme sculptée dans la cellulite paye avec un coupon alimentaire du ministère de l'Agriculture son repas composé de confiseries. Sous les néons blancs des *drive in* où chassent des hordes de moustiques, des jeunes gens s'affairent autour des voitures où ils s'entassent pour tuer le temps. Un vendredi soir perdu à boire sur le cuir défraîchi de vieilles guimbardes, dans les rues défoncées, jamais retapées, à croiser le regard inamical et vide de la plus grosse ville du Delta. Clarksdale fait la gueule, vivote d'un coton dont l'essentiel des richesses se partage entre quelques mains, à Memphis et sur les grandes places boursières.

Deux autoroutes, les Highways 49 et 61, se croisent à Clarksdale : la toute-puissante intersection du Delta draîne les chanteurs de blues de tous les horizons. Et parce qu'il s'agit des artères de ce Sud mythique, le lieu a parfois été considéré comme l'ultime *crossroads* : la prétendue croisée des chemins où le bluesman vend son âme au Diable en échange de pouvoirs musicaux illimités. Ce *crossroads* allégorique n'existe pas et pourtant il est partout dans le Delta. Mais ce n'est pas à ce large carrefour, brassé par un flot continu de paquebots aux calandres rutilantes et vidé de sa substance maléfique par une invasion d'enseignes lumineuses, qu'un joueur de blues peut encore espérer conclure le pacte méphistophélique.

Il tentera vainement sa chance chez *Wiley's*, un bar borgne placé à quelques dizaines de mètres de là sur la 49. Les douze mesures ne survivent que par la supposée bonne volonté du disc-jockey, visiblement insensible au passé musical de la ville. L'endroit est bondé, mal éclairé, bas de plafond et les joueurs de billard ont du mal à dérouler leur partie. On s'entasse ici, accroché à sa bouteille de bière, pour oublier que l'avenir n'est pas aussi large que les horizons du Delta.

13'-6"

1000
FEET

SOUTH
49

SOUTH
61

CLEVELAND
REENWOOD

Les Crossroads

Le Sud bruisse de légendes fabuleuses. Le culte vaudou plane comme une ombre noire sur les traditions sacrées : une religion souterraine venue des Antilles et passée en Louisiane comme une maladie honteuse, dont l'animisme se mêle de symboles chrétiens. Le vaudou n'est pas étranger au mythe de la croisée des chemins, le *crossroads*. Il l'érige en étape essentielle, passage entre le monde des vivants et des esprits, où s'exercent toutes les influences.

Ces carrefours poussiéreux hantent le Delta et l'esprit de plusieurs bluesmen comme Tommy Johnson qui évoque le premier un pacte satanique. En échange de son âme, il aurait reçu un don incommensurable. Son frère LeDell a raconté l'histoire au chercheur David Evans : "Il disait que la raison pour laquelle il savait si bien jouer, c'est qu'il s'était vendu au Diable. Quand je lui ai demandé comment il avait fait, il m'a répondu cela : 'Si tu veux apprendre à jouer tout ce dont tu as envie et à composer tes propres chansons, prends ta guitare et arrêtes toi à un carrefour. Vas-y, en t'assurant d'arriver un peu avant minuit. Assieds-toi, seul, et commence à jouer. Un grand Noir viendra vers toi, il prendra ta guitare et l'accordera. Puis il jouera un morceau et te la rendra. C'est comme ça que j'ai appris à jouer ce que je veux."

Un autre Johnson, l'illustre Robert, s'approprie à son tour le mythe faustien et transfigure avec insolence le Diable venu réclamer son dû : "*Hello, Satan, I believe it's time to go.*" Robert Johnson distille au compte-goutte l'essence ténébreuse de son œuvre. Sa fin tragique, comme celle de son homonyme Tommy, alimente la légende d'une musique traquée par les mauvais esprits. Le blues puise abondamment à cette source mythique et le flirt démoniaque excite les imaginations. Il entretient une réputation sulfureuse désormais indispensable à tout musicien avide de crédibilité et de conquêtes féminines. Dans le dédale impénétrable de la jungle *hoodoo*, chacun s'attribue des pouvoirs extraordinaires et des charmes puissants : le bluesman enfile la cape du griot pour apaiser le besoin de sacré d'un auditoire volontiers crédule.

Les bluesmen grandissent dans un monde où l'esprit des *loas*, les dieux africains, pénètre jusqu'aux églises de bois blanc. Les cérémonies vaudou s'ouvrent par un salut au puissant *Legba*, maître du *crossroads* et gardien de la porte. Avec *Ghede*, le dieu des morts, il commande à *Baron Samedi*. Ces esprits composent un univers jalousement protégé, inaccessible aux Blancs et aux profanes. On l'évoque dans la clandestinité de la nuit, à l'abri d'une société que ce type de célébrations effraie et rebute. Emportées dans les cales des négriers, les croyances ancestrales du peuple d'Afrique se métamorphosent au contact de la servitude. Privés de repères et de nom, les esclaves se raccrochent à leurs divinités comme un contrepoids à l'omnipotence des maîtres et constituent un panthéon où se cimente le sentiment d'appartenance à une même communauté. Célébré en Afrique occidentale, le *Roi Python* se mue en *Grand Zombie* et John Lee Hooker psalmodie *Crawling King Snake*.

La Louisiane du début du XIXᵉ siècle se livre corps et âme au vaudou. Sur les bords du lac Pontchartrain, on sacrifie des poulets et autres volatiles avant un bain purificateur dans les eaux de cette véritable mer intérieure tandis qu'une fille d'esclaves affranchis entame un règne d'un demi-siècle parallèle à celui de la reine Victoria : l'intelligence et la beauté de Marie Laveau, *Voodoo Queen* de La Nouvelle-Orléans, assoient son pouvoir. La mulâtresse devient la "dernière sorcière américaine" dont l'empire s'étend sur le marché aux âmes de *Congo Square*, agora d'une Salem fiévreuse. Le vaudou s'accompagne d'un lot de superstitions tenaces : le *mojo*, un petit sac de velours aux reflets chatoyants, devient le gris-gris favori des adeptes du rite. Des épices, des cheveux, de la peau de serpent, de la corne ou des racines sont glissés dans le sachet d'étoffe selon l'effet désiré. Pour être efficace, le *mojo* doit être béni par un représentant d'*Obeah*, une divinité africaine. On utilise le *root doctor* pour s'attirer les faveurs d'une femme ou se préserver du mauvais sort : le "docteur racine" s'appelle aussi *Hoochie Coochie Man*. Muddy Waters le tonne fièrement :

"I got a black cat bone
I got a mojo, too
I got the John the Conqueror
I'm gonna mess with you."

MICHAEL OCHS ARCHIVES

"Le blues du Delta est plus rythmique, plus intense et plus lourd que les autres," remarque John Lee Hooker, qui a passé les quinze premières années de sa vie à Clarksdale avant de gagner Detroit.

L'arrivée du chemin de fer a donné son rayonnement à Clarksdale, bien avant que Thomas Lanier Williams, bientôt *Tennessee*, ne passe ses vacances dans la maison de son grand père. Le chef-lieu du Coahoma *county* a fourni au blues quelques-uns de ses plus grands noms : John Lee Hooker, Willie Brown, Ike Turner, Eddie Boyd et Earl Hooker ont grandi au son des mêmes *juke joints*. Mais Clarksdale a ravi sa fille adorée, l'*Impératrice* Bessie Smith. En septembre 1937, celle-ci flirte au volant d'une voiture avec Richard Morgan, son amant d'alors, près du village de Coahoma, lorsque leur automobile percute un camion. Bessie Smith a le bras sectionné dans l'accident. Le retour hâtif à Clarksdale ne sauve pas la chanteuse qui succombe à une hémorragie devant le *G.T. Thomas Hospital*, au 615 Sunflower Avenue. L'hôpital, alors réservé aux Noirs, a fermé en 1944 et le *Riverside Hotel* a pris la relève.

La patronne n'a pas changé depuis. Madame Hill se souvient des lieux à son installation : "L'hôpital était plus petit que l'hôtel." Il devait être minuscule, sans les ailes qui ont été adjointes au bâtiment central : Z.L. Hill a réussi son entreprise commerciale et possède aujourd'hui, outre les vingt-cinq chambres de l'établissement, une douzaine de pavillons loués par des clients réguliers. Son domaine s'étend sur Sunflower Avenue de la sixième

rue au pont et les bungalows toisent la rivière qui coule
en contrebas dans un lit paisible, bordé d'ajoncs
et de nénuphars.

Z.L. Hill est arrivée dans les années trente,
en provenance de son Claiborne *county* natal, au sud
de Vicksburg. De sa jeunesse, elle garde une peur
viscérale des colères du fleuve : "En 1927, quand le
Mississippi a commencé à monter, ma mère me lisait les
histoires terrifiantes dont étaient remplis les journaux."
Cette petite couturière ouvre le *Riverside Hotel* et
accueille sous son toit les nombreux musiciens qui
convergent sur Clarksdale : Sonny Boy Williamson,
Ike Turner ou Robert Nighthawk dorment souvent chez
elle. "Je les rencontrais dans les *juke joints* et on sympa-
thisait. Je proposais de les héberger, minaude-t-elle.
Comme j'étais pas mal, ça marchait bien."
Dans l'atmosphère encore pesante de l'après-guerre, le
Riverside devient le refuge de prédilection des bluesmen :
"Ils rataient parfois le ferry pour l'Arkansas et revenaient
frapper à ma porte. Les policiers n'aimaient pas les voir
traîner la nuit." Ses pensionnaires installent un piano à
la cave et répètent régulièrement dans le couloir central,
épaule contre épaule. De son observatoire, Z.L. voit
défiler des centaines de maîtresses éphémères : "on ne

les voyait pas deux fois avec la même fille.
Ou plutôt deux fois de suite ; elles revenaient pleurer
sur mon épaule. C'était leur truc, ça, les femmes !"
Presque perdue dans une blouse rose vif trop grande,
Madame Hill ploie sous ses quatre-vingt-six ans.
Ses cheveux blancs se font de plus en plus rares
mais sa voix reste limpide, pleine d'une tendresse
maternelle quand elle évoque ses protégés. "J'adore
le blues et j'avais dans mes murs ses plus grands
interprètes. J'aurais été bien bête de ne pas les
écouter jouer." Au mur s'étalent des photos de
John F. Kennedy et de son fils John, venu lui rendre
visite, comme à une respectable grand-mère... Sur
l'étroite porte d'entrée de l'hôtel, un panneau indique
"Home of the blues ; it all started here."

Au sortir de la guerre, la pépinière de talents profite
également à WROX, la radio installée au cœur de la
ville. En 1947, Early Wright devient un des premiers
disc-jockeys noirs du Sud. Il se sert du succès du
King Biscuit Time, l'émission de blues de KFFA,
une radio de Helena, pour lancer son propre rendez-
vous. Wright travaille avec le fonds de commerce
somptueux de sa voisine de l'Arkansas :
Sonny Boy Williamson, Robert Nighthawk et
Pinetop Perkins sont les piliers de son show. B.B. King
et Howlin' Wolf jouent aussi dans les studios de
WROX, sur Issaquena Street. Au début des années
cinquante, Early Wright embauche Ike Turner qui
effectue ses premiers pas radiophoniques sur les
ondes de Clarksdale avant de partir pour Memphis.
A l'antenne, Wright cultive un style décontracté et
n'hésite pas à s'interrompre le temps de répondre au
téléphone ou d'allumer une cigarette. Autoproclamé
'Soulman', il sait humer l'air du temps et passe volontiers
les disques de James Brown ou d'Otis Redding.

MICHAEL OCHS ARCHIVES

Pianiste et guitariste talentueux, Ike Turner changea le cours des carrières de B.B. King, Howlin' Wolf, Elmore James, Little Milton et Junior Parker. Son mariage avec Annie Mae Bullock, bientôt rebaptisée Tina Turner, lui valut une autre célébrité.

Wade Walton règne en maître sur un minuscule salon de coiffure aux murs blancs. Originaire de Lombardy, Mississippi, il s'est installé à Clarksdale pour jouer avec Ike Turner avant de se reconvertir dans le cheveu. Il porte un nœud papillon noir et une impeccable blouse bleue. Les yeux mi-clos derrière des Ray-Ban jaunes, Wade pèse chacun de ses gestes. Son allure un rien théâtrale et sa barbiche évoquent Sonny Boy Williamson. Le septuagénaire lâche parcimonieusement ses phrases et jette de temps à autre un regard presque dédaigneux aux clients qui poireautent. Wade manie aussi bien l'antique coupe-chou et la tondeuse électrique que la guitare ou l'harmonica mais ne joue plus que pour son propre plaisir, ayant conçu une aigreur lucide de sa courte traversée du show-business. Lui aussi s'est fait escroquer par des producteurs sans scrupule. Aux murs, des affiches de festivals, des photos de musiciens et, posé sur une étagère, un radio-réveil détraqué. Le fauteuil pivotant sur lequel s'est longtemps assis John Lee Hooker, un vieux Koken en skaï vert, trône au milieu de la pièce.

Le fils de Wade se tient à l'écart des discussions, sur un tabouret placé entre la pièce et l'appartement où il s'éclipse par intervalles pour tapoter quelques mélodies sur le piano familial qui résonne avec nostalgie. Il joue du gospel dans un groupe qui se produit à l'église du coin, "mais je sais jouer le blues ou du jazz," rectifie-t-il en rappelant combien les gammes se chevauchent. Dans le salon, on discute avec une lenteur toute méridionale des orages de la veille, de cette maudite saison qui court d'avril à octobre et pendant laquelle le ciel ne se prive jamais de noyer le Delta sous des trombes d'eau. Le souvenir de la tempête de neige de février nourrit encore les conversations. Pendant quarante-huit heures, Clarksdale a plié sous les assauts de la grêle.
Big Jack Johnson y a trouvé matière à un *Ice Storm Blues* gravé sur le label de Jim O'Neal, Rooster Records. Les sessions ont commencé au cœur de la tempête, quand Clarksdale était encore privée d'électricité. Big Jack et Lonnie Pitchford, guitariste rythmique pour l'occasion, ont répété à la lueur d'une chandelle autour du piano, blottis dans un recoin du studio. Johnson, que Robert Palmer considère comme "le plus original des joueurs de blues contemporains," ne faillit pas à sa réputation :

"Mr Governor, Mr Governor, what you gonna do ?
All the peoples in the storm is lookin' up to you.
Put 'em all on a chain and put 'em down on to
the welfare line.
We're goin' down, Mr Governor, we're goin' down, down...
Oh, we're goin' down, Mr Governor, ever since that ice
storm hit this town."

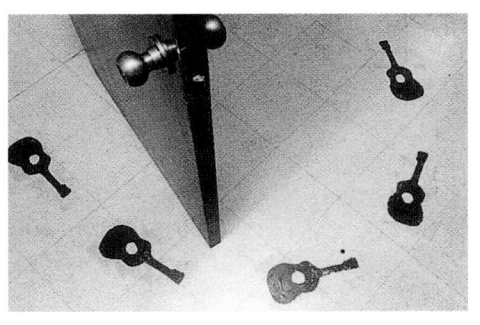

Jim O'Neal est né à Biloxi, sur le golfe du Mexique. Il découvre le blues en écoutant les Yardbirds, les Rolling Stones ou Eric Burdon lors de ses études à Chicago. La révélation. O'Neal va plus loin : "On lisait le magazine anglais *Blues Unlimited* pour se tenir informé de l'actualité américaine. Absurde !" Face aux demandes croissantes d'un public exigeant, il fonde *Living Blues* avec une bande d'amis au début des années soixante-dix. Tour à tour explorateur, historien ou critique musical, O'Neal contribue à asseoir la crédibilité et la respectabilité du blues mais quitte *Living Blues* en 1988, cède à l'appel du Delta et plaque femme et enfant pour ouvrir son magasin, *Stackhouse*, au 232 Sunflower Avenue, près du *Riverside Hotel*. Une tanière. Derrière des rangées de bacs où se bousculent vinyles, posters et babioles, il prépare la tournée d'un de ses poulains, Lonnie Pitchford. Mal rasé, une canette à portée de main, Pitchford cache sous des dehors indolents une sensibilité réelle. Sa promenade désabusée dans *The Ghetto*, un titre de son dernier disque *All Around Man* et sa vision métaphorique de l'amour dans *Water in My Gas Tank* témoignent d'un véritable talent artistique. Jim O'Neal enregistre sa vedette dans le studio qui se trouve dans l'arrière-cour, passé un dédale de minuscules couloirs et d'antichambres asphyxiées par des étagères chargées d'exemplaires de *Living Blues*. Il en extrait encore des perles, formatées 45 tours ou CD. Les doigts égarés dans une barbe touffue, une mèche perdue sur les lunettes, Jim O'Neal est le pivot de la scène de Clarksdale.

Lonnie Pitchford

Il sourd parfois du Delta un blues au cachet unique, dont le secret se transmet de bouche à oreille. Lonnie Pitchford a développé cette maîtrise exceptionnelle. Guidé par le fils spirituel de Robert Johnson, Robert Jr Lockwood, le guitariste de Rooster Records appartient à la caste des plus grands.

Comment êtes-vous entré dans l'univers musical de Robert Johnson ?
J'ai dû acheter ses disques vers 1980. Et quelques années plus tard, j'ai rencontré Robert Jr Lockwood à La Nouvelle-Orléans. Je l'accompagnais à la basse sur scène. Il était pas facile à suivre et introduisait des lignes de jazz dans ses chansons. On a sympathisé et on traînait les pieds pour rentrer se coucher. Il me montrait des trucs à la guitare.
Je lui demandais : "Comment tu fais ça ?" et il prenait le temps de tout m'expliquer, d'éplucher son jeu.

Comme Robert Johnson l'avait fait avec lui, à Helena. Ce qui signifie que vous rentrez dans la lignée Johnson-Lockwood ?
Je n'en sais rien, mais on s'est revu depuis. Il me guide et me donne des conseils. De la part du meilleur interprète vivant des chansons de Robert Johnson, c'est plutôt flatteur. J'ai d'ailleurs promis de passer le voir à Cleveland dans l'Ohio.

Comment expliquer le talent de Robert Johnson ?
Je crois qu'il était très en avance sur son temps. Voilà pourquoi la reconnaissance est venue si tard. Les gens n'étaient pas prêts. Et musicalement, il y a toutes ces chansons, cette complexité... Robert Jr, qui m'a raconté certains épisodes de sa jeunesse, m'a dit que Johnson se faisait souvent refouler des lieux publics et se retirait pour s'exercer dans son coin.

La rencontre avec le Diable au *crossroads*, un peu avant minuit, vous n'y croyez pas ?
Pour le Diable je ne suis pas au courant, mais le travail je sais que ça paye. Il a dû sacrément bosser pour se faire accepter par les autres, Willie Brown et compagnie. Et puis le seul diable que j'aie connu, il avait la forme d'une bouteille de whisky !

Vous avez commencé à quel âge ?
Très jeune, j'avais sept ans. On habitait Lexington, Mississippi. Je n'avais pas de guitare alors j'ai construit la mienne sur le mur. Un *one strand* : deux clous, l'un en haut et l'autre en dessous, séparés d'un petit mètre et reliés par un fil métallique. Sur le fil, je promenais différentes bouteilles. J'ai répété l'opération sur un *diddy bow*, une planche de bois transportable. Voilà mes premiers instruments.

Vous aviez vu quelqu'un jouer d'un *one strand* avant d'en construire un vous-même ?
Non. Mais nécessité est mère d'invention. Je n'avais rien d'autre sous la main et j'avais quelque chose à exprimer. C'est une forme d'apprentissage

déterminante : quand j'ai eu ma première guitare entre les mains, j'ai utilisé la même technique, avec mes doigts et un *bottleneck*.

Vos parents étaient eux-mêmes musiciens ?
Mon père et ma mère savaient jouer de la guitare. Mes frères aussi. On se la repassait. C'était une Stella que mon frère avait acheté à un voisin qui déménageait, un Blanc.

Quand avez-vous décidé de vivre du blues ?
Je ne vois pas les choses comme ça. J'aime jouer le blues mais je n'ai rien planifié. Je suis devenu un bluesman, voilà tout. J'ai fini par être connu sur la place. Par recommandations, d'une oreille à une autre, on fait des étapes du *chitlin circuit*, les bars noirs. J'ai joué dans des festivals ; je me suis produit à Washington DC, à Atlanta, à New York, au Canada, en Allemagne et j'en passe. Tout finit par se mettre ensemble, comme les pièces d'un puzzle.

Et pour faire un disque ?
C'est une question de volonté. On peut se faire enregistrer un peu partout, à Chicago comme dans le Mississippi. Le blues marche, ici. Le gospel aussi mais surtout le blues. Rien n'est vraiment facile mais ça va mieux qu'avant.

Et financièrement ?
Les bluesmen n'ont jamais été payés à leur juste valeur et cette dette inclut une grande partie de la musique noire. Les choses s'arrangeront mais tout prend du temps. Les musiciens recevront une forme de reconnaissance pour leur talent. D'ailleurs ça commence à changer, parce que les jeunes écoutent du blues et savent ce qu'il signifie.

Quelle est sa signification ?
Il raconte les choses de la vie. Un point c'est tout. Le blues est l'essence de la vie. C'est un sentiment qui vient du plus profond de l'âme et qui s'exprime à travers la musique mieux qu'à travers la parole. Il dit le bonheur et la tristesse. Il dit les moments de peine et de chagrin. Dans le Delta ce n'est jamais un sentiment très lointain.

Joe habite derrière les champs de la plantation *Stovall* où Muddy Waters a grandi, sur une route qui s'éloigne de Clarksdale par le nord. La maison de Joe n'a pas bronché en cinquante ans mais ses yeux à lui renvoient désormais un reflet vitreux. Il y a longtemps qu'il n'y voit plus grand-chose. En soignant son carré de pois sauvages noyé dans le coton, il vante le planteur qui lui octroie ce petit arpent du bon dieu. "*Oh boy*, si monsieur Stovall est riche ?" Dans un geste ample, il montre du bras tout ce que peut attraper un regard entre le ciel et la terre. "Eh bien, ceci est la propriété des Stovall. Rien que ça !" En entrant dans la plantation, plus loin, une allée débouche sur la cour où une maisonnette fait office de bureaux, flanquée d'une cloche imposante, symbole des seigneurs du coton de Clarksdale. A l'arrière-plan se détachent une douzaine de silos et trois immenses granges aux toits de tôle, *skyline* de ce Mississippi perdu sous un couvercle de nuages au camaïeu d'argent.

Le jour s'en va, les oiseaux s'échappent des bois dans un tumulte d'ailes et les cigales s'activent à leur tour. Écrasée par des heures de canicule, la nature s'étire lentement avant de s'endormir. Accolés à la route, quelques pavillons de brique contemplent la plantation. Stella regarde tranquillement couler la fin de sa vie de l'une de ces modestes habitations. A soixante-dix ans passés, elle ne songe plus à partir et vit avec son fils qui travaille pour les Stovall. "Il conduit un tracteur, c'est bien. Moi, je travaillais à pied, dans les champs. C'était dur, ce soleil, ces moustiques..." L'ancienne poursuit : "Heureusement qu'aujourd'hui il y a des machines pour ramasser ce satané coton. Remarquez de

toute façon ça n'intéresse plus les jeunes, le coton.
Ils préfèrent traîner dans la ville, attendre que la nuit
tombe et chaparder quelque chose. Ils n'aiment que
l'argent facile !" Son mari est parti tenter sa chance
au Nord. Avant, ils dansaient le samedi soir dans un
des *juke joints* de la plantation. "La baraque était là,
juste de l'autre côté de la route et servait d'épicerie
pendant la semaine. Le samedi, c'était bourré à craquer
et tout le monde se retrouvait là pour danser et s'amuser.
Bien sûr, il y avait parfois des bagarres, mais rien
de grave, à peine quelques coups de poings.
Maintenant, dès qu'un gamin s'énerve, il sort un pistolet
et tue son rival. C'est affreux !"
De l'autre côté de la route, en contrebas de cette voie
qui mène aux quartiers généraux du domaine, une énorme
flaque recouvre la moitié d'un petit champ en jachère.
La Eaglesnest Road cède la place à une piste de terre
défoncée, un autre monde de bois épais où la lumière
n'atteint que rarement le sol. McKinley Morganfield
connaissait comme sa poche ces marigots boueux. Il y
prenait des bains qui lui valaient ensuite les sermons
de sa grand-mère et son surnom d'enfant crotté :
"Muddy Waters, Stovall's famous guitar picker," tel qu'il
se présente en août 1941 à Alan Lomax et John Work,
en mission pour la Librairie du Congrès.
Les deux hommes sillonent le Delta à la recherche de

Robert Johnson, mort depuis trois ans exactement. Bredouilles, ils sont dirigés sur le jeune musicien, disciple de Son House et ami de Robert Nighthawk. Émerveillé par la qualité des enregistrements obtenus, Alan Lomax revient à *Stovall* l'année suivante.

Muddy Waters s'interrogea un beau jour de mai 1943 sur l'avenir qui était le sien : la plantation lui refusait une augmentation de quelques *cents* et il se demanda si tous les efforts consentis en valaient la peine. Le long de la route qui le séparait des granges, en s'en retournant chez lui le cœur gros, McKinley Morganfield décida de quitter son Mississippi natal pour conquérir le Nord. Il n'avait rien à perdre et, le soir même dit la légende qu'il forgea lui-même, il était en gare de Clarksdale avec en poche un billet pour la terre promise chantée par Robert Johnson et ses aînés, *Sweet Home Chicago*.

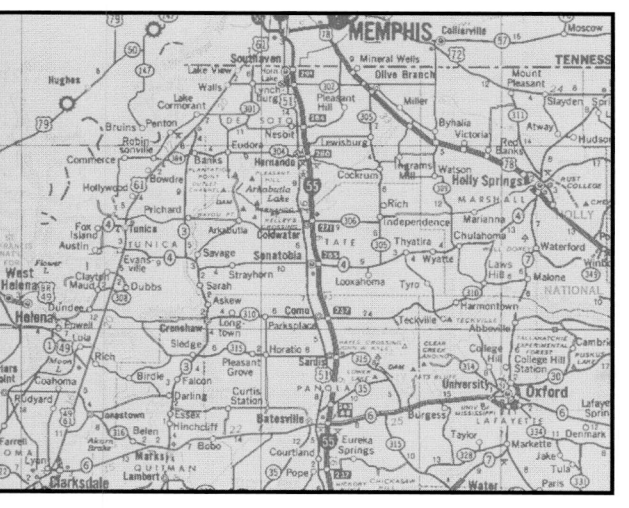

DE L'AUTRE CÔTÉ DU FLEUVE

6

Dans les faubourgs de Clarksdale, Lyon a vu naître Son House, l'un des bluesmen emblématiques du Delta. Avec son disciple Muddy Waters, il a emprunté cette route qui file vers le Mississippi, dont les lacets dessinent d'amples virages. Un itinéraire familier, plat et brûlant qui relie Clarksdale à Helena, de l'autre côté du fleuve.

La surprenante US 1 pénètre dans un bourg parfaitement immobile qui fut le siège du comté de Cohaoma entre 1850 et 1930. Elle atteint Friars Point, inanimé sous la canicule d'un samedi après-midi. Une poste sommeille contre le bureau du shérif, toutes portes closes et sans âme qui vive. Quelques pas plus loin, une parodie de musée et deux magasins d'antiquités fantomatiques complètent le décor. Seul un murmure vient troubler le silence épais de Friars Point. Il émane de la principale attraction de l'endroit, une boutique à la devanture simple mais d'un autre temps, le *Hirsberg's Bazar* : une montagne de marchandises savamment

ordonnée, où se côtoient des chapeaux de paille et de la vaseline, des parfums français et de la quincaillerie, des boissons fraîches et des chemises désuètes. Un vendeur s'affaire et discute avec le patron.

Derrière la caisse, Robert Hirsberg tient la barre de l'entreprise comme son père et son grand-père avant lui. De sa famille, il a repris le flambeau et un sourire malicieux de Raminagrobis qui trahit une jovialité irrésistible. En deux générations, les Hirsberg ont fait le grand saut : peu enclin à se battre contre les Japonais, le grand-père de Robert a quitté la vieille Russie pour émigrer aux États-Unis. Au début des années trente, son fils achète le fonds de commerce d'un magasin perdu aux confins du Mississippi, un *general store* de Friars Point. Le *Hirsberg's Bazar* devient rapidement le moteur du commerce local.

Rompus aux navettes entre Helena et Clarksdale, les musiciens ne négligeaient pas une halte devant l'épicerie, le temps d'un numéro improvisé devant plusieurs dizaines de personnes entassées sur le trottoir ou au milieu de la chaussée. Robert Johnson, prédateur

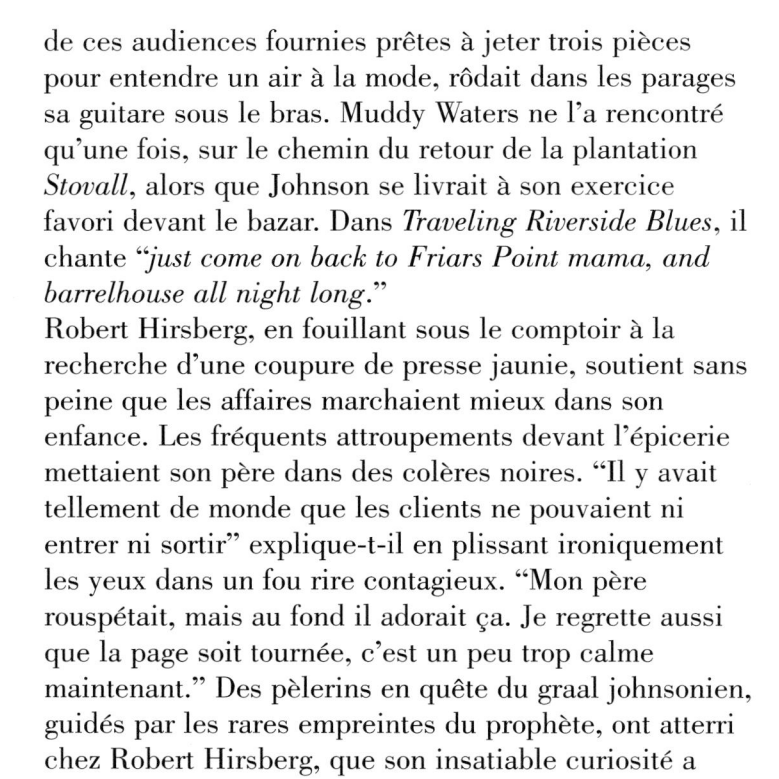

de ces audiences fournies prêtes à jeter trois pièces pour entendre un air à la mode, rôdait dans les parages sa guitare sous le bras. Muddy Waters ne l'a rencontré qu'une fois, sur le chemin du retour de la plantation *Stovall*, alors que Johnson se livrait à son exercice favori devant le bazar. Dans *Traveling Riverside Blues*, il chante *"just come on back to Friars Point mama, and barrelhouse all night long."*

Robert Hirsberg, en fouillant sous le comptoir à la recherche d'une coupure de presse jaunie, soutient sans peine que les affaires marchaient mieux dans son enfance. Les fréquents attroupements devant l'épicerie mettaient son père dans des colères noires. "Il y avait tellement de monde que les clients ne pouvaient ni entrer ni sortir" explique-t-il en plissant ironiquement les yeux dans un fou rire contagieux. "Mon père rouspétait, mais au fond il adorait ça. Je regrette aussi que la page soit tournée, c'est un peu trop calme maintenant." Des pèlerins en quête du graal johnsonien, guidés par les rares empreintes du prophète, ont atterri chez Robert Hirsberg, que son insatiable curiosité a

poussé à se renseigner. Il affirme désormais avec aplomb que "c'est même à un carrefour désert de Friars Point que Robert Johnson aurait passé son pacte avec le Diable." Hirsberg ne tremble pas devant ces vieilles histoires et enchaîne plutôt sur un souvenir de beuverie avec deux prêtres irlandais croisés sur le pas de sa porte : "Vous imaginez le tableau !"La seule ombre concerne sa retraite. Robert Hirsberg sera sans doute le dernier du nom à tenir le haut du pavé de Friars Point. L'enseigne de la grand-rue s'éteindra à l'heure de son départ. Ses trois enfants, éparpillés à Memphis, Atlanta et dans l'Alabama, n'entendent pas reprendre l'affaire. "S'ils me disent que vivre à Friars Point c'est s'enterrer, je vais pas leur dire le contraire. Quand ils viennent me

voir, je les emmène faire un tour au casino ; c'est distrayant, à condition de ne pas en abuser. Pendant la grande crise, il n'y avait que l'agriculture comme source de revenu. Aujourd'hui, c'est le casino qui donne du travail."

Passé Friars Point, la route longe le Mississippi en allant vers l'est. La US 1 court à l'ombre d'un rideau de cyprès et laisse sur sa droite le hameau où la voiture de Bessie Smith entra en collision avec un camion. Le village porte le nom que les Indiens ont donné à cette mince langue de terre plaquée contre le fleuve, comme une larme qui tombe de Memphis : ils ont appelé la pointe du Delta 'Coahoma', littéralement "Panthère Rouge."

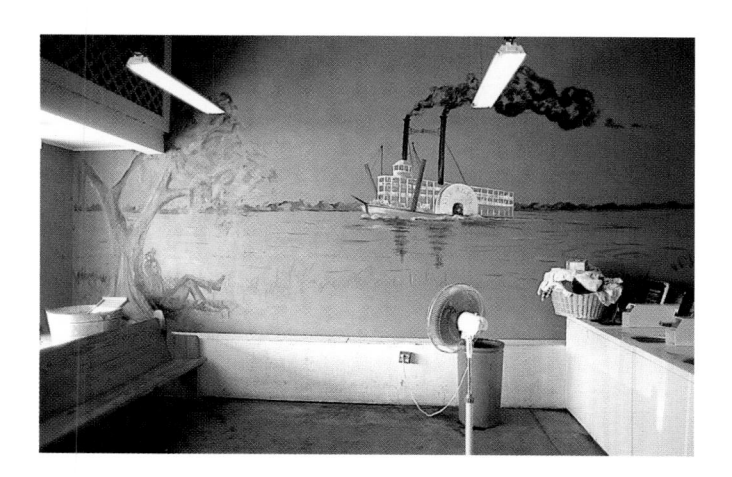

Non loin, à l'écart des artères qui remontent vers le Tennessee, le village de Lula appartient au même théâtre d'ombres que Friars Point. Dans cet univers implacable et silencieux sorti d'une nouvelle de Carson McCullers, une laverie automatique tient lieu de *Sad Café*. Lieu de convivialité et d'animation, elle abrite en ses murs une fresque naïve qui symbolise le Sud. L'œuvre n'aspire pas à l'immortalité et les machines à laver qu'elle surplombe non plus. Leur ronronnement fastidieux berce le ballet des barils de lessive et des bassines ruisselantes de linge. Dehors, un petit groupe s'est réfugié sous l'auvent pour tuer le temps en bavardant. Deux femmes dont l'embonpoint n'étouffe pas la bonne humeur gloussent comme des jouvencelles à des plaisanteries salaces. Une autre, sourde et muette, se tient debout, ses cannes à pêche en roseau coincées sous le bras, et explique à renfort de gestes son exceptionnelle prise du matin. L'un des hommes ricane, la bouche ouverte et le regard perdu dans la pantomime, les yeux voilés par une rougeur maladive.

Une immensité de coton encercle Lula et l'ombre des nuages glisse lentement au-dessus des rangées impeccablement alignées. A la verticale, un bimoteur jaune dessine des arabesques et descend en piqué pour lâcher ses pesticides. Les allées et venues en balançoire de ces taches jaunes sont monnaie courante depuis l'avant-guerre, quand l'apparition des zincs a éliminé l'ennemi public numéro un : le *boll weevil*. Une petite compagnie d'aviation de Monroe, Louisiane, en a profité pour s'agrandir. Delta Airlines est devenu un empire qui a attendu les années soixante pour abandonner ses activités agricoles.

Passé Lula, le pont enjambe le fleuve comme un gigantesque squelette de dinosaure en fer-blanc. Le Helena Bridge a remplacé le bac qui assurait autrefois la navette avec l'Arkansas, un État où les tensions raciales ont souvent été à vif. Lors de la grande crue de 1927, des camps de réfugiés avaient été élevés en toute urgence pour héberger des familles entières accourues dans une atmosphère surchauffée. Des émeutes ont alors éclaté à Little Rock, où la foule a pendu et brûlé un garçon. La ville fut aussi en proie à des violences raciales en septembre 1957, quand Orval Faubus, gouverneur de l'Arkansas, soutenu par la grande majorité de ses électeurs, refusa l'admission d'élèves noirs au lycée. Pour commencer à appliquer le principe de déségrégation scolaire et rétablir l'ordre à Little Rock, le président Eisenhower fut contraint d'envoyer l'armée.

Helena n'a pas ce parfum. La fraîcheur du Mississippi apaise les esprits, moins fermés que ceux de la campagne profonde. Distante de quelques miles de Clarksdale, Helena n'entretient qu'une ressemblance lointaine avec sa pauvre cousine du Mississippi. Il règne une douceur de vivre qui tranche avec le climat parfois délétère de la capitale du Delta. Helena, seul port d'importance entre Vicksburg et Memphis, a longtemps constitué une étape naturelle pour les musiciens, venus parfaire leur style avant de se lancer dans le grand bain à Saint Louis ou à Chicago. Dès les années trente, portée par une économie florissante, elle se mue en vivier prolifique. Le *Plaza Theater* - un music-hall *for coloured only* - accueille une variété infinie de spectacles, tandis que le *Doodlebug* dépose à la gare la crème des bluesmen de Memphis. "Nous avions la meilleure musique du monde sous nos yeux ici, à Helena" raconte l'animateur radio Sonny Payne.

Sonny Boy Williamson

Les vibrations jubilatoires de son harmonica l'ont porté au pinacle. Comme Muddy Waters, John Lee Hooker et B.B. King, les derniers monstres sacrés, son règne s'est imposé dans la durée. Aleck 'Rice' Miller, né dans une famille de *sharecroppers* du Delta à la fin du siècle dernier, incarne soixante-dix ans de légendes. Les rares témoins de cette jeunesse lointaine passée à Glendora, à mi-chemin de Tutwiler et de Greenwood, se souviennent d'un garçon passionné par la batterie et l'harmonica qu'on appelait 'Little Boy Blue'. De *juke joints* en pique-niques, parfois avec Robert Johnson, Robert Jr Lockwood ou Elmore James, il compose son personnage : drapé dans des costumes sur mesure, ce dandy parle comme un charretier et ment à tour de bras. C'est un esprit indépendant et sarcastique, convaincu de son génie.

A la veille de la guerre, Rice Miller change de pseudonyme. Il ravit celui d'un harmoniciste très en vogue de Chicago, John Lee 'Sonny Boy' Williamson. L'artiste de Bluebird, lorsqu'il l'apprend, en conçoit assez d'amertume pour menacer de descendre dans le Mississippi en découdre avec l'usurpateur. Ce qui n'empêche pas Sonny Boy de dormir, ni de forcer en 1941 la porte de KFFA où il se hisse au firmament des ondes grâce au *King Biscuit Time*. Dans la force de l'âge, il livre à des milliers d'auditeurs *West Memphis Blues* ou *Mr Downchild*, des morceaux parfaitement rôdés. Son style tout en puissance contenue exploite au mieux les ressources de l'amplification et génère un rythme inaltérable sous le poids de ses phrasés lancinants ; un son nouveau, dense et distordu. Pour la génération des Junior Wells, Walter Horton, Snooky

Pryor ou James Cotton, l'harmonica se résume à un seul nom, le sien. En 1944, un gamin de quatorze ans venu de Louisiane, Marion Walter Jacobs, débarque à Helena pour rencontrer son idole. Il réussit à attirer l'attention de Sonny Boy Williamson et soutire amicalement ses secrets au maître. Fort de cet apprentissage rapide et fructueux, le jeune Little Walter part fringant pour Chicago où il connaîtra la gloire.

Malgré une notoriété à son apogée dès le début des années quarante, Sonny Boy Williamson attend 1951 pour enregistrer sur Trumpet, le label de Jackson. Épaulé par la guitare d'Elmore James, il grave les bases de son répertoire sous la houlette de la productrice Lillian McMurry. Les ventes de disques décollent. Un rien cabot, Sonny Boy interprète sans relâche son rôle de solitaire ombrageux qui boit sec et frappe le premier. Sur scène, il aime voler la vedette aux autres musiciens : Sunnyland Slim, Big Boy Crudup, Howlin' Wolf, Muddy Waters, Willie Dixon, Jimmy Rogers et Buddy Guy figurent parmi ses victimes. La faillite de Trumpet le mène à Chicago où il gagne les studios Chess coiffé de son éternel melon et flanqué de sa petite valise en cuir noir. Contrairement à d'autres bluesmen plus dociles, la star bouscule les habitudes paternalistes de la maison. A l'exception de deux perles, *Bring it On Home* et *Help Me*, Sonny Boy néglige les services de Willie Dixon et ne s'adresse qu'à Leonard Chess, pour l'injurier copieusement à la première occasion. Entouré des meilleurs musiciens de la ville, il poursuit son œuvre discographique en enchaînant les succès. Les sessions se suivent, épiques. L'escogriffe arrive éméché, la tête encombrée d'ébauches de titres qu'il transforme

BLUES ARCHIVES, UNIVERSITY OF MISSISSIPPI

en bijoux dès que les bandes se mettent à tourner. Parfois ironique, comme dans l'autobiographique *The Goat*, souvent amer - *Nine Below Zero* -, il cisèle des fables dont l'intensité n'a rien à envier aux tirades de Lightnin' Hopkins ou de Furry Lewis. Le faible écho de ses regrets perce sous une carapace cynique : *In My Younger Days* brosse le portait sans concession du mauvais enfant.

L'aura du personnage suscite la curiosité de la jeune génération de rockers britanniques au début des années soixante. Sonny Boy Williamson débarque en Europe porté par le *Blues Revival*, visite la Pologne, la France, la R.F.A. et l'Italie. Dans un club huppé de Milan, son chemin croise celui du jazzman Dexter Gordon. Comme à son habitude, Sonny Boy veut monter sur scène mais ses amis, redoutant l'esclandre, dissimulent la valise où il entasse sa panoplie d'harmonicas et son inséparable bouteille de Johnny Walker. Le cabochard ne renonce pas, fouille dans ses poches et retrouve un *Marine Band* pourtant accordé deux tons en dessous du saxophone. Il grimpe sur les planches et lance une demi-heure d'improvisation lumineuse sur un thème de jazz. L'auditoire n'y voit que du feu.

Le tout-Londres accourt au *Marquee* et au *Crawdaddy* pour l'entendre. De Keith Richards à Eric Clapton ou Jimmy Page, la crème de l'école britannique se bouscule pour l'accompagner. Sonny Boy Williamson se pose quelques mois sur les bords de la Tamise à l'invitation du producteur des Yarbirds, Giorgio Gomelsky. "C'était le 24 décembre 1964, raconte Gomelsky, hilare. Sonny Boy s'était mis en tête de préparer une dinde à la mode du Mississippi pour le repas de Noël. Quand j'ai ouvert l'œil ce matin-là, j'ai d'abord cru à un incendie. Il y avait de la fumée dans tout l'appartement. Je me suis précipité dans la salle de bains où Sonny Boy gesticulait frénétiquement, entouré par des sous-vêtements en flammes. Pour plumer sa dinde, il l'avait aspergée d'essence dans la baignoire et les affaires de ma petite amie qui séchaient au-dessus avaient pris feu."

La santé défaillante, Sonny Boy Williamson plie bagages au début de 1965. Le matin de son départ de Londres, il enregistre une ultime chanson. L'orgue Hammond de Brian Auger s'envole tandis que Sonny Boy, encore imbibé des libations de la veille, barrit sa propre marche funèbre : *It's a Bloody Life* sonne comme la plus juste des épitaphes.

KFFA l'apprend au Delta en 1941, à la création du *King Biscuit Time*, une émission diffusée en direct d'Helena. Dans le Mississippi, l'Arkansas et la frange méridionale du Tennessee, le premier show quotidien de blues captive des milliers d'auditeurs et propulse Helena sur le devant de la scène. Entre deux annonces à la gloire de la farine King Biscuit, le sponsor du programme, des milliers d'enfants s'identifient aux musiciens, l'harmoniciste Sonny Boy Williamson et le guitariste Robert Jr Lockwood, premières stars médiatiques. L'association des deux virtuoses atteint des sommets : le premier s'est imposé comme le plus grand joueur d'harmonica vivant et le second, de vingt ans son cadet, revient de Chicago en 1941 avec une des premières guitares électriques et une chanson imbattable que le label Bluebird place en tête de ses ventes, *Take a Little Walk With Me*. Le tandem explore des horizons stupéfiants, soutenu par ses amplis et une section rythmique idoine qui inclut la batterie de James 'Peck' Curtis et le piano de Joe Willie 'Pinetop' Perkins. Le *King Biscuit Time* modèle un son nouveau.

*Avant de rejoindre Sonny Boy Williamson sur le King Biscuit Time,
Pinetop Perkins faisait équipe avec Robert Nighthawk pour la farine
concurrente Bright Star. Les deux émissions étaient diffusées par KFFA.*

Dans le remarquable *Deep Blues*, le critique Robert Palmer avance que "dans une large mesure, le style en vogue à Helena et la musique aujourd'hui communément désignée comme le Chicago blues ne font qu'un." Bordées d'arbres et de petits buildings, les rues du centre ville respirent la même tranquillité que naguère. Au 302 Cherry Street, les vieux studios où traînaient Sonny Boy et Robert Jr ont fait place aux bureaux de la Helena National Bank. KFFA s'est installée un peu plus loin, dans les locaux de l'ancien dépôt de trains, le long de la digue. Dans le cadre rutilant du *Delta Cultural Center*, le studio de Sonny Payne se résume désormais à un comptoir de bois verni coincé au fond d'un hall dallé de marbre sombre. Le décor a changé mais le *King Biscuit Time* commence invariablement à midi et quart avec le même animateur depuis un demi-siècle : 'Sunshine' Sonny Payne. De petite taille, carré, Sonny règne en maître sur une console minimaliste. L'ancien grouillot de KFFA est devenu la voix la plus célèbre de la région, celle qui annonce l'approche du déjeuner et propose trente minutes de blues grand cru.

A l'âge où d'autres profitent de leur retraite, l'aimable grand-père n'entend pas raccrocher ses écouteurs. Vêtu d'une chemisette bleue brodée à son nom, Sonny répète inlassablement le *jingle* de la réclame entre deux morceaux : "Elle est légère comme une plume et blanche comme neige. Je parle bien sûr de la farine King Biscuit, célèbre dans le monde entier !" Le message n'a pas changé depuis 1941, quand l'Interstate Grocery, une firme locale, décida de promouvoir sa farine sur les ondes de la station. Lancé dix ans auparavant, le produit ne parvenait à se démarquer de la concurrence, mais le portrait de Sonny Boy Williamson imprimé sur le paquet fit exploser les ventes. Sonny Payne nourrit une vraie passion pour l'harmoniciste. Il attaque systématiquement l'émission avec un air du maître. *Good Evening Everybody*, *Your Funeral and My Trial*, *99* et *Bye Bye Bird* comptent parmi ses favoris. D'une gentillesse infinie, l'animateur ne s'épargne aucun effort pour mettre à l'aise les invités du *King Biscuit Time*. Hors antenne, Sonny s'étend sur le sujet : "Le

blues est né dans le Delta, il est l'héritage des Afro-Américains. C'est culturel. Quand les esclaves travaillaient sur les plantations, ils chantaient toute la journée. Pour oublier leurs peines et la vie de chien qui était la leur. Ils ne pouvaient s'adresser ni au grand patron, ni aux autres, qui se foutaient pas mal de leurs problèmes. Alors plutôt que de les dire, ils les ont chantés." Lightnin' Hopkins a traduit cette douleur en un bégaiement d'enfant dans *Mr Charlie* : *"Boy, you trying to tell me something, now if you can't talk it, sing it."*

Sonny Payne a bien connu Robert Nighthawk et Robert Jr Lockwood, deux guitaristes aux trajectoires presque identiques. Au croisement des grandes dynasties, les proches de ces deux enfants du pays suffiraient à remplir un bottin mondain du blues. Le premier naît en 1909 dans un des petits immeubles de deux étages qui bordent Cherry Street. Ses cousins ont pour nom Houston Stackhouse, Charlie McCoy et Kansas Joe, sa sœur épouse Joe Willie Wilkins.

Robert Lee McCoy, alias Robert Nighthawk

BLUES ARCHIVES, UNIVERSITY OF MISSISSIPPI

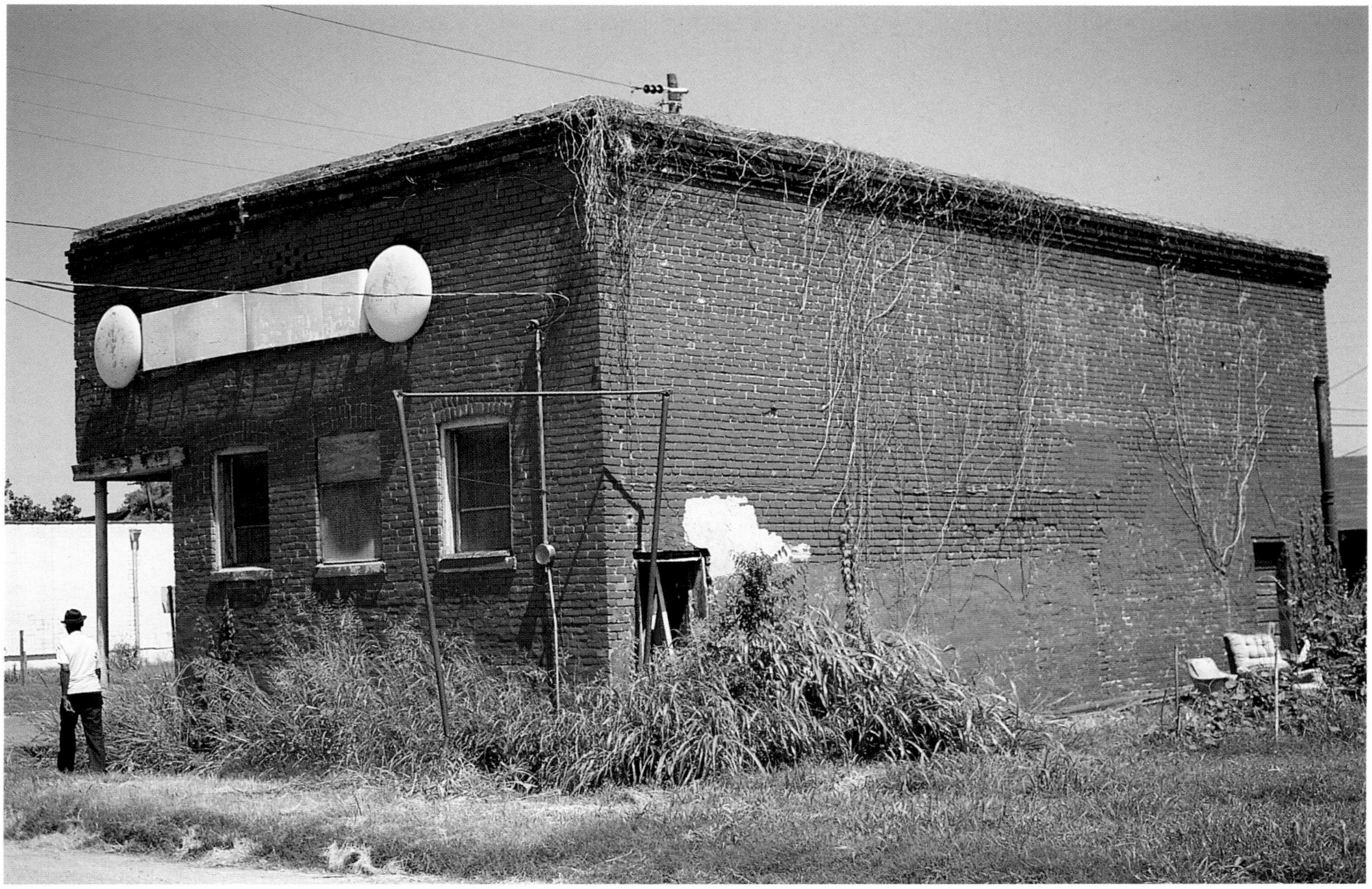

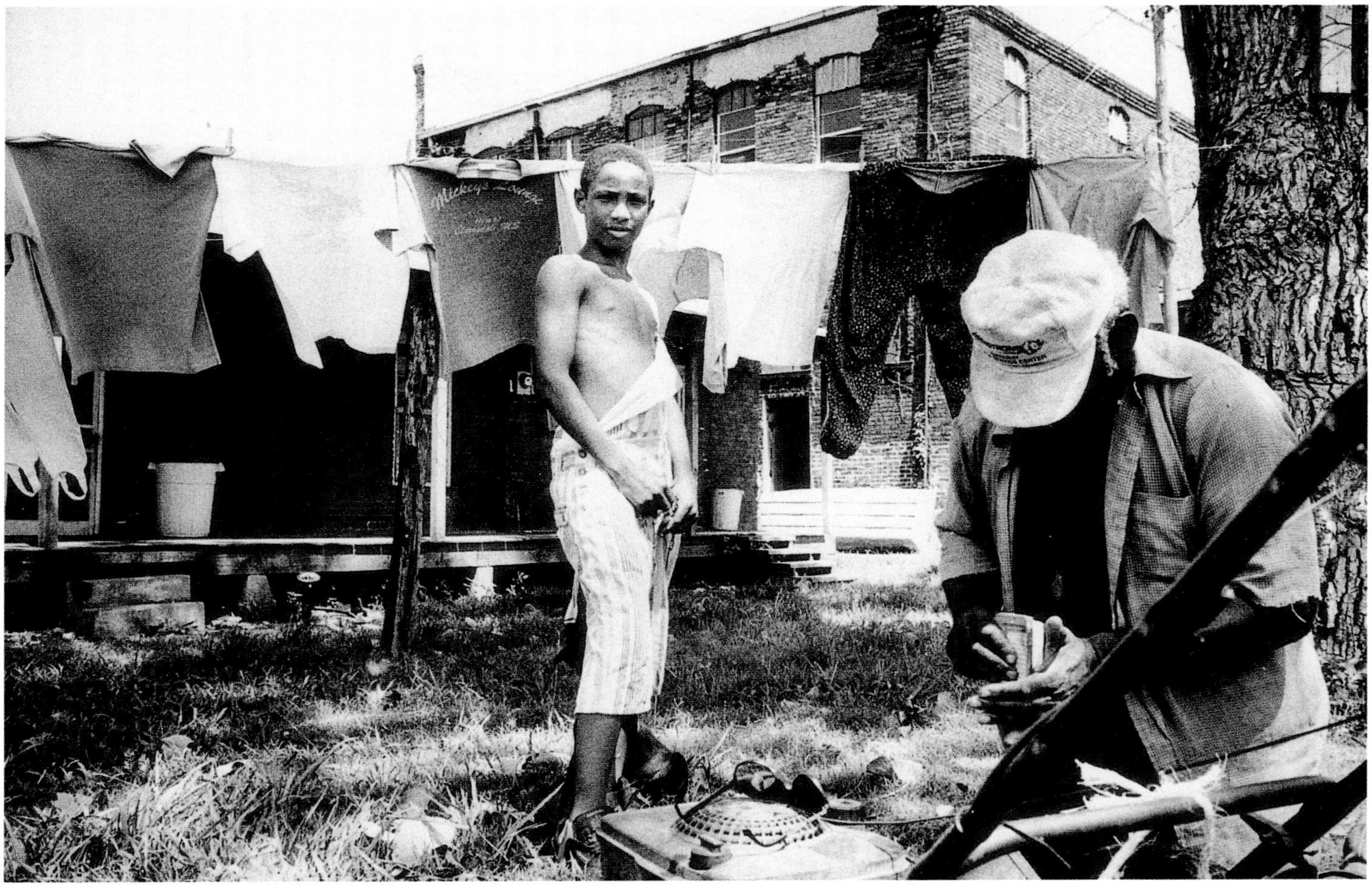

Le second voit le jour en 1915 à Marvell, un gros bourg situé vingt miles à l'ouest d'Helena, grandit dans les *juke joints* du Delta avec Sonny Boy Williamson et bénéficie des conseils de son illustrissime beau-père, Robert Johnson. Robert Nighthawk gagne Saint Louis et Chicago en 1935 à la faveur d'enregistrements pour Bluebird. Robert Lockwood l'y rejoint en 1939 pour un an mais redescend à Helena pour démarrer le *King Biscuit Time* avec Sonny Boy. Nighthawk emprunte le même chemin deux ans plus tard et retrouve son cadet sur l'antenne de KFFA au profit d'une farine concurrente, la Bright Star Flour. Les deux hommes restent dans les parages jusqu'à la fin des années quarante, quand ils signent simultanément chez les frères Chess. Leurs chemins se séparent enfin à la sortie du label de Chicago ; Nighthawk rentre à Helena où il meurt en 1965. Robert Jr, lui, se fixe à Cleveland, Ohio, où il teinte les mélodies johnsoniennes du jazz de Charlie Christian.

Helena a élevé une race de musiciens d'exception. Assis sur une chaise posée sur le perron de sa maison, Frank Frost fait partie de cette famille. Nonchalant comme à l'accoutumée, il tapote du pied. Les cinquante-huit ans que lui accordent l'état civil ne le protègent pas du soleil. Une casquette mise de guinguois, il entrouvre mesurément les yeux et agite ses battoirs plutôt qu'il ne parle. Sonny Boy Williamson lui a légué sa maîtrise de l'harmonica et son caractère ombrageux. L'enfant de chœur s'est mué en joueur de blues, la paupière méprisante et le verbe rare. Sa carrière a débuté à Saint Louis, où il a

tenu la guitare du groupe de Sam Carr. C'est en jouant derrière Sonny Boy à la fin des années cinquante qu'il s'est mis à l'harmonica. "J'étais bluffé par son style. Il faisait ce qu'il voulait. C'était un type merveilleux, avec ses amis en tout cas... Il m'a transmis ses petits secrets et voilà. Depuis, je me débrouille." Suit l'épisode des Jelly Roll Kings : "Avec Sam Carr et Big Jack Johnson, on forme un sacré trio, les gens nous adorent." Frost reprend la route une fois l'an, direction New York ou Chicago, mais aussi l'Europe. "J'ai été surpris de l'accueil chaleureux qu'on nous a réservé là-bas." La gorge desséchée, il enroule ses mains autour d'une bouteille de bière glacée, rafraîchit ses paumes et porte le goulot à ses lèvres. Frost baisse sa casquette de l'index, la visière pointée sur le *Blues Corner*.
Ce magasin appartient à Bubba Sullivan, fils d'un paysan de Wabash, Arkansas. "Je travaillais avec les ouvriers de la ferme et nous sommes devenus amis. Le soir, j'allais les écouter." Plus tard, Bubba tient la caisse d'une épicerie devant laquelle se produisent Sonny Boy et Robert Jr Lockwood, perchés sur une plate-forme de camion. Il a ouvert le *Blues Corner* à l'aube de ses quarante ans, une véritable caverne d'Ali Baba pour amateurs. Dans un rayon, un autocollant *Caution, explicit lyrics* balafre la pochette d'un disque de Sonny Boy Williamson. Les ligues de morale mènent une guerre féroce aux éditeurs musicaux et mettent en garde les mères de famille contre le caractère lubrique de certains couplets. Ceux de Sonny Boy, hédoniste convaincu et grand jouisseur devant l'Éternel, s'accommodent mal des tartuferies euphémiques de la censure.

INTERVIEW
Sonny Payne

Son nom est indissociable du King Biscuit Time depuis plus de cinquante ans : l'animateur 'Sunshine' Sonny Payne tient l'émission quotidienne de KFFA et vante les mérites de la farine sponsor entre deux airs de blues. Il évoque ses amis Sonny Boy Williamson et Robert Jr Lockwood, les musiciens qui hantaient le studio à la grande époque.

KFFA, c'est toute votre vie ?
Presque. J'y suis entré à l'ouverture de la station, en novembre 1941. Sam Anderson, le grand patron, m'a reçu et m'a demandé si je m'y connaissais. Du haut de mes quinze ans, je rêvais de devenir un grand nom de la radio. Je m'accrochais aussi à ça parce qu'il ne me restait plus rien : mon père était parti de la maison et j'avais perdu ma mère. Il restait bien mes sœurs, mais elles avaient fait leur vie et je voulais pas leur causer de soucis. Bref…

Et vous avez démarré avec le *King Biscuit Time* ?
Je suis arrivé un matin, gonflé à bloc. Je me voyais déjà derrière les manettes. Anderson m'a mis un balai et une serpillière dans les mains : "Au boulot ! " J'ai pris mon mal en patience, sachant que l'ingénieur du son donnait des conseils le soir aux jeunes débutants.

Mais vous avez animé l'émission peu de temps après.
Un beau jour de juillet 1942, mon patron s'est retrouvé bloqué dans le studio sans le script de l'émission. Il l'avait oublié dans la salle de contrôle où je me trouvais. Sonny Boy Williamson et Robert Jr Lockwood étaient en train de finir leur dernière chanson et il fallait conclure par le message publicitaire de King Biscuit. Quand il a vu à travers la vitre que j'avais le texte sous la main, il m'a fait signe de le lire. Le même qu'aujourd'hui, "une farine légère comme l'air et blanche comme neige," un couplet éternel. Mon cœur

s'est emballé, j'ai bafouillé les mots en vrac. Je crois que c'était très mauvais, mais j'avais gagné sa confiance et une place dans l'émission.

Vous aviez entendu parler de Sonny Boy Williamson et de Robert Jr Lockwood ?
Je les connaissais bien, surtout Sonny Boy : mon père n'avait pas quitté Helena en partant de la maison et travaillait dans une station-service où j'allais le trouver de temps en temps. J'y croisais souvent Sonny Boy et Robert Jr venus faire le plein avant d'aller vadrouiller de l'autre côté du Mississippi, jamais deux fois dans la même voiture d'ailleurs. Ils écumaient ensemble les clubs d'Helena. N'oubliez pas que le blues est ici sur ses terres. Les rues débordaient de musiciens qui arrêtaient le travail dans les champs au tomber du jour pour venir jouer près du fleuve. Le week-end, on les entendait devant l'épicerie, à la gare…

Mais qui a eu l'idée du *King Biscuit Time* ?
Sonny Boy et Robert Jr ont débarqué à KFFA en 1941 ou 1942, je ne sais plus. Je cirais le parquet quand ils se sont pointés. Sonny Boy avait entendu un groupe, les Delta Rythm Boys, qui jouait le dimanche matin pour notre radio. Robert Jr et lui voulaient en faire autant ; je les ai emmenés sur-le-champ dans le bureau du patron. Anderson était sous le charme mais répondit à Sonny Boy qu'il ne pourrait rien pour eux sans sponsor. Sonny Boy et Robert Jr sont allés trouver Max

Moore, dont ils ont obtenu une somme forfaitaire de quinze dollars par semaine pour un quart d'heure quotidien avec la mention de sa marque, la farine King Biscuit. Un camion passait le samedi, parfois avec un piano dessus, et ils se faisaient un petit extra en allant jouer à droite et à gauche dans l'Arkansas, y compris devant les lieux de vente. Sonny Boy et Robert Jr étaient payés pour jouer à l'antenne mais ça ne les empêchait pas d'annoncer l'endroit où ils se produiraient le soir même : c'est d'abord comme ça qu'ils gagnaient leur vie. Disons que KFFA en a fait des stars.

Leur succès était-il prévisible ?
Personne ne leur donnait plus de quinze jours. Et ils ont fait un carton ! C'est parti comme l'éclair. Quand nos auditeurs nous écoutaient, à l'heure du déjeuner, ils étaient subjugués par le blues du *King Biscuit Time*. Il était d'excellente qualité, voilà tout. Indémodable. Avant Sonny Boy et Robert Jr, les gens avaient entendu du blues mais l'ignoraient superbement. Ils s'en foutaient pas mal, même. Il n'y en avait que pour Cab Calloway et Count Basie.

Travailler avec Sonny Boy et Robert Jr, vous n'étiez pas à plaindre…
Vous croyez ça ? En fait, je crevais pratiquement de faim. Je ne gagnais rien, il fallait payer les livres d'école et j'en avais marre de vivre dans une remise, d'avoir à peine deux tenues différentes. Je travaillais sept jours sur sept, sans m'en sortir ! J'ai donc quitté KFFA en décembre 1942 pour m'engager dans l'armée.

Combien de temps avez-vous passé sous les drapeaux ?
Six ans. A la fin de 1948, je suis rentré à Helena pour un mois. Un groupe de jazz m'a proposé de tenir la basse et de les accompagner en tournée. Je n'étais pas convaincu et je suis revenu en septembre 1949. J'ai rappelé Sam Anderson, qui m'a demandé si je restais à

Helena pour de bon ce coup-ci. Il m'a annoncé dans la foulée que je reprenais le *King Biscuit Time*.

Sonny Boy Williamson traînait-il déjà une sale réputation ?
C'est tellement facile d'enterrer les gens une deuxième fois ! C'était un ami irremplaçable. Quand on lui demandait trois dollars, il les prêtait volontiers. Il avait un cœur gros comme ça. Mais les mauvais payeurs évitaient de croiser son chemin parce que ça finissait assez mal. Mon patron m'a envoyé plus d'un lundi matin le sortir de prison. Comme le juge avait fini par prendre Sonny Boy en affection, il n'en coûtait qu'un dollar et demi de caution.

Sonny Boy a écrit plusieurs chansons désabusées, comme *Fattening Frogs for Snakes*. Pourquoi ?
Il s'était trop fait rouler dans sa vie. Lors de sa première tournée en Europe, dans les années cinquante, son manager lui avait versé cinq mille dollars au lieu des quinze mille promis, prétextant des dépenses inconsidérées en filles et en alcool. Comme les frais d'hôtel et de transport étaient à la charge du manager, Sonny Boy en avait conclu qu'il avait dépensé dix mille dollars de repas… Et puis vous pouviez vous accrocher pour trouver un avocat capable de gagner le procès !

Quel souvenir gardez-vous de lui ?
Celui de ses derniers jours, quand il est revenu à Helena. Il m'a dit qu'il était fatigué, malade et sans le sou, qu'il était revenu mourir chez lui dans le Sud. Je lui ai demandé comment il pouvait penser une chose pareille. "Nous sommes comme les éléphants, m'a-t-il répondu, nous savons." Ça ne l'a pas empêché de continuer à fréquenter les bars et il avait parfois du mal à se réveiller. Un matin de mai 1965, ne le voyant pas arriver, on a envoyé un garçon le chercher. Il est revenu des larmes plein les yeux.

En retrait de la place centrale, un bar d'Elm Street sert de préférence les clients du coin de la rue. Une armoire à glace se déplace autour du billard en sifflotant entre les coups, les bras gros comme des cuisses. Il sirote discrètement du Jim Beam et glisse à son voisin la bouteille habillée de papier kraft. Karl est bûcheron. Il travaille dans une scierie de l'Arkansas. Depuis que sa femme l'a quitté, ce géant de quarante-deux ans à la barbe fournie est retourné vivre près de sa mère. D'une voix douce, il se défend d'avoir été mêlé à quoi que ce soit de louche et n'a fait aucun séjour en prison. Des cicatrices coulent de ses avant-bras massifs jusqu'aux mains comme des fleuves sombres. "J'avais fait entrer mon frère à l'usine où je travaillais et on avait une manipulation difficile à faire. Tout à coup, j'ai senti qu'un chaudron allait lâcher. Avec du goudron liquide à l'intérieur. Comme mon frère travaillait dessous, j'ai dû maintenir le chaudron avec les mains le temps qu'il se retire. Malgré les gants, la chaleur a tout traversé." Karl s'est tourné vers un métier à peine plus paisible. Il abat des arbres à trente kilomètres d'Helena mais n'a jamais quitté l'Arkansas et ne veut pas entendre parler de Chicago : "Deux de mes amis sont partis là-bas et ils ne sont jamais revenus. Ils sont morts aujourd'hui." Le Sud bouge et Karl croit aux vertus du changement. Il compte des sympathies dans la blanche Helena. "Je bois à mes amis les *hillbillies*" dit-il un verre à la main, à l'ombre du bar.

Karl jette un œil soupçonneux au Mississippi. "On croit qu'il dort, mais il faut s'en méfier. Des baigneurs imprudents disparaissent chaque année dans des trous d'eau. Ça ne risque pas de m'arriver, je ne sais pas nager." Il se souvient du ferry qui assurait la navette avant la construction du pont. "J'étais petit. Un câble le soutenait contre la force du courant et le dernier ferry partait vers minuit. Il fallait attendre jusqu'à 6 h 30 le lendemain." Le patron de la ligne n'était autre que le père de Harold Jenkins, plus connu sous son pseudonyme de chanteur country, Conway Twitty. Sur le Helena Bridge, de rares voitures se dirigent vers le Mississippi où elles rejoignent le boulevard du Delta.

La Highway 61 poursuit sa remontée vers le nord et coupe Tunica, "trop gros pour être un village mais trop petit pour être une ville" comme le chante Sonny Boy Williamson. La municipalité compte un enfant célèbre, James Cotton, né en 1935 et élevé au *King Biscuit Time* : fasciné par l'harmonica de Sonny Boy, le petit James brave l'autorité parentale et gagne Helena, où le professeur le prend sous son aile. Après quelques leçons, Cotton s'impose à Memphis et entame une collaboration de plusieurs années avec Howlin' Wolf. A vingt ans, il a accumulé une expérience énorme et rejoint Muddy Waters sur scène au pied levé après un faux bond de Little Walter. Les deux hommes ne se quittent plus jusqu'à la fin des années soixante, quand Cotton forme son propre groupe. Il a poursuivi depuis une carrière honnête relancée par sa signature chez Alligator en 1984.

Tunica se moque pas mal de James Cotton et du reste. La folie du jeu et l'appât du gain ont emporté son esprit. Entre le fleuve et l'autoroute, le comté couve un paradis pour *gamblers*. Un programme d'investissements

pharaonique a été lancé autour des casinos. Le royaume
du jeu n'en finit pas de remonter le cours du Mississippi.
Entre le *Harrah's*, le *Southern Belle*, le *Fitzgerald's* où le
Treasure Bay, il sort de terre des hôtels, des golfs et les
inévitables *malls* sans lesquels ne peut survivre le
consommateur qui sommeille en chaque Américain. Les
promoteurs du complexe de Tunica voient grand et de
nouvelles routes ont été tracées pour drainer les touristes
vers la terre promise où l'argent coule à flots. Au-dessus
des arbres émergent les silhouettes imposantes des casinos. Les dalles de béton coulées le long de la berge
soutiennent des constructions tarabiscotées : galion
espagnol, château fort, bateau à aube ou saloon de
western, tout est bon pour épater le client. Épaulés par
de grandes banques d'affaires, les investisseurs lancent
des campagnes de publicité du Texas à la Floride et
espèrent bâtir à Tunica un nouveau pôle de loisirs.
L'endroit jouit d'une position stratégique dans la
géopolitique américaine du jeu : à mi-chemin d'Atlantic
City et de Las Vegas, il bénéficie de la proximité de
Memphis, la capitale du *mid South*.

Depuis leur ouverture au printemps 1994, les casinos ne désemplissent pas. Little Milton, enfant du pays qui s'est produit dans les établissements de Tunica, s'étonne de ces changements. "Si on m'avait dit il y a cinq ans qu'une chose pareille se passerait dans le Mississippi, je ne l'aurais pas cru. Le jeu a toujours existé ici mais de façon clandestine, comme des parties de dés dans des *backrooms* glauques. Maintenant c'est légal." Little Milton a réagi promptement en interprètant *Casino Blues*, un gros succès sur les radios noires.

Le râteau des croupiers de Tunica s'allonge jusqu'à Robinsonville, une petite douzaine de maisons de bois blanc rangées à l'orée de l'enfer du jeu. Le long de la route, trois modestes bâtiments dessinent une cour de gravier en fer à cheval et une enseigne effacée signale les vestiges de la plantation *Abbay & Leatherman,* qui a vu défiler Tommy Johnson, Charley Patton, Robert Johnson et Howlin' Wolf. Dans un bref laps de temps, entre 1926 et 1930, ils ont quadrillé Robinsonville. Leur trace s'est effacée sous les couleurs criardes du monstrueux panneau *Hollywood Casino,* posé devant la plantation que le trafic croise en direction de la 61. Le flux se dirige vers le nord. Le nombre de poids lourds, de vieilles caisses d'avant la crise, de pick-up anguleux et branlants augmente imperceptiblement à l'approche de Memphis. Alors qu'elle s'extirpe enfin de la chaleur du Delta, la route pénètre dans les vallonnements boisés du Tennessee. Dans la banlieue de Memphis, une pancarte signale la fin du Mississippi et il se détache soudain à l'horizon une vaste tache grise surmontée d'antennes et d'immeubles dressés comme des boîtes d'allumettes en plâtre : le premier *skyline* depuis La Nouvelle-Orléans.

"Pensez à moi à Memphis, souffle B.B. King. Cette ville se trouve à l'autre bout du Delta. Quand j'y suis allé pour tenter ma chance, un livreur de farine m'a pris en stop. En échange du voyage, je l'ai aidé à charger et décharger ses sacs. Arrivé à Memphis, j'étais rompu ! "

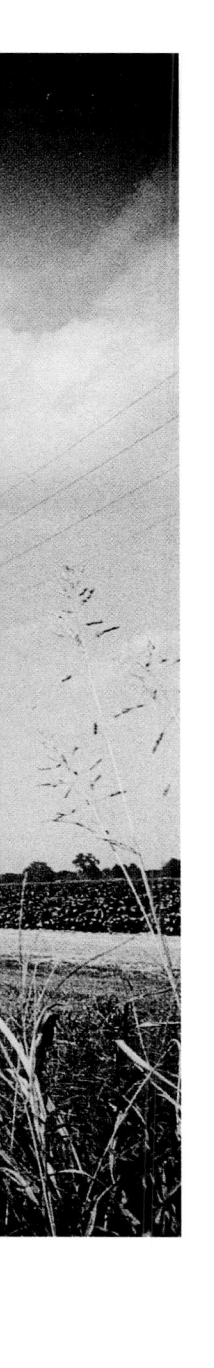

7

MEMPHIS, TENNESSEE

Pour de nombreux paysans de Louisiane, de l'Arkansas ou du Mississippi, Memphis fut longtemps la première étape. Depuis le début du siècle, la ville a vécu au rythme de la musique : jazz, country, ragtime ou boogie-woogie se sont succédé dans les cabarets. Grâce à la proximité du Delta, le blues s'est finalement imposé avec une vitalité et une richesse qui ont assis sa réputation à l'échelle du pays. Elles lui ont permis d'éclater dans plusieurs directions : Memphis a vu naître le rock'n'roll dans les studios de Sun et a abrité l'un des berceaux de la soul, Stax Records. Le carrefour des musiques fut également celui du crime et Sleepy John Estes l'appelait "la ville la plus en pointe du monde pour le sale boulot."

Désignée comme la "capitale du vice" depuis le début du siècle, Memphis a connu une croissance foudroyante en raison de ses atouts géographiques : port fluvial, nœud ferroviaire et routier, la rivale d'Atlanta est devenue le centre du commerce du coton. Sa mauvaise

CENTER FOR SOUTHERN FOLKLORE

Edward H. Crump, le seigneur de Memphis

réputation a emboîté le pas de la prospérité. Fondée en 1819, elle connaît tout au long du XIXe siècle un développement formidable mais chaotique : la fièvre jaune éclate à six reprises. L'épidémie de 1878 emporte cinq mille personnes en quelques jours, précipite la faillite de la ville et freine brutalement son expansion démographique. Il faut attendre 1900, lorsque Memphis absorbe les banlieues qui l'entourent, pour que la population franchisse la barre des cent mille habitants. Pendant la première moitié du siècle, l'histoire de la ville se confond avec celle de son maire, Edward Hull Crump. Né en 1874 à Holly Springs, au cœur du Mississippi, Crump grandit dans un milieu modeste et quitte l'école à quinze ans pour gagner sa vie. Après quelques années de vaches maigres, il tente sa chance à Memphis, fasciné par l'effervescence de la ville cotonnière. Comptable dans une sellerie, le jeune homme s'assied dans le fauteuil du patron quatre ans seulement après son embauche. Mais le *Boss* perce sous Edward Crump qui assouvit sa soif d'ambition en épousant une fille de la bonne société et se lance dans

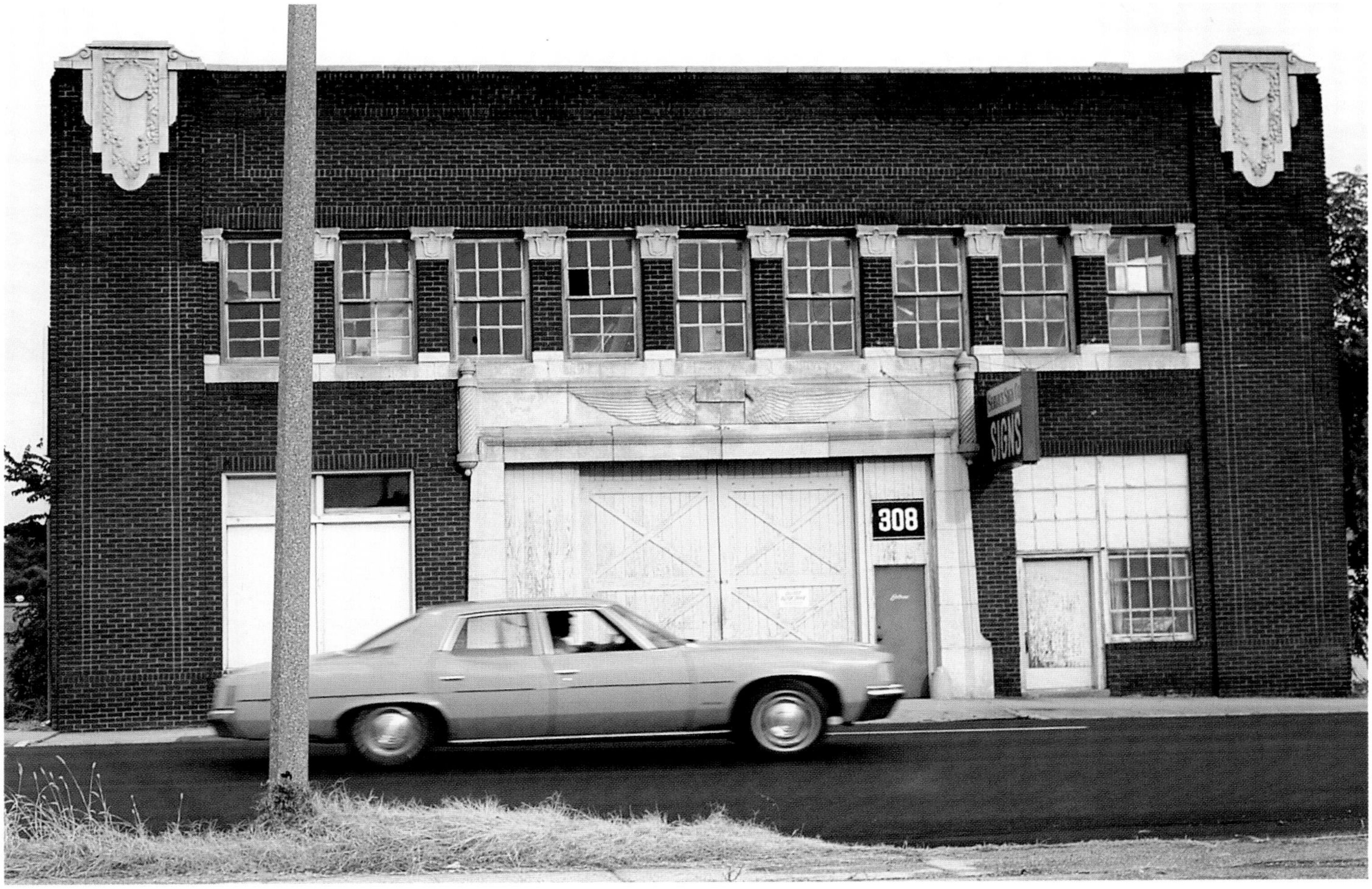
308
SIGNS

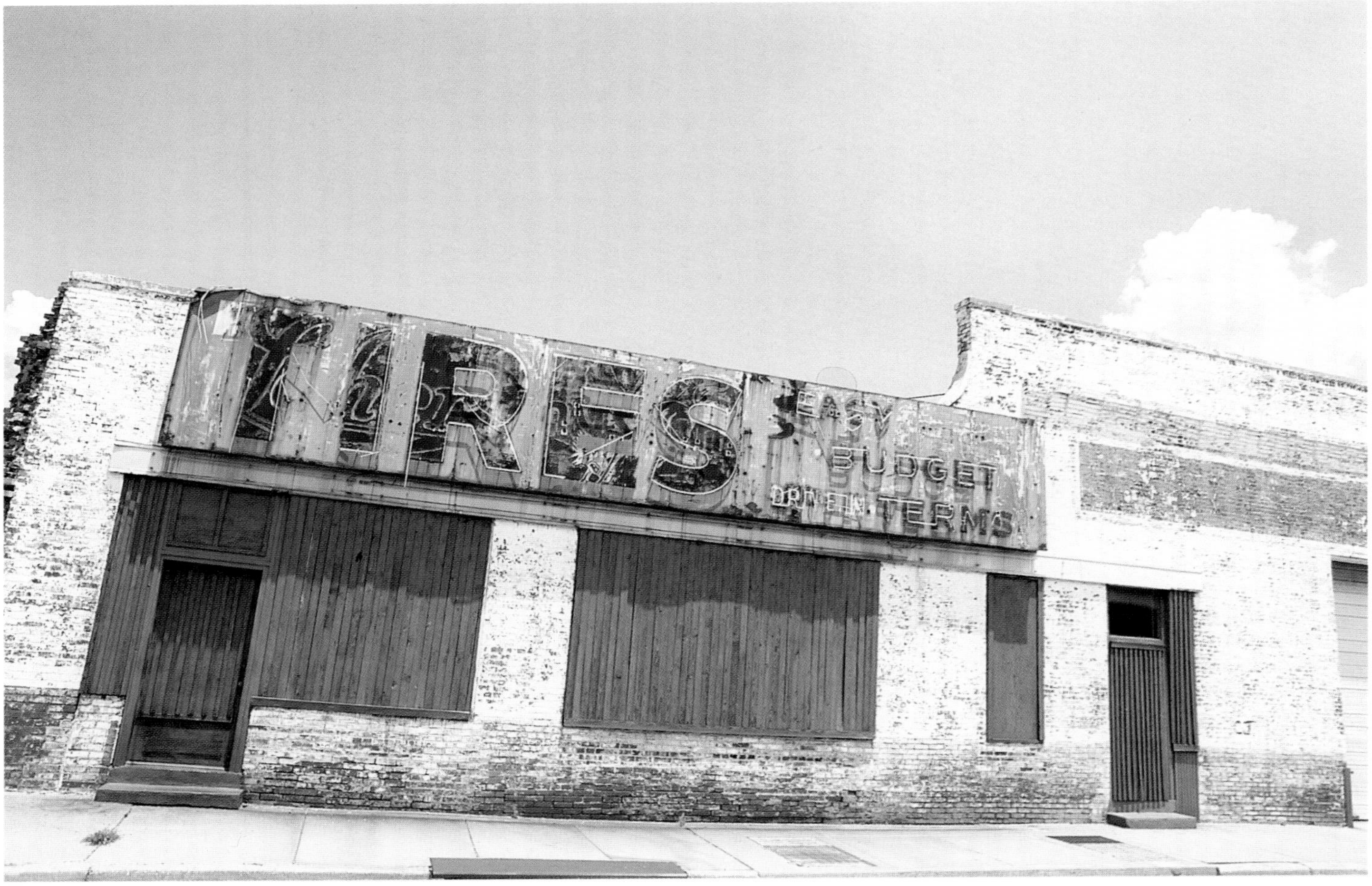
TIRES
BUDGET
TERMS

la vie publique, où son caractère belliqueux et sa tignasse rousse le propulsent en haut de l'affiche. En 1905, son redoutable instinct politique lui permet d'enlever le quatrième secteur de la ville, réputé imprenable, sous la bannière démocrate. Trois ans plus tard, sa campagne "contre le jeu qui gangrène Memphis" lui vaut un siège au parlement du Tennessee.

L'année 1909 marque l'accélération d'une carrière déjà foudroyante. Edward Crump s'arme d'un slogan imparable - "nettoyer Memphis de la racaille" - et remporte les élections municipales avec soixante-dix-neuf voix d'avance sur son rival. Installé aux commandes de la ville et du comté, il tisse sa toile, place ses amis aux postes clés et se constitue l'un des plus solides empires politiques du pays. Grâce à quelques réalisations opportunes, Crump bénéficie du soutien de la communauté noire qui dispose à Memphis des hôpitaux et des écoles que lui refuse le Sud. Le *Boss* ne s'embarrasse guère de la sanction des urnes, qu'il n'hésite pas à bourrer dans la plus grande discrétion s'il faut éviter une déconvenue. Ses adversaires parviennent à l'ébranler en 1916 : Crump tolère la vente d'alcool dans sa ville et doit répondre aux accusations du procureur du Tennessee. Condamné, le maire démissionne. Il place un de ses hommes à la tête de Memphis et sa reconversion dans le privé ne diminue en rien son emprise sur la scène politique : Crump désigne et fait élire ses propres candidats à la mairie. En 1927, alors que la ville accueille des milliers d'hommes et de femmes fuyant la crue qui submerge le Delta, l'homme de l'ombre parvient à faire battre une liste menée par des responsables du Ku Klux Klan. La Dépression l'envoie à Washington, où il siège au Congrès. De la capitale du pays, Crump devine les chances que la récession offre à Memphis.

En 1933, il est l'un des seuls parlementaires du Sud à soutenir le New Deal du président Roosevelt et profite des grands chantiers lancés par le gouvernement pour protéger définitivement la ville des débordements du fleuve. Dans la foulée, il modernise le réseau d'assainissement avant de s'attaquer au quartier d'affaires. Crump espère fixer à Memphis une partie des milliers de migrants qui s'y arrêtent sur le chemin du Nord. Son credo est simple : "Faire de Memphis la meilleure ville du pays pour les Noirs." Ses efforts restent vains et la migration se poursuit vers Saint Louis ou Chicago. Obstiné, il décide alors d'attirer à l'ouest du Tennessee les industries d'armement dont l'activité redémarre à la fin des années trente.

CENTER FOR SOUTHERN FOLKLORE

La réputation sulfureuse de Memphis risquant de contrarier ses desseins, il entreprend de la débarrasser de ses tripots, saloons et autres maisons closes. C'est la fin du règne de Jim Kinnane, *tsar* des bas-fonds et propriétaire de la majorité des établissements de débauche. Privés des plaisirs de la vie et de leur gagne-pain, les bluesmen se réfugient de l'autre côté du Mississippi, à West Memphis, dans l'Arkansas. Edward Crump gagne son pari : l'industrie lourde qui s'établit autour de la ville relance l'activité économique. Fort de ce succès, il met en branle un dernier projet, la construction d'un pont reliant le Tennessee à l'Arkansas. Inauguré en 1945, l'ouvrage renforce la position stratégique de Memphis, carrefour du *mid South*. Edward H. Crump meurt en octobre 1954, laissant derrière lui une trace ambiguë : celle d'un démagogue dont on n'a jamais entendu le moindre discours public, un *white supremacist* qui, par habileté politique et conviction, a tenu compte de certaines aspirations de la communauté noire. Surtout, il hissa Memphis à la hauteur de ses propres ambitions.

La part de Dieu

Mère de tous les rythmes afro-américains, la musique sacrée coule profondément dans le blues, sa branche profane la plus proche. Son répertoire lui a offert une source d'inspiration inépuisable et plusieurs classiques ont rejoint les juke-box, comme le negro-spiritual *This Train*, adapté par Willie Dixon en *My Babe*. A l'époque des *race records*, les labels présentaient déjà quelques artistes "doués pour le blues ainsi que les chants religieux" et les sermons enregistrés jouissaient d'une popularité énorme. B.B. King a fréquemment cité ceux du révérend Gates pour influence majeure. "La seule différence entre le gospel et le blues, résume Bobby Bland, c'est que l'on utilise *lord* dans l'un et *baby* dans l'autre."

Le bluesman et le pasteur livrent une performance similaire, sur un trottoir ou dans une chaire. Ils agissent en porte-parole auréolés d'éléments sacrés : le vaudou et la superstition pour l'un, la Bible pour l'autre. Ces ressemblances puisent dans un apprentissage musical et religieux extrêmement riche qui sensibilise les enfants au chant et développe une pratique familière des instruments. La verve de ces communautés transforme les rites austères du christianisme en un culte jouissif. Une pléthore de grands musiciens est directement issue de l'Église, comme Skip James ou Aretha Franklin, enfants de pasteurs baptistes. Certains ne peuvent se résoudre à rompre leurs attaches. Son House est ordonné à vingt ans dans une minuscule église baptiste de Clarksdale. L'itinéraire de Charley Patton révèle aussi un cas ambigu : au terme de longues hésitations ponctuées par des retours épisodiques vers Dieu et quelques enregistrements de gospels sous un pseudonyme, il rentre définitivement au bercail à la fin de sa vie. La crise mystique qui accompagne le retour de l'enfant prodigue souligne l'étroite imbrication des deux univers.

L'émergence du blues bouscule pourtant les valeurs traditionnelles du Sud : il conteste l'hégémonie spirituelle de l'Église, prêche l'amour physique et les vertus de l'errance. Son chantre devient le "pasteur du Diable" dans l'imaginaire des chapelles et la branche des *sanctified*, les adeptes de la Church of God in Christ, considère aujourd'hui encore les bluesmen avec une hostilité intacte.

Leur musique n'exprime pas un sentiment ouvert de révolte mais sa déposition et le constat froid qui se dégage de son expérience quotidienne sapent la résignation d'une Église qui martèle une confiance aveugle en

Hallelujah I Love Her So : *la soul,*
dont la paternité a souvent été
attribuée à Ray Charles,
est née de la fusion du gospel,
du blues et du rythm'n'blues

ATLANTIC RECORDS

de meilleurs lendemains. Cet hédonisme subversif contient les germes de la contestation : le blues n'est pas le tambour mais le fifre de la lutte pour les droits civiques.

La bonne société s'est alignée sur l'Église et a condamné le bluesman au rôle du réfractaire. Big Bill Broonzy réplique en dénonçant une institution où "les hommes vont cacher leur saleté et les femmes montrer leurs robes." Les chanteurs cultivent la provocation et affichent de prétendues sympathies avec le Diable, comme Peetie Wheatstraw et Robert Johnson. Le bluesman suspecte le pasteur de jalousie à son égard et l'ascendant naturel qu'exercent les deux hommes sur leur auditoire les oppose inévitablement. Le révérend dénonce la vie dissolue du musicien qui lui-même présente son rival comme un escroc en puissance :

"Preacher, preacher, you nice and kind,
I better not catch you at that house of mine"

chante Henry Brown dans Preacher Blues. L'assurance de ce pianiste de Saint Louis n'est pas un sentiment très répandu : l'imprégnation religieuse de générations de musiciens laisse une trace indélébile et tout porte à croire que le choix du blues n'épargne aucun remords. Le guitariste James 'Son' Thomas confiait ainsi à Bill Ferris qu'il s'interdisait de mélanger blues et religion : "J'aurais peur de le faire parce qu'il pourrait m'arriver malheur. Ce serait aller trop loin dans la mauvaise direction. On ne peut pas servir le Seigneur et le Diable en même temps."

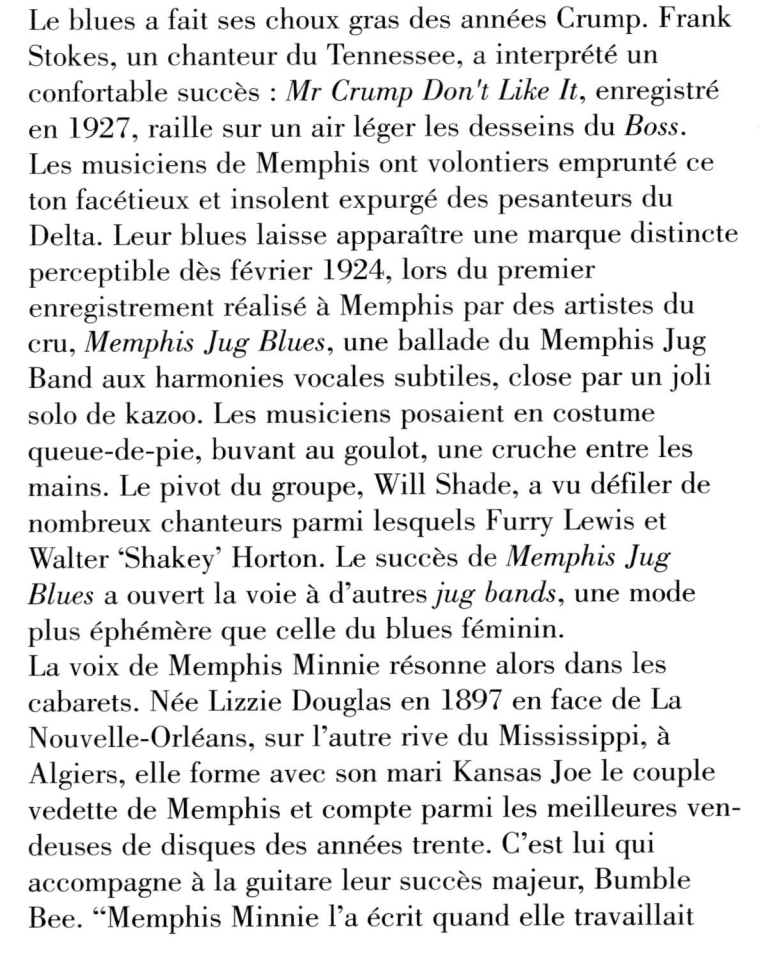

Le blues a fait ses choux gras des années Crump. Frank Stokes, un chanteur du Tennessee, a interprété un confortable succès : *Mr Crump Don't Like It*, enregistré en 1927, raille sur un air léger les desseins du *Boss*. Les musiciens de Memphis ont volontiers emprunté ce ton facétieux et insolent expurgé des pesanteurs du Delta. Leur blues laisse apparaître une marque distincte perceptible dès février 1924, lors du premier enregistrement réalisé à Memphis par des artistes du cru, *Memphis Jug Blues*, une ballade du Memphis Jug Band aux harmonies vocales subtiles, close par un joli solo de kazoo. Les musiciens posaient en costume queue-de-pie, buvant au goulot, une cruche entre les mains. Le pivot du groupe, Will Shade, a vu défiler de nombreux chanteurs parmi lesquels Furry Lewis et Walter 'Shakey' Horton. Le succès de *Memphis Jug Blues* a ouvert la voie à d'autres *jug bands*, une mode plus éphémère que celle du blues féminin.

La voix de Memphis Minnie résonne alors dans les cabarets. Née Lizzie Douglas en 1897 en face de La Nouvelle-Orléans, sur l'autre rive du Mississippi, à Algiers, elle forme avec son mari Kansas Joe le couple vedette de Memphis et compte parmi les meilleures vendeuses de disques des années trente. C'est lui qui accompagne à la guitare leur succès majeur, Bumble Bee. "Memphis Minnie l'a écrit quand elle travaillait

dans les champs de coton de Clarksdale" se souvient le diacre Darling Harrison, qui a habité quelque temps chez sa sœur à Memphis et s'est lié avec le couple avant qu'il ne parte pour Chicago. "Elle ne supportait pas le harcèlement des insectes et les piqûres. Mais les paroles de *Bumble Bee* font plutôt allusion à la conduite des hommes en général." Chicago use la carrière du tandem et Kansas Joe suit son chemin tandis que Memphis Minnie revient dans le Sud. L'harmoniciste Arthur Williams l'a épaulée au milieu des années cinquante. "Son show était bien rôdé mais un peu désuet. Elle jouait sur un piano tellement lourd qu'il fallait six mecs pour le bouger et, à la batterie, la fille n'avait qu'une jambe : Barbara Parker. L'ensemble donnait une drôle d'impression mais fonctionnait bien." Memphis Minnie se retire peu après du circuit et meurt à soixante-seize ans.

Elle aura pesé d'une influence considérable sur Muddy Waters ou Bessie Smith, dont la carrière a culminé avec *Saint Louis Blues*, sous les notes enchanteresses de Louis Armstrong. L'auteur de la chanson, W.C. Handy,

est né dans l'Alabama en 1873 avant de s'autoproclamer 'père du blues', un titre gagné en publiant quelques classiques et une autobiographie remarquée. Il appartient surtout au cercle restreint des premiers auteurs à avoir couché leur musique sur papier. Protégées juridiquement, ses œuvres ont connu meilleure fortune que d'autres et portent encore son sceau. Personnage raffiné et musicien lettré, Handy n'a pas laissé la trace d'un joueur de blues mais davantage celle d'un chef d'orchestre avide de reconnaissance. Il cède en 1909 aux offres de Crump et assure avec son orchestre la publicité du candidat à la mairie : *Mr Crump*, la chanson phare de la campagne, deviendra trois ans plus tard *Memphis Blues*. Son déménagement à New York étend sa notoriété et le conformisme de sa lecture aseptisée du blues déteint sur de nombreux compositeurs. Après une carrière en pente douce, W.C. Handy meurt en 1958. Sa mémoire est aujourd'hui entretenue par Memphis qui a baptisé de son nom la cérémonie annuelle des *Handy's Blues Awards*, les oscars spécialisés, et lui a érigé une statue dans le parc qui porte aussi son nom.

CENTER FOR SOUTHERN FOLKLORE

Beale Street dans les années cinquante

CENTER FOR SOUTHERN FOLKLORE

Joe Hill Louis succède en 1950 à B.B.King
aux commandes du Pepticon Boy Show *de WDIA.*

La silhouette de bronze se dresse en bordure de Beale Street, la vitrine du blues. De W.C. Handy à B.B. King, les musiciens du cru ont fait leur apprentissage dans ce haut lieu de débauche. La prostitution, le jeu et l'alcool ont longtemps régné sur cette tranche de béton coincée sur trois blocks entre Main Street et la Quatrième Rue. Lorsque Crump la ferma aux Blancs, décidant d'appliquer la ségrégation des deux côtés de la barrière, Beale Street devint *"the swingiest place a black person could go."* Dans ses mémoires, 'Prince Gabe' Kirby raconte que l'on pouvait lire "Fermera au premier meurtre" sur la porte des bars. L'ambiance des trottoirs de Memphis a attiré des nuées de bluesmen. Les guitaristes établissaient leur réputation sur le pavé où le *head cuttin* faisait office de loi : les musiciens s'approchaient d'un confrère bien entouré pour attaquer un morceau enlevé et lui subtiliser sa clientèle, laissant la victime sur le carreau.

233

Le blues de la rue vit toujours à Handy Park, un carré de verdure et de béton autour duquel se massent des vendeurs de tee-shirts, dans la partie inférieure de Beale Street. Il se joue avec la même simplicité. Le jardin public accueille des musiciens venus poser amplis et batterie. A l'ombre des arbres, le groupe attaque sa prestation par un morceau de Little Junior Parker, auteur du *Mystery Train* qui fit les beaux jours d'Elvis Presley. A la guitare, un échalas dialogue avec son bassiste, sur un riff basique qu'une foule bon enfant vient écouter. Les micros éraillés et le talent spontané des trois musiciens échappent encore à la logique commerciale qui règne sur l'endroit depuis le lifting de la fin des années soixante-dix.

Un demi-siècle après le grand nettoyage de Crump, Beale Street a de nouveau été fermée. Comme on ferme une maison close. Le commerce du sexe avait transformé la rue en lupanar permanent dans les années soixante, offrant l'image d'une ville de débauche dont la municipalité se serait volontiers passée. Aujourd'hui, elle s'est refait une virginité et la majorité des Américains prennent Beale Street pour le cœur du blues.

Elle vit au rythme des bars et des boutiques de souvenirs au goût douteux. Les soirs de fin de semaine, l'usine tourne à plein régime. Débarrassé des remugles du Delta, le blues docile de Beale Street offre aux flâneurs un visage rassurant. Malgré quelques dérives mercantilistes, l'initiative de la mairie a été bénéfique. Selon Judy Peiser, directrice du *Center for Southern Folklore*, "la réouverture de Beale Street a permis une revitalisation de la scène locale. Dans les années soixante-dix, les clubs préféraient les disc-jockeys à la musique *live*."

CENTER FOR SOUTHERN FOLKLORE PH. ELI JAFFE

Le *B.B. King's Blues Club* toise Beale Street, qui descend vers Handy Park. "Où que j'aille, les gens affirment que le vrai blues est à Chicago. Eh bien non, selon moi, c'est ici que ça se passe, à Memphis" affirme B.B. King. L'établissement est aussi chaleureux que son propriétaire. Aux murs s'étalent les guitares offertes par les amis du patron, Billy Gibbons, Jeff Beck et autres célébrités. Le guitariste texan Clarence 'Gatemouth' Brown - soixante-dix ans révolus - et son immuable Stetson vissé sur le crâne tenaient le haut de l'affiche la veille au soir. Le show de la plantureuse Ruby Wilson, un des piliers du club, rappelle celui du maître, brillant et enjoué. Pendant l'entracte, deux bambins entament un époustouflant numéro de cabrioles et de sauts périlleux. Leur spectacle s'achève sous une pluie de billets verts, pliés comme des papillons et jetés du balcon. Cet argent fait vivre leur famille.

Clarence 'Gatemouth' Brown

L'actuel maire de Memphis, W.W. Herenton

En bas de la rue, passés le *Rum Boogie Café*, le *Blues Hall* et autres estaminets gorgés d'une musique sans surprise, le dernier néon à briller est celui du *Willie Mitchell's*. L'endroit appartient à l'ancien chef d'orchestre, propriétaire de Hi Records et producteur d'Al Green. C'est une longue salle fleurie de larges tables roses autour desquelles une partie de la bourgeoisie noire de Memphis se retrouve les soirs de week-ends. Un groupe reprend des succès de soul. D'une élégance toute britannique, le maire, appuyé contre le bar, regarde le spectacle et bat la mesure en dégustant un verre de bourbon rempli de glaçons. W.W. Herenton a connu dans son enfance l'activité débridée de Beale Street. "La rue ressemblait à une ruche. Chez moi, on racontait que son seul credo était l'amusement parce qu'il n'en sortait que du blues. Mais depuis sa réouverture, Beale célèbre la même musique : le blues fait partie intégrante de Memphis. Il reflète son histoire et celle de ses habitants."

Le blues de Memphis ne s'arrête pas à la scène officielle et résonne à l'écart des artères pavées de neuf, dans la nuit épaisse des quartiers où les rondes des voitures de police ne s'éternisent pas. On l'entend au coin de Mississippi Boulevard et de Walker, dans un club appelé *J&J's Lounge*. Les abords de *J&J* ne payent pas de mine, comme la boutique de spiritueux ouverte toute la nuit. Derrière un grillage et quatre vitres pare-balles, le patron glisse les bouteilles de whisky Crown Royal contre deux billets de dix dollars chacune. Sur l'autre trottoir, l'entrée du bar tient lieu de restaurant et accueille les vieux habitués. Une volée de marches asymétriques mène à la salle où sont attendus les Fieldstones, la crème du blues *underground* de Memphis. Vautré sur une chaise trop petite pour sa grande carcasse, un videur accueille placidement le client. Aux murs, les inévitables enseignes Bud et Michelob, millésime 1950. Sur la scène biscornue, les instruments n'attendent que les musiciens.

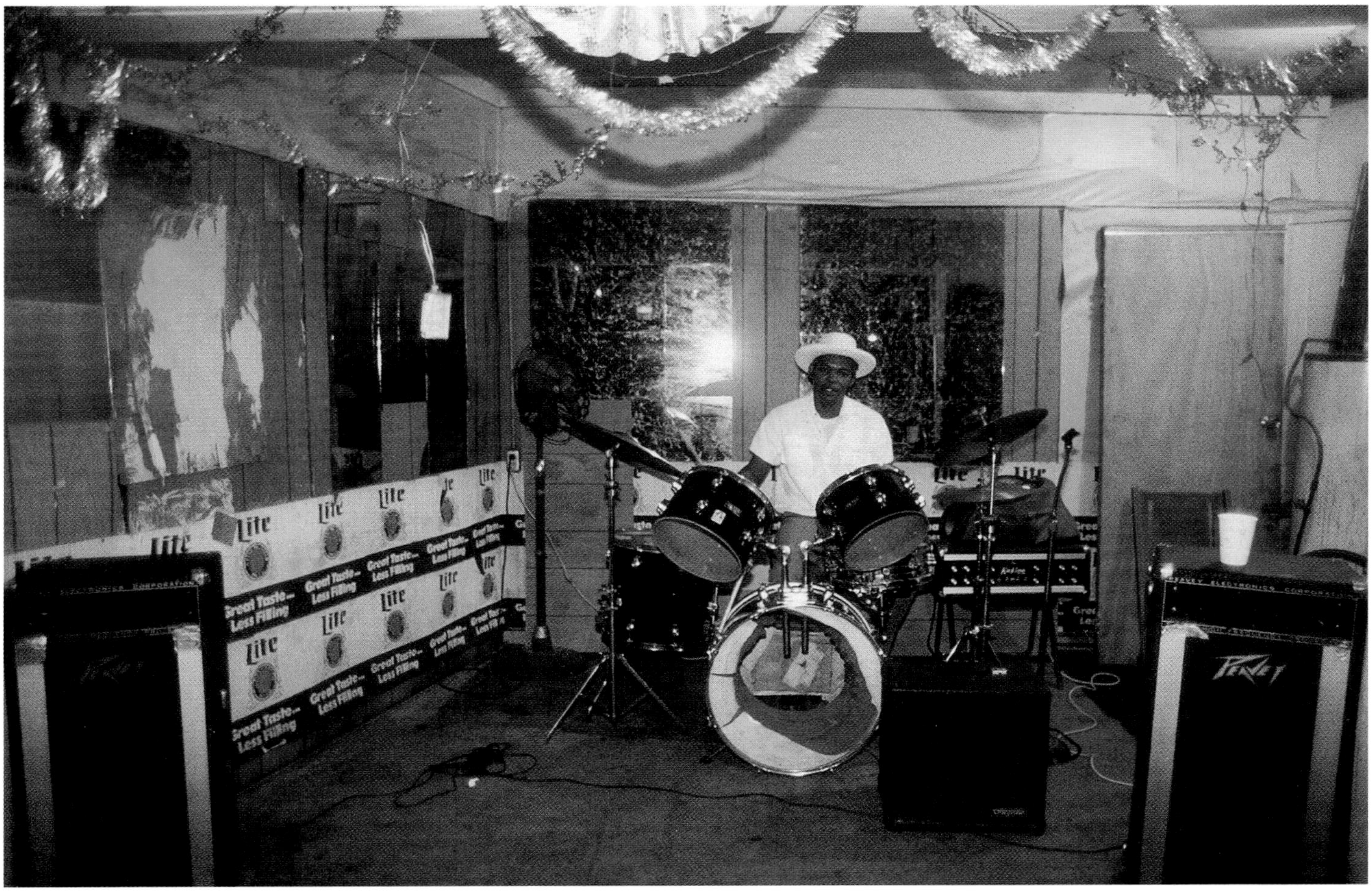
Lite
Great Taste...
Less Filling
Peavey

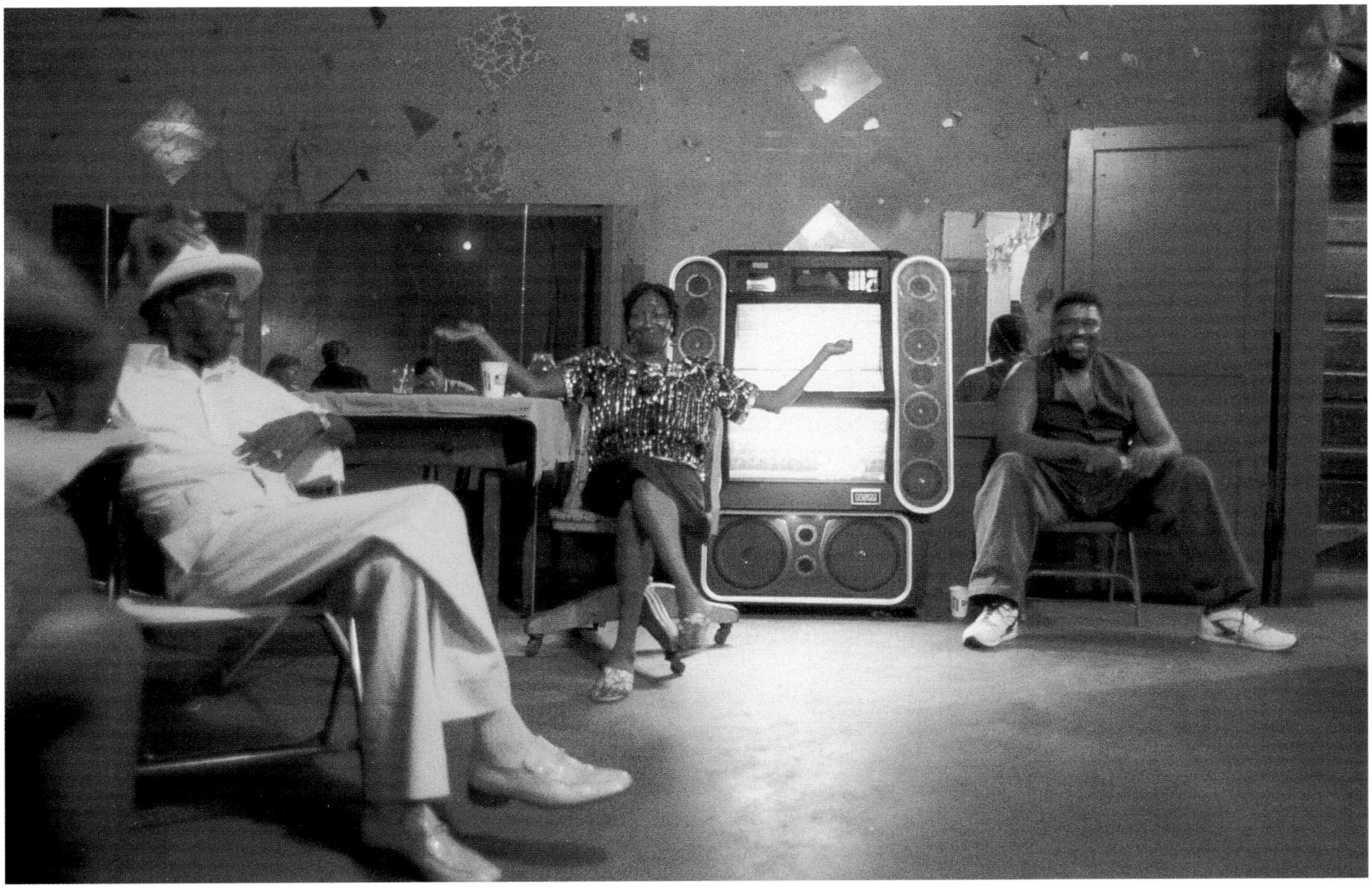

Une partie du groupe poireaute autour de quelques verres. Le batteur, Joe Hicks, maçon le jour, a trouvé le nom des Fieldstones lors de leur formation en 1975. Ils ont rapidement trouvé leur place dans les bars de la ville, notamment au *Green Lounge* qui les a accueilli tous les week-ends dix-sept ans durant. "On a tout arrêté il y a trois mois, les nouveaux propriétaires étaient trop gourmands, explique Joe. Ils voulaient 90 % de la recette de nos concerts et nous ont pris pour des pigeons. Déjà qu'on ne gagnait que soixante dollars par soir ! Mais ça n'a pas été facile de partir, j'ai d'excellents souvenirs de cet endroit. Un soir, on a vu débarquer Tom Cruise avec l'équipe du film qu'il tournait à Memphis. Je crois que le show leur a plu."
Le déménagement précipité jusqu'à *J&J's Lounge* a privé les Fieldstones d'une partie de leur public mais Joe ne désespère pas de revivre ici la folie qu'il a connue là-bas. Ce ne sera sans doute pas pour ce soir : le bassiste a déjà une demi-heure de retard.
Joe n'apprécie guère Beale Street et son blues policé. Sa chemise immaculée et son chapeau blanc évoquent Willie Nix, un batteur qui joua derrière Robert Jr Lockwood, James Cotton et Walter Horton avant de fréquenter les prisons du Tennessee à la fin des années cinquante. Le "meilleur batteur de Memphis", selon Hicks. Réédité en CD, l'unique album des Fieldstones a trouvé une place dans le juke-box de *J&J*. Leur blues nerveux et cinglant cache de nombreuses reprises derrière des titres fantaisistes. *Blusax Night* est un pillage tranquille de Jimmy Reed, même si le patron des Fieldstones s'en défend et conclut : "On peut jouer vite ou lentement, joyeux ou triste, peu importe. Le blues est fait pour s'amuser, pour danser."
Onze heures sonnent sans la moindre nouvelle du bassiste tandis que les Fieldstones devisent tranquillement autour de la table où s'accumulent les cadavres de bouteilles. Une amie les rejoint. Titubante, elle évoque le bon vieux temps tandis qu'un jeune couple s'installe au fond de la salle et commande une bouteille de champagne. Le juke-box pallie la défection des musiciens, la soirée se poursuit jusqu'à la dernière goutte.

Born Under a Bad Sign

Le déracinement, l'esclavage et la ségrégation marquent les premiers siècles de présence noire aux États-Unis. Privés de liberté et d'identité, les premiers arrivants n'entretiennent pas d'autre espoir que celui de survivre et d'assurer à leur descendance une existence un peu moins pénible que la leur. La fin de la guerre de Sécession ne bouleverse pas un quotidien bientôt entravé par le carcan de Jim Crow et ses atteintes à la dignité. Dans les champs du Delta, le soleil éteint des regards rongés par une santé indigente.

La discrimination s'apparente à de la barbarie au sud de la ligne Mason-Dixon lorsque sévissent les membres encagoulés du Ku Klux Klan. Leurs émules traumatisent l'Amérique à la fin de l'été 1955 : Emmett Till, un adolescent de Chicago descendu passer des vacances à Money, Mississippi ne réalise pas le monde qui sépare encore le *Deep South* des métropoles du Nord. Pour épater ses cousins, il lâche un *"bye, baby"* en quittant la boutique d'une femme blanche. Aussitôt la nouvelle répandue, le mari se met en tête de faire ravaler ses paroles au garçon que l'on retrouve quelques jours plus tard au fond de la Tallahatchie, le crâne fracassé, un ventilateur de quarante kilos attaché au cou.

La lutte pour les droits civiques a mis un terme aux lynchages et de réels progrès politiques et sociaux ont été accomplis depuis les années soixante. "La ségrégation pratiquée pendant des dizaines d'années dans l'enseignement n'a pas donné aux Noirs les mêmes chances de gagner de l'argent ou de voyager comme les autres Américains, estime Ahmet Ertegun. Cela constitue un handicap à long terme que l'on n'effacera pas en l'espace d'une génération."

Si la vie d'artiste permet d'échapper à un avenir de *cottonpicker*, elle n'a rien d'une sinécure. "Les bluesmen n'étaient pas seulement la quintessence de l'Amérique noire, ils travaillaient aussi à l'échelon le plus bas de la société", précise Samuel Charters. La concurrence est rude, l'argent rare et pour quelques dollars on joue dans les *juke joints* les plus malfamés. En 1932, à Merigold, dans le Delta, un homme se jette sur Charley Patton et lui tranche la gorge. Comme Leadbelly, qui avait subi la même mésaventure dans un bouge du Texas, il s'en tire avec une imposante balafre. Les musiciens prennent souvent les devants : Little Walter ne rate pas une bagarre et Sonny Boy Williamson s'illustre régulièrement dans les

Dans la chaleur de la nuit : *en 1968, la caméra de Norman Jewison plonge dans un Sud tourmenté où enquêtent deux policiers que tout sépare, Sidney Poitier et Rod Steiger.*

commissariats. "Il venait parfois dîner à la maison, rappelle L.T. Clerk. Ça marchait bien pour lui, il faisait du fric, mais était capable des pires conneries dès qu'il picolait un peu trop. Un soir il s'est tiré une balle dans le pied. *Blues can mess you up, you know.*"

Les musiciens doivent se méfier d'une police rarement bienveillante. A la veille de la guerre, un homme brutal et pervers règne sur West Memphis : le shérif Cuff se taille une sinistre réputation, notamment auprès des femmes enceintes qu'il aime à rouer de coups. Officiers sadiques et jugements sommaires balisent le chemin qui conduit de nombreux bluesmen derrière les barreaux.

"When the trial's in Belzoni,
ain't no use in screaming and crying
Mister Webb will take you
Back to the Belzoni jailhouse flying"

chante Charley Patton dans *High Sheriff Blues* tandis que Parchman, le pénitencier du Mississippi, voit défiler dans ses murs Son House et Bukka White.
La prison conclut aussi parfois un itinéraire chaotique : Pat Hare, un guitariste de Memphis qui accompagna Howlin' Wolf et Muddy Waters, meurt en prison vingt-sept ans après avoir tué sa compagne et un policier lors d'une soirée trop arrosée.

Les musiciens ne sont jamais à l'abri d'un mauvais coup perpétré par un mari jaloux, une maîtresse délaissée ou un rival aviné. John Lee Williamson, premier 'Sonny Boy' du nom, meurt devant chez lui en juin 1948, lardé de coups de couteau. Dix-huit ans plus tard, Jazz Gillum tombe sous les balles d'un revolver dans la même ville. En 1968, un troisième harmoniciste de Chicago connaît à son tour une fin tragique : Little Walter dispute le combat de trop et meurt des suites d'une échauffourée nocturne.
"My whole life has been one big fight" médite Albert King dans le substantiel *Born Under a Bad Sign.*

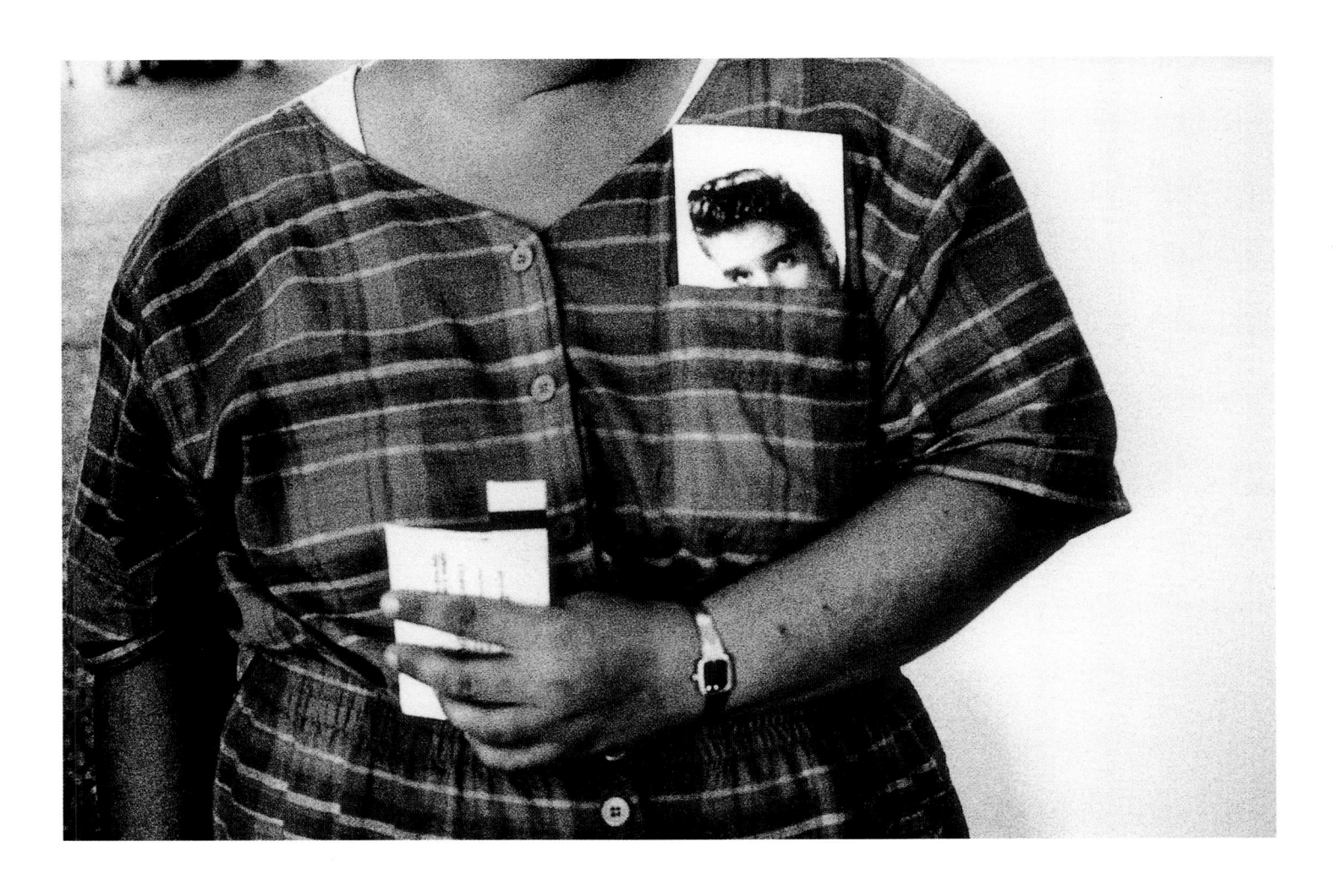

Plus au nord, Union Avenue s'échappe du Mississippi comme une flèche et court vers l'est par-dessus les échangeurs bordés de magasins et d'entrepôts. La carrière d'Elvis Presley a commencé au numéro 706, dans une bâtisse anodine : les studios Sun. La porte d'entrée s'ouvre sur une petite pièce aux murs marrons et verts à peine protégée du soleil par des stores lamés, qui n'arrêtent ni la chaleur ni la lumière. Le bureau grisâtre de Sam Phillips, le fondateur du label Sun, est resté en place pour alimenter un pélerinage touristique intense. Il surveille la porte d'entrée et son vis-à-vis, celui de sa secrétaire, Marion Keisker, sans laquelle les événements ne seraient pas apparus dans l'ordre qu'on leur connaît. En 1953, c'est elle qui accueille un jeune homme un peu timide, né à Tupelo, Mississippi. Marion Keisker persuade Elvis Presley d'enregistrer un disque pour sa mère. Il lui en coûte quatre dollars. Au printemps 1954, les bandes ressortent du placard et Sam Phillips tend l'oreille, comprenant le parti qu'il peut tirer du prodige. Un coup de fil accélère l'affaire et Elvis Presley retourne à Union Avenue où Phillips lui présente le guitariste Scotty Moore et le bassiste Bill

Black. Les trois hommes s'enferment dans le studio et déclinent leur répertoire. Ballades, airs de country, blues, tout y passe mais aucun style ne s'impose jusqu'au jour où, profitant d'une pause, Elvis entame un de ses morceaux favoris, *That's All Right*. Ses deux acolytes lui emboîtent le pas sur l'air d'Arthur Crudup avec la même verve pendant que Sam Phillips lance les magnétophones. A sa première diffusion en juillet 1954, dans l'émission *Red Hot and Blue* sur WHBQ, le standard de la radio explose. Pressé par ses auditeurs, l'animateur repasse quatorze fois *That's All Right* dans la soirée. Le rock'n'roll démarre à Memphis.

Le succès du jeune homme excite l'appétit des grands labels. En 1955, RCA enlève l'affaire au nez du patron d'Atlantic, Ahmet Ertegun. "Quand j'ai entendu ce jeune Blanc chanter les chansons de Joe Turner ou de Ray Charles, j'ai immédiatement voulu l'engager. On savait que les Blancs achetaient la musique des Noirs, même s'ils ne s'en vantaient pas. Mais son manager, le colonel Parker, était un homme obstiné et difficile. Il avait placé la barre trop haut. Finalement, RCA nous a doublés et a payé la somme qu'il réclamait." Son poulain envolé, Sam Phillips possède d'autres atouts : Carl Perkins, dont le *Blue Suede Shoes* se vend à plus d'un million d'exemplaires - le premier carton de Sun -, Roy Orbison, Johnny Cash ou Jerry Lee Lewis assurent la relève.

Dans le berceau du rock'n'roll, le guide récite à l'envi la légende d'Elvis. Son auditoire s'éveille aux premières notes d'un classique. Les pieds battent la mesure, les genoux frémissent et la nostalgie voile certains regards. L'histoire officielle ne s'attarde pas sur les débuts difficiles du Memphis Recording Service, la dénomination initiale du studio ouvert en 1950. Sam Phillips, fin connaisseur et limier hors pair, déniche les meilleurs joueurs de blues à qui il offre enfin la possibilité d'enregistrer. Les jeunes B.B. King et Howlin' Wolf y gravent notamment quelques titres. D'autres, comme Jackie Brenston ou Junior Parker, perfectionnent un genre que le disc-jockey Alan Freed et le public blanc n'ont pas encore appelé rock'n'roll. En 1951, Sam Phillips produit *Rocket 88*, un titre à la gloire d'un modèle d'Oldsmobile chanté par Jackie Brenston et sur lequel son cousin Ike Turner tient le piano. Tous deux originaires de Clarksdale, ils avaient chargé la voiture comme une mule pour rallier Memphis et une partie du matériel était tombée pendant le trajet. Dans les studios de Sun, bourré de papier journal afin de fonctionner malgré tout, l'ampli fait sonner la guitare de Willie

FROM THE SAM PHILLIPS COLLECTIONS AT THE CENTER FOR SOUTHERN FOLKLORE

Le King perce sous Elvis Presley, encore couvé
par Sam Phillips

NORTHWEST IS FOR MEMPHIS

NORTHWEST

ELVIS PRESLEY
AND SUN RECORDS

In July 1954 Sun Records released Elvis Presley's first recording. That record and the Elvis' that followed on the Sun label demonstrated popular music. Elvis developed an innovative and different sound combining blues, gospel, and country. That quality made Elvis a worldwide celebrity within two years. He went on to become one of the most famous and beloved entertainers in history. Sun Records introduced many well known people in all fields of music. Generations of musicians have been affected by those who recorded here and especially by the music Elvis Presley first sang at Sun Records.

ERECTED BY THE SHELBY COUNTY HISTORICAL COMMISSION AND THE
ELVIS PRESLEY INTERNATIONAL MEMORIAL FOUNDATION • 1988

SUN STUDIO TOUR
Tickets &

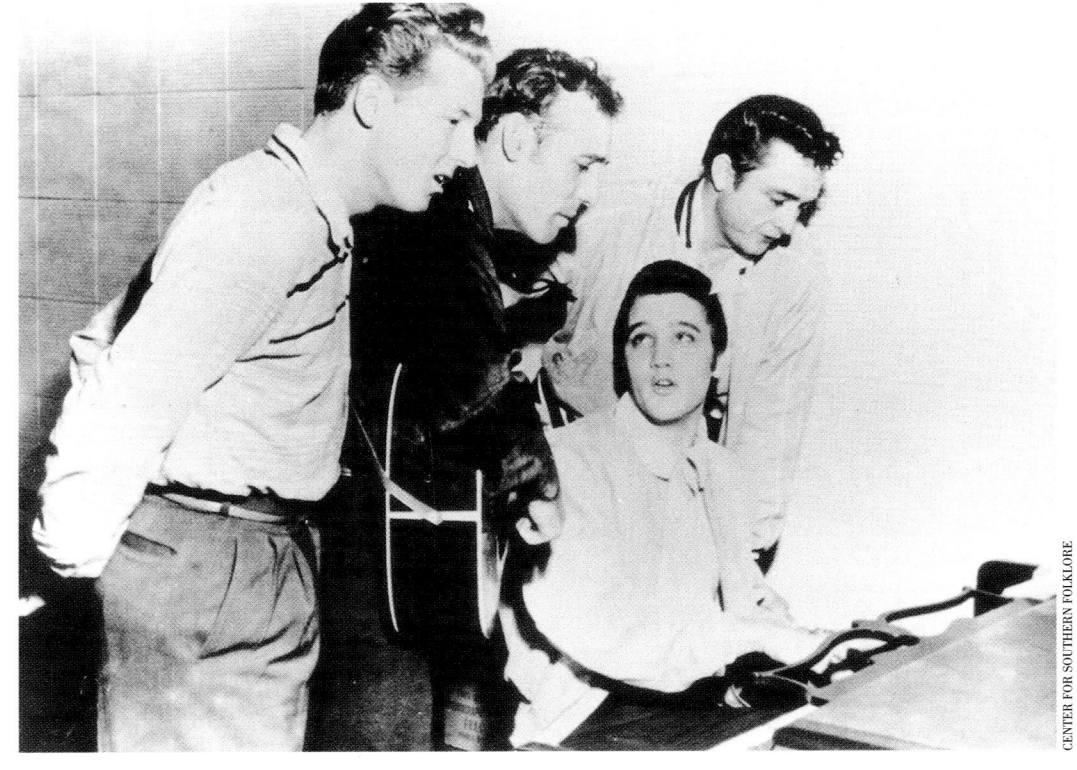

CENTER FOR SOUTHERN FOLKLORE

Le carré magique de Sun : Jerry Lee Lewis, Carl Perkins, Elvis Presley et Johnny Cash (de gauche à droite)

Kizart comme un cuivre étouffé, une *fuzz tone* avant la lettre souligne Robert Palmer. Ne pouvant distribuer le disque, Sam Phillips le cède à Chess qui place *Rocket 88* en tête du hit-parade noir. L'expérience tourne au vinaigre et Phillips crée Sun un an plus tard.

Junior Parker inaugure le nouveau label symbolisé par un coq et un soleil levant dorés. Après quelques années de collaboration avec Howlin' Wolf, il suscite l'intérêt de Sam Phillips. Son premier titre, *Feelin' Good* - un riff à la John Lee Hooker sur lequel rebondit sa voix - annonce une belle série de succès. Alléché par les ventes de Parker, le producteur texan Don Robey arrive à Memphis en 1954 et persuade le chanteur-harmoniciste de le rejoindre sur Duke, son label de Houston. Sam Phillips et Robey ne s'apprécient guère depuis l'affaire *Hound Dog*, un titre écrit par les compositeurs Jerry Leiber et Mike Stoller pour Big Mama Thornton, qui le fit grimper jusqu'à la première place des *charts* rythm'n'blues en 1953. A Memphis, Sam Phillips l'avait écouté avant de signer froidement quelques semaines plus tard *Bear Cat*, copie conforme de l'original sur laquelle Rufus Thomas se répand en miaulements grotesques. Devant l'ire des vrais auteurs, le fondateur de Sun hasarda un prétendu hommage en clin d'œil pour se justifier du plagiat mais Elvis Presley balaya les doutes en 1956 en installant sa propre version au sommet des ventes.

Le dernier disque de Sun enregistré à Union Avenue remonte à décembre 1959. Depuis, les adorateurs du *King* se replient sur sa demeure : *Graceland* est la destination naturelle des millions de *freaks* que la mort d'Elvis a laissé orphelins le 16 août 1977. On croise régulièrement ces couples gomina-faux cils, spencer-vichy et rouflaquettes. Memphis est leur Mecque. Acheté par Elvis en 1964, le domaine est devenu un complexe touristique à l'échelle du culte qui entoure l'idole.

Sis au 3734 Elvis Presley Boulevard, *Graceland* accueille chaque jour des milliers d'admirateurs et de curieux dont la visite commence au centre d'accueil, un immense caravansérail à l'américaine. Elle se poursuit à un rythme martial. Toutes les six minutes, des minibus déposent les touristes devant la maison où veillent des guides en uniforme bleu marine. Le parcours suit un itinéraire bien précis, de l'entrée à la salle de télévision, où quatre postes sont allumés en permanence, en passant par la *Jungle Room* dont la moquette vert pomme, les sièges en panthère et la cascade murale atteignent des sommets de mauvais goût. Dans chaque pièce, un cicérone rappelle fidèlement la vie du maître des lieux dans sa version la plus édulcorée. Dans le *Jardin de la méditation* où reposent Elvis Aaron Presley et les siens, l'atmosphère est au recueillement. Les admirateurs se succèdent dans un cortège tragicomique autour des tombes submergées de fleurs.

L'Église baptiste ne dépareille pas dans une Amérique friande d'émotions fortes. La *Full Gospel Tabernacle Church* niche au cœur d'un bois de chênes, dans un quartier résidentiel proche d'Elvis Presley Boulevard. A l'écart des autoroutes qui quadrillent le centre ville, l'église biscornue appartient à Al Green, pasteur côté cour et vedette côté jardin. Il incarne les liens qui unissent la soul et le gospel. *It's You I Want, but it's Him that I Need*, sorti en 1977, pourrait résumer sa vie. Sa carrière débute en 1969 dans un club du Texas où il rencontre Willie Mitchell, un trompettiste de Memphis qui le convainc de venir enregistrer sur son label, Hi Records. En cinq ans, Al Green se hisse au firmament de la soul, enchaîne les succès et draine à ses concerts un large public. Un pied à l'église, l'autre dans les salles de concert, il achète la *Full Gospel Tabernacle Church* après le suicide d'une amie à son domicile en 1976. Sa vocation ne lui ferme pas la voie des studios : il continue à publier des disques aux titres explicites, comme *The Lord Will Make a Way* ou *He is the Light*. Le révérend Green tourne aujourd'hui dans le circuit gospel mais revient régulièrement dans sa paroisse de

CENTER FOR SOUTHERN FOLKLORE

Al Green

Memphis où les fidèles se retrouvent chaque dimanche dans la grande salle moquettée de rouge. Autour du pasteur qui remplace le maître des lieux, une chorale, une guitare électrique et une batterie transforment vite l'office en concert. La puissance du chœur et le groove des deux musiciens guident les solistes. Le prêtre profite d'un répit pour placer son sermon mais les chants reprennent bientôt, aussi sincères qu'entraînants : l'absence du pasteur Green n'empêche pas ses ouailles de célébrer Jésus à sa manière. Avant Al Green, un label fondé en 1960 avait donné à Memphis une nouvelle identité musicale : Stax. Installée au 926 McLemore Avenue, la maison fondée par Jim Stewart et Estelle Axton a posé les bases de la soul en même temps que d'autres labels du Sud et un concurrent de poids installé à Detroit, Motown. Grâce à des artistes comme Otis Redding, Sam and Dave, les Mar-keys, Eddie Floyd, Carla Thomas et Booker T. et les MG's, Stax a créé un son nouveau qui fédère les instruments au service du rythme. Distribué par Atlantic, la marque gagne une notoriété immense pendant les années soixante. La mort accidentelle d'Otis Redding en 1967 ainsi que la rupture du contrat de Stax avec la maison de disques new-yorkaise l'année suivante annoncent le déclin du label, même si la montée en puissance d'Isaac Hayes, précurseur du funk et du disco, retarde un temps l'échéance. Soulignant l'espoir d'une meilleure harmonie raciale qui prévalait dans les studios, où les musiciens s'étaient fondus en une seule entité, Peter Guralnick remarque que "la musique soul fut le produit d'un endroit et d'un moment précis." Porté par le contexte de la lutte pour les droits civiques, ce climat ne survit pas à la désintégration du rêve consécutive à l'assassinat de Martin Luther King.

ARCHIVES PHOTOS

Avant de s'écrouler en avril 1968 devant la chambre 306 du *Lorraine Motel*, dans Mulberry Street, à quelques blocks du centre ville, Martin Luther King a incarné pendant treize ans le mouvement des droits civiques et la lutte pacifique contre la ségrégation : en 1950, la loi de Jim Crow confine toujours les Noirs à une "citoyenneté de seconde classe" dans le Sud. Parmi les différents mouvements qui militent pour l'abolition de la ségrégation, le NAACP - *National Association for the Advancement of Coloured People* - obtient un premier succès en 1954 quand la Cour suprême, dans l'affaire *Brown vs Board of Education*, déclare anticonstitutionnelles les règles en vigueur à Topeka, Arkansas, qui interdisaient à Linda Brown de fréquenter le collège blanc tout proche de son domicile. S'il dénonce la séparation raciale dans les écoles, le jugement rendu par la plus haute juridiction fédérale se garde bien d'ordonner la déségrégation immédiate.
L'année suivante voit une nouvelle contestation apparaître dans l'Alabama, un des États les plus conservateurs du *Deep South*.

Pendant plus d'un an, la population noire boycotte les bus de Montgomery pour protester contre les règlements discriminatoires qui l'obligent à s'effacer devant les Blancs. Un jeune pasteur du nom de Martin Luther King prend la tête de l'opposition. Amenée au bord de la faillite par la désertion des trois quarts de sa clientèle, la compagnie de bus de Montgomery cède en décembre 1956 quand la Cour suprême déclare anticonstitutionnelle la ségrégation dans les transports en commun.
Dans le Sud, la haine d'une poignée d'extrémistes blancs répond à l'attitude pacifique prônée par Martin Luther King. La campagne pour le droit de vote déclenche la barbarie des derniers membres du Ku Klux Klan pendant que les étudiants d'*Ole Miss*, l'université du Mississippi, s'insurgent violemment contre l'inscription d'un Noir, James Meredith.
Le président Kennedy plaide en faveur d'un "changement pacifique et constructif" tandis que s'ébranle la marche sur Washington menée par le révérend King. La lutte pour les droits civiques culmine le 23 août 1963 au pied du Capitole. Deux cent cinquante mille personnes écoutent Martin Luther King : "*I have a dream...*"
Le Congrés vote en 1964 le *Civil Rights Act*, sous le coup de l'assassinat de JFK puis le *Voting Rights Act* l'année suivante. En proie à de graves dissentions internes liées à la guerre du Viêt-nam, le mouvement des droits civiques ne contient plus sa branche la plus radicale. Celle-ci tourne le dos à la non-violence de Martin Luther King et se reconnaît davantage dans le *Black Power* de Stokely Carmichael ou les *Black Muslims* de Malcolm X.
Auréolé d'un prix Nobel de la paix, le docteur King poursuit son entreprise et sillonne les États-Unis pour faire avancer la cause de son peuple. Il fait étape à Memphis le 4 avril 1968. Soucieux de cultiver l'image d'un homme simple, son entourage l'installe au *Lorraine Motel*. En fin de journée, sorti prendre l'air sur le balcon, il tombe sous les balles de James Earl Ray.

"The longest highway that I ever known" chantent Jack Kelly et le South Memphis Jug Band dans *Highway n° 61 Blues*. Partie de La Nouvelle-Orléans, la route termine sa chevauchée sur Chelsea, une rue tranquille en bordure du lycée Grant. Le terminus de la Highway 61 met un point final à la plaine fertile du Delta et aux banlieues disparates de Memphis. Pointée sur Saint Louis, la route remonte une portion de Tennessee, puis la plaine du Missouri, le dos tourné au Sud. L'air desserre son étreinte humide.

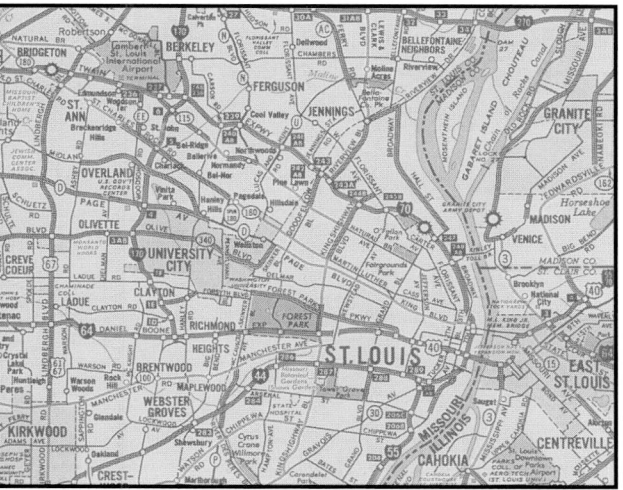

8

SAINT LOUIS

Darling Harrison n'a pas goûté aux joies de la célébrité mais il s'en est fallu d'un cheveu. Que serait-il arrivé si Ralph Cooper, un rabatteur de talents au service de John Hammond, l'avait engagé pour se produire au *Carnegie Hall* ? Les deux hommes se sont rencontrés en 1936 à Greenville, Mississippi, et Cooper s'était montré intéressé, laissant entrevoir une apparition au concert annuel *From Spiritual to Swing*. Après New York, Darling Harrison aurait peut-être connu la popularité d'un Son House ou d'un Fred McDowell, mais Cooper n'a jamais donné de nouvelles... Darling Harrison, dix-neuf ans à l'époque, a poursuivi son chemin à l'écart de la gloire mais au contact des plus grands.

La vie l'a mené dans le centre de Saint Louis, Missouri, où il habite un immeuble coquet. Bercé d'une lumière claire et tamisée, son appartement est tapissé de photos de famille. Sur le buffet, une pendule à l'effigie de Martin Luther King côtoie une photo de Robert Johnson, un cliché pris pendant un séminaire, et des références à

la Bible. Darling Harrison s'assied délicatement et éclaire son visage d'un sourire plein de bonté et de malice. Il sert l'Église comme son père, diacre à la First Baptist Church de West Point, dans les collines du Mississippi où il est né en 1917. "J'étais là-bas pendant la crue de 1927. Nous recevions chaque jour des nouvelles catastrophiques du Delta. Les eaux du Mississippi l'avaient englouti et ne se sont retirées qu'un mois plus tard. Les hommes, les chiens, les chats s'étaient réfugiés sur les routes et sur les toits des maisons pour échapper à la noyade." Le fleuve a regagné son lit quand la famille déménage à Greenville, quelques années plus tard. Darling et James, son aîné de deux ans, occupent le plus clair de leur temps à jouer de la guitare. Inséparables, les frères mettent au point un numéro qui récolte un franc succès chez *Scottie*. "Ce bar était notre meilleure adresse. Il vendait un whisky de grande qualité et on y mangeait très bien. Scottie nous payait royalement, jusqu'à quinze dollars la soirée."

Le chemin de Darling et James Harrison croise celui de Robert Johnson "vers 1931 ou 1932, à Jackson, Tennessee. Il avait déjà dans son répertoire *Come on in My Kitchen* et sa moindre prestation formait des attroupements. On marchait dans la rue et les gens s'approchaient tout simplement, comme ça" dit Darling

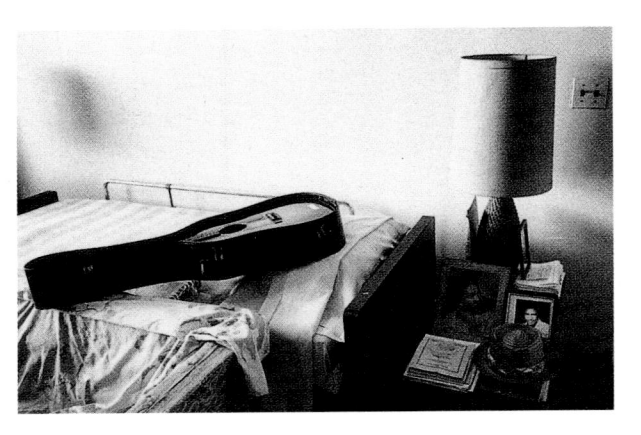

dans un rire nerveux, joignant les mains en signe d'admiration. Les frères Harrison et Robert Johnson ne se sont pas perdus de vue. "Il avait été salement secoué par la mort de sa femme et surtout de l'enfant, auquel il tenait éperdument. J'entendais raconter - ça continue aujourd'hui - ces histoires sur Robert et le Diable, des balivernes. Il adorait les filles et ces bruits lui permettaient de séduire n'importe qui, voilà la vérité. Ses chansons les plus demandées n'étaient pas diaboliques : je pense à *Terraplane Blues*, *Kindhearted Woman* et *They're Red Hot*."

Darling a ressorti d'un placard son étui à guitare, dont il extrait une Sigma flambant neuve qui lui arrache un dodelinement complice. "Je n'aurais pas même rêvé d'un bijou comme celui-ci dans mon enfance. La première guitare devait coûter dans les six dollars, sans parler d'une Silvertone ou d'une Martin, bien plus chères." Darling enlève *They're Red Hot* comme une ballade dansante, en tapant du pied. Ses mains trouvent aisément les notes et les sauts de voix ne le prennnent pas en défaut. "Cet air, je crois que je l'ai joué plus de mille fois avec James et quelques-unes avec Robert Johnson."

Darling Harrison se trouve à Greenville lors du déclenchement de la guerre et part une première fois sous les drapeaux, mais il est aussitôt rappelé dans le

Delta à l'annonce du décès accidentel de James. Darling rentre pour un enterrement éclair avant de repartir vers l'Afrique du Nord : "On a poursuivi Rommel jusqu'en Italie, rit-il. *Grazie, grazie*, nous disaient les gens là-bas. Quel beau pays !" La mort de son frère aîné le tourne pour la première fois vers la religion. Le *G.I.* Harrison lit la Bible autour de lui et alterne cantiques et blues. "En 1945, démobilisé, j'ai voulu en savoir plus sur la fin de James. Certains m'ont juré qu'il s'était suicidé, d'autres m'ont raconté qu'il tournait un peu trop autour des femmes des autres et c'est probablement vrai." Sa dernière attache au Delta disparue avec James, Darling Harrison quitte Greenville en 1947 pour Saint Louis, où il devient le membre actif d'une paroisse qui lui confie son école du dimanche. Darling a été ordonné diacre en 1987. Pensif, il rajuste sa monture de lunettes, chuchote trois mots puis fredonne un air. Il retombe sur ses pieds et chante *"Bumble bee, bumble bee, won't you please come back to me."* Darling interrompt ses mains à mi-parcours. "Memphis Minnie en personne m'a appris la chanson, n'est-ce pas incroyable ? Elle vivait littéralement sur Beale Street à l'époque et m'avait pris en affection. Je voyageais beaucoup, comme tout le monde."

Saint Louis est la porte de l'Ouest, symbolisée par son Arche, trait de génie métallique lancé en plein ciel, parabole architecturale et logo d'une ville en quête d'identité. Sa position privilégiée sur le Mississippi, au carrefour d'une plaine centrale dont l'accès est barré par la chaîne des Appalaches, a favorisé son expansion. Les rapports entre communautés dérivent largement de sa situation géographique. "C'est la dernière ville du Sud et les tensions raciales sont réelles, affirme un résident de longue date. Mais il s'agit de la première ville du Nord et par conséquent elles restent cachées. Saint Louis est un lieu de discrimination tranquille." Sur la route de Chicago, les nombreux migrants venus du Sud ont élevé l'étape au rang de capitale du piano. Pendant les vingt ans qui précèdent la Seconde Guerre mondiale, le blues de Saint Louis subit l'influence de Scott Joplin. Né en 1868 aux confins du Texas et de l'Arkansas, le pianiste s'installe à la fin du XIXe siècle à Sedalia, Missouri, où il pose les bases du ragtime. La publication de *Maple Leaf Rag* et d'autres succès puis son arrivée à Saint Louis marquent durablement la scène locale.

Comme Memphis, Saint Louis brasse d'incessants flux migratoires. Les bateaux qui remontent le fleuve déposent sur les quais des musiciens louisianais et l'Illinois Central lâche à *Union Station* des hommes venus trouver du travail dans l'Ouest. En 1918, un an après la mort de Joplin, Henry Brown et sa famille élisent domicile dans le quartier de *Deep Morgan*, autour de Morgan Street, la rue la plus animée de la ville. Brown se lie d'amitié avec Henry Townsend, un guitariste du Mississippi, et les deux hommes profitent de la vogue du blues des années vingt pour graver quelques 78 tours. Au piano, Townsend s'impose comme l'une des grandes figures de la ville, accompagnant Robert Johnson et Son House lors de leurs passages à *Deep Morgan*. Proche des métropoles du Nord, Saint Louis constitue un gisement prometteur pour les grandes maisons de disques, dont les limiers se rendent au *Booker T. Washington Theater* pour déceler de nouveaux talents qu'ils enrôlent, comme Lonnie Johnson, un guitariste de La Nouvelle-Orléans qui décroche un contrat avec Okeh en 1925.

D. SHIGLEY

'The Honeydripper' : Roosevelt Sykes, né à Helena, Arkansas.

A la même époque, un jeune homme du nom de Roosevelt Sykes se taille une réputation grandissante dans les bars de la ville. Né dans l'Arkansas mais élevé dans le Missouri, Sykes passe sa jeunesse derrière les orgues d'église avant de fréquenter les tripots de Morgan Street. Son premier disque, *Forty Four Blues*, établit sa notoriété en 1929. Pendant les années trente à Saint Louis et la décennie suivante à Chicago, Sykes passe d'un studio à l'autre, enregistrant simultanément pour plusieurs labels sous des pseudonymes fantaisistes. Il adapte son jeu en fonction, verse parfois dans le jazz et promène son imposante silhouette, sa tête de bouledogue et son cigare sur les scènes du monde entier avant de finir ses jours à La Nouvelle-Orléans, où il meurt en 1983. "Le blues agit comme un remède, disait-il. Le docteur se contente de soigner l'intérieur du corps depuis l'extérieur ; le blues, lui, atteint les tréfonds de l'âme." Roosevelt Sykes laisse une œuvre assez riche pour le désigner comme un pivot du blues moderne, assis entre le rythme lancinant du Delta et les recherches mélodiques du Nord. Speckled Red, St Louis Jimmy et Walter Davis complètent la liste des pianistes de talent de Saint Louis. Le premier se spécialise dans le boogie-woogie

pendant que le deuxième place plusieurs de ses
compositions dans les titres à succès de l'immédiat
avant-guerre. Après avoir gravé des dizaines de disques
pour Victor, Bluebird et Bullet, Walter Davis abandonne
la scène au début des années cinquante, se fait
ordonner révérend et voue le reste de son existence à
la religion.

Au milieu des années trente, Saint Louis accueille
chaque jour des dizaines de familles attirées par le
Nord et ses promesses d'emplois. Le guitariste Big Joe
Williams, père d'un instrument à neuf cordes dont trois
résultent d'une greffe originale, débarque en 1934 au
terme de plusieurs années d'errance sur les routes du
Sud. Il grossit les rangs miséreux des banlieues
champignons que la Dépression a fait pousser autour
des métropoles, les *hoovervilles*, baptisées par dérision
d'après le président auteur d'un mot malheureux :
"La prospérité est au coin de la rue." Big Joe Williams
a raconté à la BBC la vie dans le *hooverville* de Saint
Louis : "Les gens échouaient là et se montaient un abri
en carton, tout près du fleuve. Le gouvernement

*Big Joe Turner chez Atlantic,
entouré par Ahmet Ertegun et Jerry Wexler.*

autorisait la chose. Bref, le lendemain, il y avait déjà un bordel et le lendemain encore, une distillerie clandestine de whisky, puis une vraie maison, quelque chose en brique. On pouvait difficilement les déloger." Grâce à J.D. Short, un musicien de Clarksdale qui l'accompagne au piano, Big Joe Williams rencontre Lester Melrose et enregistre pour lui son plus gros succès, *Baby Please Don't Go*. Sa carrière se poursuit avec succès grâce à l'intérêt que lui manifeste une large partie du public blanc dès les années cinquante et jusqu'à sa mort, survenue en 1982 à Macon, Georgie. Ses contemporains Pete Johnson et Big Joe Turner sont, eux, nés dans les plaines agricoles du Missouri. Sur le piano frénétique du premier, Turner a greffé sa voix, forte et poignante. Leur association remonte aux années vingt et à une rencontre dans les cabarets de Kansas City. Au *Kingfish Club* et au *Sunset*, on danse bientôt sur les airs endiablés des deux compères, avant que John Hammond ne les engage en 1938 pour le *Spiritual to Swing* où l'assistance du *Carnegie Hall* leur fait un triomphe. *Roll'em Pete* embrase l'Amérique, qui les

intronise 'rois du boogie-woogie' quelques mois plus tard. Batteur avant d'être pianiste, Pete Johnson annonce de sa main gauche les trépidations du rock pendant que Big Joe Turner gagne au micro sa réputation de stentor. Sa signature chez Atlantic en 1950 ouvre au chanteur les portes des *charts* rythm'n'blues où son *Shake, Rattle and Roll* caracole jusqu'à la première place. Repris par Bill Haley deux ans plus tard, le titre permet à Big Joe Turner d'asseoir sa popularité auprès du grand public.

Les couleurs de Saint Louis sont aujourd'hui portées par ses équipes sportives, comme les *Blues* ou les prestigieux *Cardinals*, neuf fois vainqueurs des *world series* de base-ball et propriété de Budweiser. La cité interdite aux parois majestueuses que le géant de la bière a bâtie à l'entrée de la ville abrite une des dynasties les plus puissantes d'Amérique dont la quatrième génération règne aujourd'hui sur un empire : Anheuser-Busch. Ses terres s'étendent sur quarante hectares d'entrepôts, de salles de contrôle et de bureaux reliés par des boulevards intérieurs striés de rails et parcourus par des voitures de golf. Sous la fraîcheur artificielle des donjons de brique, les containers d'acier brassent des millions d'hectolitres dont s'échappe une émanation entêtante. Le parfum lourd du houblon et des machines flotte dans les allées du complexe.

Budweiser, né en 1860, s'est hissé au premier rang mondial des producteurs de bière. Son antre originel, frappé d'un aigle prussien, est devenu le quartier général de la vingt-troisième entreprise des États-Unis. Sept cent mille canettes sortent chaque jour des gigantesques chaînes de production et gagnent les réfrigérateurs sous les étiquettes Budweiser, Busch ou Michelob déclinées en *light*, *ice* et autres subtilités promotionnelles. La *King of Beers* fournit une bière sur deux à l'Amérique.

Le Mississippi

Médusés par l'immensité et la puissance du fleuve, les premiers habitants du continent américain l'appelaient *Meschacebé*, le 'père des eaux.' Le quatrième fleuve du monde par sa longueur prend sa source aux confins du Minnesota, sous la frontière canadienne, et parcourt quatre mille kilomètres avant de se jeter dans le golfe du Mexique. Ce trait bleu draine avec ses affluents le tiers du réseau fluvial des États-Unis et lie le nord et le sud comme il sépare majestueusement l'est et l'ouest du pays.

Comme un géant au cours lent et immuable, le Mississippi descend jusqu'au bayou. Son exceptionnelle capacité d'irrigation assure la fertilité d'une plaine centrale vouée aux cultures céréalières. Dans sa partie inférieure, il tend inéluctablement vers une ligne droite, avec la patience de celui qui connaît l'éternité, coupant à travers certains méandres pour en faire des bras morts, les *oxbow lakes*. Les alluvions qu'il dépose depuis des millénaires sur ses berges ont transformé son lit en un aqueduc naturel qui domine la plaine du Delta, assainie au début du XIXe siècle au prix d'un travail titanesque.

Mû par une force extraordinaire et imprévisible, *Old Man River* s'est toujours montré difficile à maîtriser.

Les immigrants européens établis sur le Mississippi s'attelèrent dès 1717 à contenir ses colères printanières en ébauchant la construction de levées. Par crainte obsessionnelle d'une crue dévastatrice, les habitants de chaque rive élevèrent des digues toujours plus hautes en espérant que le fleuve déborderait en face. La *Mississippi River Commission* mit un terme à cette compétition en 1879 et échafauda un labyrinthe de béton capable de contrôler son débit grâce à l'inondation volontaire de zones inhabitées, les *backwaters*.

Charley Patton a chanté *High Water Everywhere* et la crue particulièrement violente qui submergea le Delta en avril 1927 : les pluies incessantes qui s'abattirent cette année-là au nord gonflèrent le Mississippi jusqu'à faire reculer un affluent majeur comme l'Ohio. Au sud, la montée quotidienne des eaux entretenait un faux suspense à l'issue fatale : au nord de Greenville, la digue céda le 21 avril sur plus de trente mètres, emportant avec elle les *sandbaggers*, les ouvriers qui essayaient en vain d'empêcher la catastrophe. Helena, Greenwood, Holly Ridge, Indianola et Leland furent inondées deux jours plus tard. La fureur du fleuve brisa la digue en cinquante points et déversa son contenu sur soixante-dix mille kilomètres carrés, noyant le Delta et jetant sur les routes des cohortes de familles. La panique gagna le

CENTER FOR SOUTHERN FOLKLORE

Inondations à Memphis.

sud de la Louisiane où l'on dynamitait les digues afin de protéger La Nouvelle-Orléans. A Memphis, le quartier général de la Croix-Rouge orchestra la plus grande opération de sauvetage jamais déployée aux États-Unis. Les eaux se retirèrent six semaines plus tard, laissant derrière elles un pays ravagé. Patton se lamente :

*"Women and grown men down, Ohhhh-Oh
Women and children sinking down (Lord have mercy)
I couldn't see no body home, and wasn't no one to be found."*

Depuis, l'homme a continué d'élever des milliers de kilomètres de digues sans jamais enrayer totalement les caprices du fleuve, comme l'ont brutalement rappelé les inondations de 1993 dans la région de Saint Louis.

BLUES ARCHIVES UNIVERSITY OF MISSISSIPPI

"On partageait le studio avec Muddy et les autres. Il y avait une telle activité à l'époque que Leonard nous demandait de passer outre les petits défauts pour graver le maximum de chansons, parce que les disques se vendaient comme des petits pains." En 1958, Chuck Berry enregistre chez Chess Sweet Little Sixteen, Around and Around *et* Run Rudolph Run.

"Let alone, just to bet at my home back in ol' Saint Lou" chante Chuck Berry dans *Back in the USA*. Charles Edward Anson Berry, né le 18 octobre 1926 en Californie, a aussitôt déménagé avec ses parents à Saint Louis et grandi dans cette maison en bois de deux étages recouverte de revêtement en plastique rouge au motif brique, au numéro 4319 de Labadie Street. De vieux journaux moisissent sur les marches du petit escalier qui mène à un perron désormais envahi par les herbes folles. A l'intérieur, entre murs lépreux et escalier défoncé, la maison porte les marques d'un abandon de plusieurs années. Karen, la voisine, affirme que les Berry l'utilisaient comme résidence de vacances. "Il y a huit ans que je n'ai vu entrer ou sortir quiconque de cette maison" , reconnaît-elle.

Même s'il habite toujours les environs de Saint Louis, Chuck Berry ne fréquente plus la rue de son enfance. Sa vie est ailleurs, sur les scènes du monde entier où il reprend inlassablement les classiques du rock'n'roll qui l'ont propulsé au firmament. Dès le début des années soixante, Keith Richards ne s'exprime plus que sur deux cordes, les Beach Boys se lancent grâce à *Surfin' USA*, une reprise de *Sweet Little Sixteen* et les Beatles placent *Roll Over Beethoven* ou *Rock and Roll Music* dans les hit-parades. Après avoir discrètement emprunté quelques vers au guitariste de Saint Louis dans *Come Together*, John Lennon présenta en guise de réparation une émission télévisée en son honneur. Le leader des Beatles proclama : "si l'on devait rebaptiser le rock'n'roll, il faudrait l'appeler Chuck Berry."

Le chef-d'œuvre fondateur est *Johnny B. Goode*, un hymne à l'introduction flamboyante reconnaissable entre mille, où Chuck Berry fait jaillir des solos sur les deux premières cordes de son inséparable demi-caisse Gibson. Son pianiste et ami de toujours, Johnnie Johnson, auteur d'une superbe envolée sur *Almost Grown*, lui a inspiré de nombreux riffs. Les facéties électriques de Chuck puisent dans le blues et le boogie-woogie comme dans le jazz ou la country. Il les exécute en sautillant dans la longueur de la scène sur une jambe pliée en deux, la guitare le long du corps. Le *duckwalk*, un petit truc appris enfant pour animer les réunions de famille, fait également fureur sur scène. Chuck Berry appartient au panthéon du rock mais il faut être sourd pour ne pas entendre le souffle du blues derrière le hoquet de *No Money Down* ou les réponses de sa guitare à *Carol*.

Il a inventé un style nouveau dont les paramètres intangibles ont parfois été déconsidérés par la critique. La monotonie apparente des chansons de Chuck Berry cache en réalité le lexique du rock'n'roll, des textes simples souvent à base de récits de voitures ou de filles, imparables dans leur humour et leur innovation. Ils renferment aussi une profondeur mélancolique parfois désarmante dans *Memphis, Tennessee*, amère comme son *Brown Eyed Handsome Man*. Berry reconnaît lui-même avoir soigné jusqu'à la perfection ses paroles et sa prononciation, une diction impeccablement blanche qui lui a ouvert des ondes tout public. Un patron de saloon qui l'avait embauché à ses débuts s'était exclamé en le voyant débarquer avec son groupe : "J'peux pas croire que c'est un Nègre qui a écrit *Maybellene* !"

A vingt-neuf ans, Chuck Berry monte à Chicago les bandes de son groupe en main pour trouver son idole et influence majeure, Muddy Waters. Celui-ci le renvoie à Leonard Chess, vite séduit par les perspectives commerciales de *Ida Red* qui devient *Maybellene* à l'été 1955. Un succès sans précédent, court-circuité par le disc-jockey Alan Freed qui s'en approprie une partie

des droits en ajoutant son nom à celui de l'auteur. Cet épisode parmi d'autres enferme l'homme dans une mesquinerie parfois embarrassante - il menace d'arrêter un concert dès qu'il aperçoit une caméra d'amateur dans le public - et précède d'autres ennuis, comme ceux que l'administration fiscale a causés à Chuck Berry à la fin des années cinquante. Il refait surface en 1964, alors que l'invasion du rock britannique a commencé. Les pionniers sont balayés et Chuck Berry ne reviendra sur le devant de la scène qu'à la faveur d'un enregistrement *live* propulsé numéro un au hit-parade à l'orée des années soixante-dix : *My Ding-a-Ling*, chanson espiègle sur son attribut le plus intime. L'air avait toujours subi la censure et Chuck ne le jouait qu'en concert, invitant l'assistance à lui répondre. La brigade des mœurs réagit plus sèchement aux égarements de son *ding-a-ling* en l'envoyant à nouveau derrière les barreaux. *"She's too cute to be a minute over seventeen"* confesse l'auteur de *Little Queenie*, ode aux lolitas.

Johnnie Johnson

Johnny B. Goode, c'est lui. Le rythme inaltérable et l'éblouissante main droite du pianiste ont dopé la guitare de Chuck Berry et le blues d'Albert King. Transfuge du boogie-woogie et de la côte est, Johnnie Johnson demeure un musicien hors norme.

Comment êtes-vous arrivé à Saint Louis ?
Je suis d'abord venu à East Saint Louis en 1952, parce que mon frère y habitait depuis quelques années. Il m'avait trouvé une place aux chemins de fer de Pennsylvanie, pour lesquels il travaillait. J'ai déménagé pour essayer d'améliorer ma situation. Tout se passait à East Saint Louis : les habitants de Saint Louis allaient souvent de l'autre côté pour s'amuser tard, parce que chez eux tout fermait à une heure du matin. Comme on ne pouvait même pas acheter de whisky dans le Missouri le dimanche, les gens ont pris l'habitude de traverser le fleuve et d'aller dans l'Illinois.

C'est à East Saint Louis que vous avez rencontré Chuck Berry ?
J'avais un petit groupe qui tournait bien jusqu'au jour où le saxophoniste, malade, s'est désisté pour le concert du soir. Je crois que ça s'est passé la nuit de la Saint-Sylvestre 1952, au *Cosmo Club*. J'ai appelé Chuck à la rescousse. On a tapé un bon vieux blues, les tubes du moment. Il s'est installé et on ne s'est pas quittés pendant vingt ans.

A quel moment tout s'est-il réellement emballé ?
Quand Chuck a pris une cassette pour l'emmener à Chicago, chez Chess. La meilleure chanson s'appelait *Ida Red*, un air nouveau, mais son titre avait déjà été enregistré par un groupe de Nashville. Leonard Chess a réfléchi et puis il a remarqué une boîte de mascara, posée sur l'appui de la fenêtre, portant l'inscription *Maybellene*. Leonard a suggéré ce titre et Chuck s'est creusé le citron pour y assortir de nouvelles paroles.

Chess n'a gardé que le rythme, en somme ?
Mais quel rythme ! On est entrés dans le studio à huit heures du matin pour enregistrer le 45 tours et on l'a quitté à minuit. *Wee Wee Hours*, sur la face B, ne nous avait pris qu'une demi-heure… Le disque a fait un carton.

Comme *Johnny B. Goode*, qui vous est adressé ?
Disons que ce titre est lié à notre expérience commune : le groupe était toujours sur la route. En général, on avait terminé vers neuf heures et il fallait gagner l'étape suivante. J'avais toujours envie de traîner dans les bars de jazz et parfois de jouer, quand on me laissait le piano. Les autres avaient évidemment filé depuis belle lurette. Je sautais dans un train ou un bus pour les retrouver, c'était épique ! Chuck me demandait constamment pourquoi je ne pouvais pas faire comme tout le monde et rester tranquille. Il me disait en permanence : *"Johnnie, just be good."*

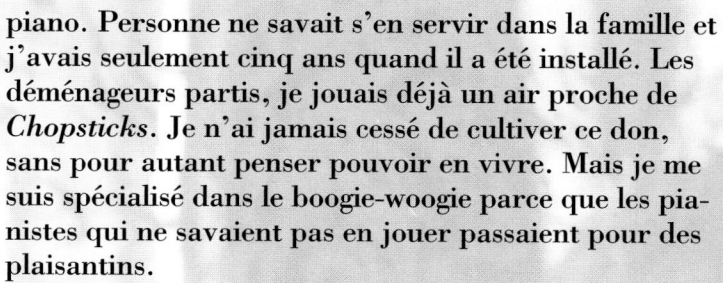

Chuck Berry a aussi avancé que vous étiez à l'origine du solo sur deux cordes qui caractérise son style...

Je lui ai appris plein de trucs qu'il transposait ensuite sur sa guitare. On a beaucoup travaillé de la manière suivante : Chuck se pointait avec un paquet de paroles, on se mettait dans un coin et on trouvait les partitions piano et guitare.

Pourquoi cette interruption, au début des années soixante ?

Chuck s'est retiré de la circulation pendant cinq ans environ, quand il a eu des ennuis avec le fisc. Il a passé quelque temps à donner des concerts en prison et s'est ensuite remis en selle grâce à des tournées en Europe. Comme l'avion me faisait crever de trouille, je lui ai dit qu'il n'avait qu'à trouver un autre pianiste sur place.

Pendant ce temps, vous accompagniez Albert King ?

J'ai toujours aimé le blues et ces années ont vraiment été fabuleuses. Attention, ça ne veut pas dire que je n'aime pas le rock. Je garde un excellent souvenir des années passées avec Chuck, comme le confort matériel qui en a découlé. Mais j'ai toujours baigné dans le blues et je m'y exprime mieux, plus sereinement. Les morceaux de Chuck demandent essentiellement un *shuffle (il bouge ses doigts pour mimer)*, ceux d'Albert me laissent davantage de liberté. J'ai toujours suivi la mode pour pouvoir passer d'un style à l'autre.

Où avez-vous commencé à vous intéresser à la musique ?

En Virginie occidentale, où je suis né. Les bluesmen ne courent pas les rues dans ce coin. J'ai grandi en écoutant une émission nocturne qui diffusait de la country et des *big bands*, et puis ce programme qui venait de Pittsburgh, sur KDKA, *The Dawn Patrol*. Ma mère possédait des disques de Bessie Smith et d'Ethel Waters... Voilà pour mes influences.

Et le piano ?

Mon père travaillait dans une mine de charbon des Blue Ridge mountains. Il ne rapportait pas des milliards mais gagnait assez bien sa vie pour acheter un piano. Personne ne savait s'en servir dans la famille et j'avais seulement cinq ans quand il a été installé. Les déménageurs partis, je jouais déjà un air proche de *Chopsticks*. Je n'ai jamais cessé de cultiver ce don, sans pour autant penser pouvoir en vivre. Mais je me suis spécialisé dans le boogie-woogie parce que les pianistes qui ne savaient pas en jouer passaient pour des plaisantins.

Les événements ont-ils décidé pour vous ?

Je suis entré dans les Marines en 1943 et on m'a envoyé dans le Pacifique Sud. Là-bas, j'ai rencontré des musiciens qui formaient un groupe appelé les Barracudas. Il y avait Lee Dorsey et des gars de l'orchestre de Count Basie et de Glenn Miller. Le gratin, quoi. J'ai eu la chance d'être le pianiste attitré du groupe, qui accompagnait les soldats d'île en île et jouait le soir pour les distraire. J'ai adoré cette période et je me suis promis de tenter ma chance dans la musique dès la fin de la guerre. Sans penser que ça me mènerait aussi loin, d'autant qu'au retour je me suis d'abord retrouvé sur une chaîne de montage Ford à Detroit.
Je ne jouais que le week-end, vendredi, samedi et parfois le dimanche. En 1949, j'ai déménagé à Chicago où j'ai rencontré tous les grands : Muddy Waters, Memphis Slim, Howlin' Wolf, Little Walter...

Aujourd'hui, ce sont les grands qui se déplacent pour vous, comme les Rolling Stones...

N'exagérons rien. A leur dernière tournée, dans le stade de Saint Louis, ils m'ont invité à les rejoindre sur scène. Cette année, ils passent tout près, à Columbus, Ohio, et m'ont réitéré la proposition. J'ai accepté avec plaisir, Mick et Keith sont des amis.

Les Stones et une infinité d'autres groupes de rock ont construit leur gloire sur vos chansons. Faut-il y voir une injustice ?

Non, c'est comme ça. Quand Chuck est arrivé, les gens qui tenaient le show business n'étaient pas prêts à voir des Noirs réussir. Tout ça a changé et le blues y a gagné un énorme respect.

W.R. FERRIS SPECIAL COLLECTIONS UNIVERSITY OF MISSISSIPPI

"Everybody understands the blues. Are you listening ?
I say everybody understands the blues, everybody from
one day to another has the blues. Can you dig it ?
This is blues power !"

Albert King en concert

Tout sépare Chuck Berry d'Albert King, l'autre monstre
sacré de Saint Louis. Le premier a créé un univers
tandis que le second s'est dirigé vers un blues
traditionnel bien qu'électrique, mais les deux guitaristes
ont chacun bénéficié des services du meilleur pianiste
de la région : Johnnie Johnson.
Quand il pose ses valises à Saint Louis en 1956, Albert
King en impose déjà grâce à une présence physique
hors du commun. Son mètre quatre-vingt-dix et ses cent
dix kilos lui permettent de se faire rapidement une
place au *Havana*, au *Latin Quarter* ou au *Moonlight
Lounge*, les bars les plus chauds. Le parcours du

colosse commence trente-trois ans plus tôt, en 1923 à Indianola, Mississippi, quand il voit le jour dans le foyer d'un prêcheur itinérant et d'une choriste d'église. Comme la majorité de ses contemporains, Albert Nelson s'initie aux rudiments de la musique sur un *diddy bow* avant de fabriquer sa première guitare avec une boîte à cigares. Adolescent, il traverse le fleuve pour gagner sa vie aux alentours d'Osceola, Arkansas, où son goût pour la musique - il affectionne alors la batterie - le mène au *T-99 Club*, un établissement fréquenté par des musiciens de Memphis.

Inspiré par la célébrité grandissante de B.B. King, né à deux pas de chez lui, il s'approprie son nom et invente un lien de parenté imaginaire. Sur scène, Albert King se taille un prénom grâce à un style dense et flamboyant, une attaque de notes exceptionnelle dictée par des contingences techniques : gaucher naturel, il joue à l'envers sur une guitare de droitier et n'utilise pas de médiator, pinçant plusieurs cordes à la fois pour en tirer un son tranchant. King enregistre ses premiers titres en 1953 à Chicago, mais regagne bientôt l'Arkansas, persuadé d'avoir été floué par sa maison de disques. Il emménage à Saint Louis trois ans plus tard, où triomphent Ike Turner et Little Milton.

L'homme à la pipe se choisit pour compagne une Gibson excentrique, la *Flying V*, qu'il porte en bandoulière comme une fourche électrique, intègre un piano et des cuivres dans son groupe et se hisse au niveau des stars. King signe en 1966 chez Stax à Memphis, où l'accompagnent souvent les MG's et les Memphis Horns. Le mariage du blues et de la soul accouche l'année suivante d'un crescendo de guitare soutenu par une irrésistible cascade de cuivres : *Born Under a Bad Sign* ou le début de la gloire. Albert King devient un pilier des *Fillmore* - les salles de concert de New York et de San Francisco où se pressent les amateurs de rock - et l'une des principales sources d'inspiration des guitares d'Eric Clapton ou de Johnny Winter. Riche et célèbre, King égare son œuvre dans la mièvrerie des années soixante-dix mais sauve sa réputation grâce à des prestations scéniques dont les fleurons, *Albert Live* et *Blues at Sunrise*, retranscrivent fidèlement la puissance nonchalante. Albert King annonce sa retraite musicale mais le cabot ne s'en offre pas moins une kyrielle de tournées d'adieux à faire pâlir de jalousie Frank Sinatra. C'est d'ailleurs à la veille d'un nouveau *European Tour* que la mort le surprend en 1992.

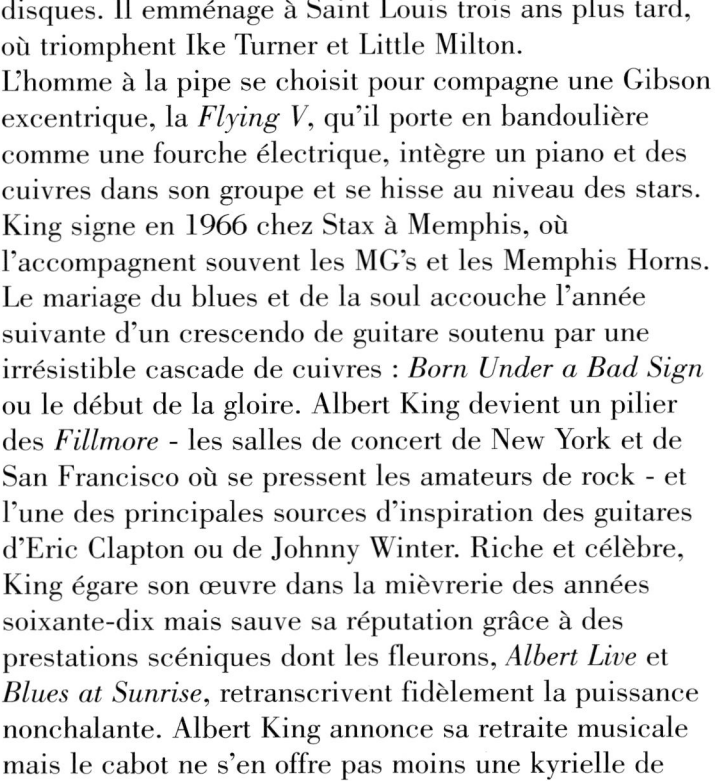

Sa disparition n'a pas entamé le blues de Saint Louis, dont l'actuel ambassadeur est Big Bad Smitty. Taillé comme un boxeur, Smitty est connu pour son mauvais caractère et un jeu de guitare de la même trempe, âpre et tendu. Depuis son installation dans le Missouri à la fin des années soixante, il a joué des dizaines de fois dans chaque club de la ville son *Lonely Man*, étonnante rencontre de Howlin' Wolf et de Hound Dog Taylor. Son agent, Joel Slotnikoff, l'a entendu pour la première chez *Spraggan's*, un bar de la principale artère du quartier noir : "Il cassait la baraque sur Martin Luther King Boulevard, j'en avais des frissons dans les jambes. Quand je lui ai demandé s'il était disposé à jouer ailleurs, il s'est tout de suite montré intéressé : plus tard, j'ai appris que le patron se contentait de lui payer

Big Bad Smitty

Joel Slotnikoff

à boire." Après l'anonymat et les cachets ridicules, Big Bad Smitty perçoit aujourd'hui les dividendes de son acharnement. *Mean Dispositions*, son premier album, a recueilli les louanges des amateurs américains trop heureux de trouver dans ce personnage imprévisible et bourru une alternative aux parangons de docilité. Aux côtés de Big Bad Smitty, de nombreux musiciens entretiennent la flamme dans les clubs disséminés autour du Martin Luther King Boulevard. Le *Manhattan*, le *Red Top* ou le *Havana*, qui tenaient le haut du pavé dans les années cinquante, ont fait place au *Club 54* ou à *Irma LaGrand's Lounge* mais le son de la ville reste gorgé d'électricité et empreint de la même ferveur que son cousin du Delta.

Calfeutré derrière une anonyme façade de brique, le *Club 54* fait passer ses clients sous le détecteur de métaux qui en barre l'entrée. Deux portiers veillent sur cet établissement suranné et dévisagent le nouveau venu. Standing oblige, on interdit les armes, les appareils photo et les baskets. Franchir le seuil du *Club 54*, c'est prendre en route un mauvais film des années soixante-dix. Des serveuses condescendantes s'acquittent nonchalamment de leur tâche sous une pluie de guirlandes lumineuses. La première salle est occupée par une fontaine rococo, sorte de jungle miniature baignée d'une lumière violette. Accoudé au bar, Big George savoure un whisky bien tassé, indispensable mise en bouche à une imminente prestation scénique. Costume, chaussures et nœud papillon blancs, jabot et pochette bleu vif, l'harmoniciste du Mississippi a l'allure du parfait maquereau. Le *Club 54* est un endroit réservé, moquette épaisse, plantes grasses et tarifs à l'avenant. Ici, l'or se porte ostensiblement et les billets claquent dans les doigts. Sur le parking privé, un voiturier débraillé contemple les cabriolets cerise ou jaune citron qui attendent le retour de leurs propriétaires. Le tour de chant de Big George sort le public de la torpeur dans laquelle l'avait plongé Oliver Sain, une vieille gloire locale. L'horloge vestimentaire de Big George s'est arrêtée en 1975, sa musique aussi : il attaque par un *Front Door Man*, plagiat travesti du *Back Door Man* de Howlin' Wolf. La clientèle féminine ricane et applaudit à l'introduction poussive de *My Babe*, une autre composition de Dixon dont Big George a modifié les paroles pour ne pas verser de royalties. Une demi-douzaine de chansons passent avant que le sapin de Noël déguisé en harmoniciste ne cède sa place au chanteur et guitariste David Dee, un habitué du club qui a exploré les recoins du *chitlin' circuit* - raccourci de *chitterlings*, littéralement 'intestins', il désigne le public noir par opposition au *Lounge circuit* - de Birmingham à Jackson ou Atlanta. Vêtu d'une veste à paillettes et d'un pantalon de satin noir brodé de cœurs, David Dee se glisse derrière le micro sous une pluie de sifflets égrillards. Le groupe du club tourne consciencieusement sur un solo de guitare. Ni le batteur, au jeu métronomique, ni la bassiste ne daignent décocher un sourire au public qui réclame avec insistance *Goin' Fishin*, le titre qui lui a valu son quart d'heure de gloire dans la région. L'histoire raconte l'exaspération d'une femme devant la mollesse de son mari cloué devant sa télévision du matin au soir. David Dee attaque sa pièce maîtresse et chante avec une légèreté qui fait parfois défaut à ses confrères,

David Dee

"She woke me up real early, she said 'I can't be late'
'I got to get on down there, cause the fish just won't wait'
I don't know where she's goin' fishin',
Don't know what kind of bait she's gonna use
She had on a pretty red dress, and a brand new pair of shoes"

Une fille hurle du fond de la salle des commentaires élogieux sur le physique de David, hilare comme tout le monde : *"I'll wait but if you fish too long I won't be there."* David Dee a emprunté le ton rapide et précis d'Albert King, gaucher comme lui. Son jeu, comme ses longs vibratos, ne sont pas nécessairement audacieux mais ils tombent juste. Dee a un autre show programmé au même moment à l'autre bout de Saint Louis et son orchestre se chauffe en boucle en l'attendant. Un habitué souffle qu'il lui est déjà arrivé de se produire dans trois bars différents le même soir, mais précise que la vedette soigne désormais sa vie de famille et rentre pour voir sa femme et ses cinq filles.

A trois blocks de là sur le même Grand Boulevard, *Irma's LaGrand Lounge* regarde s'écouler le trafic chargé d'un soir de fin de semaine. Le cigare aux lèvres, un policier profite du feu rouge pour engager la conversation avec deux jeunes femmes. Le béton fissuré du trottoir annonce un blues urbain, âcre comme la fumée du tabac bon marché qu'on fume dans la taverne. Le bruit de la circulation ne couvre pas celui de la fête. Les musiciens profitent d'une pause pour griller une cigarette dehors et discutent avec le vigile de la boîte. Bennie et Charles, les deux guitaristes, s'échangent quelques amabilités bien senties. "Lui, il m'accompagne" s'esclaffe Bennie en regardant Charles Taylor qui maugrée. "Écoutez-moi ça, il sait pas tenir une guitare ! T'étais encore qu'un môme que je jouais avec Albert King" lâche Taylor en se tapant sur les cuisses avant de regagner *Irma's*, un bras sur l'épaule de son acolyte.

Les musiciens rejoignent leur place au milieu d'une pagaille monstre dont profite Joyce Davenport pour s'emparer du micro. La voix chaude et sensuelle de la chanteuse couvre bientôt le bruit des chaises et des conversations. Le temps pour le bassiste de brancher son instrument et le show redémarre sur un blues âpre et musclé qui tourne au millimètre. Un jeune homme succède à Joyce et embraye sur une version chaloupée de *King Bee* que son harmonica maintient à flot. Attablé sous un énorme ventilateur, Arthur Williams attend son heure, le regard masqué par d'antiques lunettes de soleil, une casquette vissée sur le crâne.

SAT Morning Breakfast
Everyone's WELCOME
NOON
COUGAR DARTS

Arthur Williams

Chacun connaît ce visage impavide et vient le saluer. Depuis trente ans qu'il habite Saint Louis, Arthur 'Razor' Williams n'a jamais passé un week-end chez lui et préfère les bars où son harmonica résonne tard dans la nuit. D'un air las, il tend un pourboire à la serveuse qui enfouit aussitôt le billet dans son décolleté. Un peu plus loin, des joueurs de fléchettes, hermétiques à l'agitation de la salle, se livrent une partie acharnée. Des larsens percent à travers les haut-parleurs placés au fond de la salle, là où le bruit et l'ambiance couvrent presque la musique. Quelques hommes titubent, vaincus par l'alcool, le regard voilé par une fumée destructrice. D'autres sont venus s'amuser en famille. Un groupe se forme autour d'une grand-mère qui vient de jeter sa canne pour mieux suivre de tout son corps le rythme que martèle le groupe. Bennie Smith se colle au micro pour un *Stagger Lee* balancé comme un twist. Son association avec Charles Taylor fonctionne

à merveille : pendant qu'il hurle, ce dernier place des *licks* discrets puis un solo virevoltant. Les deux compères enchaînent les titres avec une égale intensité et les amplis ronflent.

La pendule marque une heure du matin et annonce la fermeture imminente des bars de Saint Louis. Depuis les années cinquante, les noctambules ont pris l'habitude de traverser le Mississippi sous un plafond d'étoiles. De l'autre côté du fleuve, East Saint Louis attend l'heure creuse pour lancer la fête. Avant de quitter le Missouri, quelques musiciens discutent sur le parking d'*Irma's LaGrand*. Arthur Williams évoque une collaboration avec Frank Frost. "Frost ? Il ne peut même plus tenir une guitare ! A peine son harmonica" se voit-il rétorquer. Williams coupe : "*Maybe, but he still got the blues.*" Le cortège s'ébranle vers East Saint Louis, dans l'Illinois.

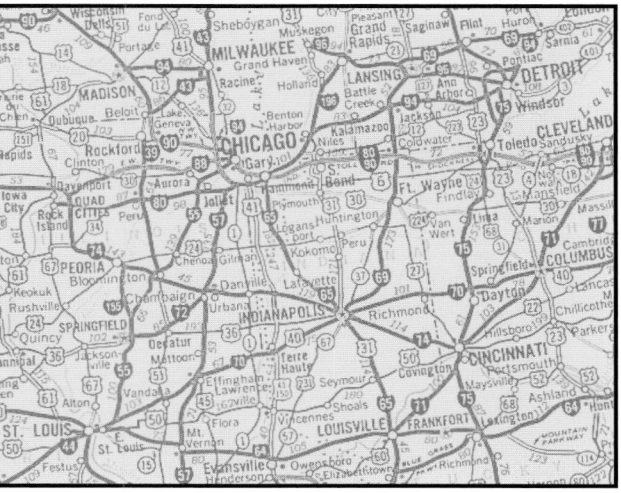

9

LA FIÈVRE DU NORD

L'énorme pont qui arrime le Missouri à l'Illinois plonge dans la carcasse fantomatique d'East Saint Louis sous le regard indifférent d'une lune nébuleuse. L'endroit, jadis réputé pour sa richesse, tombe en ruines.

Des lampadaires clairsemés luttent contre l'obscurité qui enveloppe les rues défoncées. Au bout de la nuit, dans une ville où rien ne luit, *Tubby's Red Room* ouvre ses portes. Il est deux heures.

Des voitures se sont arrêtées un peu par hasard sur le terrain recouvert de gravier qui fait office de parking. A la lueur vacillante d'un réverbère, deux hommes déchargent d'un pick-up l'ampli et l'étui rectangulaire d'une guitare Fender d'un autre âge. Ils les portent à bout de bras jusqu'à l'entrée du bouge. Derrière eux, deux couples s'étreignent dans des paquebots aux phares éteints alors qu'un groupe traîne autour de la camionnette qui sert du poulet frit aux noctambules.

Un son épais s'échappe du bar où le groupe assène *Hey, Hey, the Blues is Alright !* de Little Milton.

Le cerbère qui garde l'entrée est épais comme un roc et pas franchement affectueux. 'Stumpy' se balance sur sa chaise, les yeux rivés sur le dehors, une liasse verte serrée dans la main. *Tubby's Red Room* la bien nommée se résume à une longue salle où seul l'immense bar de formica blanc échappe au halo rougeoyant qui baigne la pièce. Des lumières au plafond en passant par les tables, la taulière - Margret Stepp, surnommée 'Tubby' en raison de ses rondeurs généreuses - a recouvert son antre de vermillon. Tout ce que les deux villes comptent d'amateurs de blues semble s'être donné rendez-vous le long du comptoir. Charles Taylor arrive bientôt, flanqué de l'inévitable Bennie.

Comme les musiciens s'arrêtent un instant, Taylor grimpe sur la petite estrade, sa guitare à la main. Quelques réglages, trois mots avec le batteur et le groupe improvisé démarre immédiatement avec un morceau pétrifiant. Le second guitariste inculque un rythme de plomb à l'ensemble qui trouve sa vitesse de croisière avec l'appui de la basse et de la batterie. La puissance du quatuor irradie. Dans le fourneau du club, des ombres se détachent du bar et gagnent le milieu de la pièce, où le linoléum usé par des nuits de danse laisse

voir un plancher couleur poussière. Un vieil homme fluet s'agite contre la croupe généreuse d'une danseuse. Les guitares lancent des traits de feu. Sur sa Gibson dorée, Taylor lacère un riff frénétique, un boogie shooté à l'adrénaline à défriser les barbes de ZZ Top. Un son gras et râpeux, griffé de solos secs et précis, proche du style de son homonyme Hound Dog. Skeet s'en mêle, les fûts tremblent sous une salve de coups tendus. Là où certains ne frapperaient qu'une fois, il assène une rafale. De minces filets de sueur courent sur sa nuque rasée. A côté de lui, le bassiste tient la boutique, un large sourire enfoui sous sa barbe noire. Les amplis vomissent un groove incandescent sur lequel s'abandonnent les danseurs et l'alcool mêle ses effluves aux relents sudatoires. Le gratin de Saint Louis défile sur scène. Bogo Davis, un batteur dont la mine réjouie et les cheveux bouclés évoquent Albert Collins, C.W. Wright et Dan Lee Taylor relaient sans faiblir le groupe précédent. La scène est ouverte à qui veut la prendre, pourvu qu'il serve le blues. Au fond de la pièce, une porte s'entrouvre parfois et des silhouettes se glissent vers l'arrière-salle où un tripot maison reste lui aussi ouvert jusqu'à l'aube, quand s'éteint la dernière note.

Le jour naissant dévoile alors le spectre d'une ville hagarde. Les derniers grands immeubles de brique de East Saint Louis pourrissent sur pied, à des lieues de leur faste d'antan. "Il y avait des meurtres, de la prostitution et du whisky de contrebande mais pas de drogue ni de gangs. Tout s'est brutalement détérioré pendant les quinze dernières années," précise Johnnie Johnson. Miles Davis fréquentait la Lincoln High School et Chuck Berry cassait la baraque au *Cosmo Club* sous les yeux d'Ike Turner ou de Little Milton. Le décor de Collinsville Avenue n'a pas changé depuis, mais tous sont partis. Une file de voitures bute sur un passage à niveau où, dans un grondement interminable, passe un train de marchandises. Ailleurs, des figurants errent sur les quais déserts du métro. Terminus East Saint Louis, que les autoroutes ont saigné à blanc, drainant avec elles la prospérité. La ville survit dans l'ombre de l'Arche et de la richesse de sa sœur aînée. Seules des raisons fiscales ont poussé un casino à s'installer sur le Mississippi, côté Illinois, et si les promoteurs ont eu soin d'en rénover la route, ils n'ont pas pris la peine de la raccorder au réseau municipal.

Bernard Allison, né à Chicago en 1965

Première ville de l'Illinois, East Saint Louis signale le commencement de l'immense complexe industriel qui court vers l'est et les Grands Lacs, de l'autre côté de la ligne Mason-Dixon. Ce Nord dont plusieurs générations de migrants ont rêvé ne les a pas forcément accueillis à bras ouverts. D'abord manipulés par les employeurs pour briser les grèves, puis exclus par les syndicats, les Noirs, "derniers embauchés et premiers licenciés", s'intègrent à l'usine au prix fort.

"I'm going to Detroit, Michigan,
I'm gonna have you behind
I'm gonna get me me a brand new job
On the Cadillac assembly line"

Le refrain d'Albert King n'a pas vieilli sous les riffs acérés de Bernard Allison. Il résume l'esprit de Detroit, nichée au fond de la *rust belt*. La capitale américaine de l'automobile a prêté son surnom au label qu'elle a enfanté, Motown, contraction de *Motor Town*. Véritable usine à succès, Motown a rayonné sur les hit-parades avec Smokey Robinson, Diana Ross, les Four Tops, Marvin Gaye ou Stevie Wonder. Dès sa création en 1959, la marque de Berry Gordy mélange les genres : *"This is soul, this is rock, this is Motown !"* Grâce aux mélodies imbattables d'une équipe de compositeurs hors pair, comme Carole King et Gerry Goofin ou le trio Eddie Holland, Lamont Dozier et Brian Holland, Motown s'est hissé au niveau des plus grandes maisons de disques.

MICHAEL OCHS ARCHIVES

John Lee Hooker

L'autre nom prestigieux identifié à Detroit est celui de John Lee Hooker, qui a opté pour les rives du lac Saint Clair comme il aurait pu choisir celles du Michigan. Muddy Waters appréciait le style exceptionnellement *deep* du blues de Hooker et les deux hommes composent, avec B.B. King, le trio le plus influent de l'après-guerre. "Le blues du Delta est plus rythmique, plus intense et plus lourd que les autres" remarque Hooker, qui en a injecté des doses massives dans son boogie. Il sourd dans ses albums comme une longue plainte sous sa voix caverneuse, truffée de grognements et d'incantations. Un effet "hypnotique et irrésistible," note Greg Drust à propos de ce "géant qui a passé la musique du Delta au filtre de sa vie pour la donner au monde." Le style est identifiable au premier instant, comme la touche de B.B. King.

Hooker naît à Clarksdale en 1917 dans une famille de onze enfants. Son beau-père, Will Moore, forme son jeu de guitare depuis que ses parents se sont séparés. La mère du garçon ne l'entend pas ainsi et lui défend de poursuivre dans cette voie sous son toit.

"Je labourais toute la journée et j'en ai eu assez du maïs et du coton, rappelle Doc Hook. Alors j'ai décidé de me consacrer exclusivement à la musique et je suis devenu le mouton noir de la famille..." Il monte à Detroit en 1943 et, tantôt ouvreur à mi-temps dans un cinéma, tantôt plongeur, John Lee Hooker effectue toutes sortes de petits boulots pour gagner sa vie. Le soir, il hante les bars de Hastings Street à la recherche de la célébrité. Les paupières tombantes, le front dégarni jusqu'au sommet du crâne, Hooker ressemble à un iguane sacré, un "chaman" dira l'ancien chanteur des Irlandais de Them, Van Morrison. Il jette en 1949 un rythme primitif accroché à un seul accord : *"Boogie Chillun"*, lance Hooker après une pause, en reprenant la mesure avec les pieds. Le voyant faire, l'ingénieur du son place astucieusement une planche de bois sous ses chaussures pour s'en servir de caisse de résonance. Hooker transpose les images directement issues de l'expérience quotidienne dans des compositions plus tardives comme *Boom Boom*, en 1962 : "Je travaillais à mi-temps dans un restaurant et j'avais régulièrement un bon quart d'heure de retard. En me voyant arriver, la patronne tapait sur sa montre en fronçant les sourcils et répétait 'boom boom'. Il ne restait qu'à ajouter la musique." Un riff nerveux dont les Animals, Canned Heat et Bruce Springsteen ont célébré le génie en trois décennies de rock. Ces innombrables reprises puisent dans l'un des répertoires les plus prolifiques du genre avec celui de Lightnin' Hopkins. *Crawlin' King Snake*, *I'm in the Mood* ou *Dimples* et son lancinant refrain, *"I got my eyes on you,"* sont devenus des classiques. John Lee Hooker excelle dans le boogie et développe parallèlement un répertoire plus lent, mais aussi admirable. Hooker joue un grand nombre de titres en solo avec un toucher unique de simplicité, sans autre accompagnement que ses pieds. Quand il caresse les cordes de sa guitare, la main droite enjôleuse entraînée par le majeur et l'autre calée sur le bas du manche, ses phalanges ponctuent les mélopées par des borborygmes infinis. "Je m'assieds dans un studio et j'improvise. Peu de musiciens savent faire ça, c'est un don prodigieux," reconnaît-il humblement. Son talent extraordinaire s'est parfois couplé avec des partenaires insolites comme les Vandellas, un groupe phare de Motown, avant d'essaimer sur plusieurs labels pour échapper à celui des frères Bihari : lié par un contrat véreux aux disques Modern, Hooker l'a contourné ingénieusement en empruntant différents pseudonymes, de 'Sir John Lee Hooker' à 'Texas Slim', John Lee 'Booker', voire 'Cooker'.

ARCHIVES PHOTOS

Detroit au début des années soixante : Martin Luther King conduisait les freedom rides

Arrivé avec la seconde vague migratoire, John Lee Hooker n'a pas connu le déchaînement de violence consécutive à la première. La frange industrielle du Nord voit surgir au début du siècle des centaines de milliers de Noirs et, dans les grandes zones urbaines où les nouveaux venus s'installent, les tensions sont exacerbées : des émeutes éclatent en 1908 à Springfield, puis à Chicago en 1917. Au mois de juillet de la même année, East Saint Louis est le théâtre d'affrontements sanglants qui font plus de cinquante victimes. La migration consécutive à la Seconde Guerre mondiale est accueillie avec la même hostilité. T-Bone Walker jouait dans les clubs de Detroit pendant les événements de 1943. "Il a fallu nous emmener en toute hâte à la gare, d'autres cachaient leurs visages pour filer, a-t-il raconté à *Living Blues*. C'était une émeute raciale. Elle avait commencé à la limite des deux quartiers, sur Woodward Avenue, et les gens se bat-taient dans la rue."

Dans cette Amérique des marges, de Cincinatti à Chicago, de Gary à East Saint Louis, des centaines d'ar-restations succèdent au chaos. Le quartier le plus chaud

Chicago dans les années trente

se trouve à l'orée de Chicago : c'est le *South side*. Le producteur Bruce Iglauer, fondateur d'Alligator, rappelle que "les propriétaires rechignaient à louer des appartements aux Noirs. Il n'y avait qu'autour d'Indiana Avenue, dans un quartier pauvre au sud du centre ville, qu'ils parvenaient à trouver rapidement un toit. Le ghetto du *South side* s'est développé avec la Première Guerre mondiale sur une longue bande étroite qui descendait jusqu'à la Cent-dixième rue." Il devient l'âme de la plus grande communauté urbaine noire des États-Unis.

Dans le contexte racial difficile de la Prohibition, le jazz connaît ses heures de gloire. Le blues perce aussi dans les *speakeasies* sous l'impulsion de Tampa Red, un jeune homme de Georgie surnommé le 'sorcier de la guitare', et le pianiste Georgia Tom Dorsey : les Hokum Boys s'imposent à Chicago. L'appartement de Tampa Red accueille de nombreux musiciens venus tenter leur chance dans la métropole, comme Willie Dixon. Lorsque Dorsey rejoint définitivement le camp de l'Église pour se consacrer au gospel, Tampa Red s'adjoint les services de Big Maceo et multiplie les sessions pour Lester Melrose.

Avec le label Bluebird dont il prend la tête à la veille de la Dépression, Melrose rationalise les méthodes de production. Big Bill Broonzy, John Lee 'Sonny Boy' Williamson, Roosevelt Sykes, Memphis Minnie, Washboard Sam et Lonnie Johnson se coulent successivement dans le moule du *Bluebird sound*. Invariablement tenus par les mêmes musiciens, la basse, la batterie et le piano assurent aux enregistrements une assise rythmique infaillible, au risque d'uniformiser la production à outrance. Renforcé dans ses convictions par la progression des ventes et la notoriété du label, Melrose brille à Chicago jusqu'au lendemain de la Seconde Guerre mondiale où sa méthode s'essouffle, par trop répétitive. Willie Dixon, alors leader du Big Three Trio, lui reproche son manque d'imagination. Le producteur laisse effectivement passer sa chance une dernière fois en 1946, lorsqu'il renâcle sur Muddy Waters. "Ces gens ne pensaient qu'à vendre" notait ce dernier trente ans plus tard en songeant aux trois morceaux qu'il a chantés chez Bluebird, avant de signer sur Aristocrat.

Little Milton

Sun, Chess et Stax ont gravé le punch de sa voix et l'élégance de son toucher de guitare,
mais cette brillante carte de visite n'a jamais réellement séduit le public blanc. De East Saint Louis
au South side de Chicago, où il habite un pavillon confortable, Milton Campbell se penche sur
sa carrière et les deux hommes qui l'ont jalonnée : Ike Turner et Leonard Chess.

Quand avez-vous emménagé à East Saint Louis ?
J'ai quitté le Delta en 1955 sur les conseils d'Ike Turner, qui avait déjà franchi le pas. Il m'a dit que ça marchait bien à East Saint Louis, je l'ai écouté et bien m'en a pris. Mon nom a commencé à être aussi connu que le sien, à raison de quatorze concerts par semaine, soit un par jour et trois fois plus les week-ends, sans compter les émissions de radio. Le soir on jouait à Saint Louis et à la fermeture on traversait le Mississippi pour aller au *Manhattan* et au *Harlem Club*, à East Saint Louis.

Comment connaissiez-vous Ike Turner ?
Nous avons grandi dans le Delta, moi à Leland et lui à Clarksdale. On s'est beaucoup vus quand j'ai commencé à me produire régulièrement avec mon groupe, les Playmates of Rythm. Ike s'occupait du recrutement chez Sun et m'a fait signe. Il était l'intermédiaire entre Sam Phillips et les autres musiciens. Je ne m'intéressais pas aux contrats à l'époque parce que le simple fait d'enregistrer un disque était fabuleux et je me suis bêtement fait rouler. En tout, j'ai dû gagner une

soixantaine de dollars chez Sun avec *Somebody Told Me*, une reprise de B.B. King. J'y ai également chanté *Milton's Boogie Woogie*, la première chanson porteuse du *'Little Milton sound'*.

Comment le définiriez-vous ?
C'est un son riche et terre à terre, sans trop de cuivres ni de guitares. Je m'entoure de sept musiciens et de deux choristes pour obtenir le même résultat sur scène qu'en studio. Le *Little Milton sound* ressemble davantage à de la soul bluesy qu'à du douze mesures classique. Disons que je joue un blues plus large et plus contemporain où se mêlent toutes mes influences. Dans le Mississippi, j'écoutais du Delta blues mais aussi Nat King Cole, Frank Sinatra, Sammy Davis Jr ou Big Joe Turner. Sans oublier celui qui est devenu mon idole pour son jeu de guitare extraordinaire et sa diction impeccable, T-Bone Walker.

Après Memphis, vous avez poursuivi votre chemin vers le Nord, en signant chez Chess.
Mon premier disque chez eux est sorti en novembre

1964. C'était une reprise de Bobby Bland. *Blind Man* est allé jusqu'au bout et j'ai aligné deux autres hits derrière, *Who's Cheating Who* et *We're Gonna Make It*, qui est sorti pendant la lutte pour les droits civiques. Les paroliers, Maynard et Smith, l'avaient écrite spécialement pour moi. Vous pouvez deviner que mes rapports avec les frères Chess étaient excellents… Je m'entendais particulièrement bien avec Leonard, il y avait une proximité entre nous, un respect mutuel. J'allais le voir dans son bureau dès que le besoin s'en faisait sentir. C'était un dur en affaires, mais si vous défendiez votre biscuit il vous respectait et savait changer d'avis. Financièrement, je n'ai pas à me plaindre de mes années passées chez Chess.

Alors pourquoi être parti ?
En 1969, la mort de Leonard a précipité les choses. Je n'ai rien contre Phil, mais c'est son frère qui incarnait le label. Sa disparition a laissé apparaître des divergences et des rancœurs entre les deux générations de musiciens. Mon succès et ma parfaite entente avec Leonard en irritaient plus d'un et, quand la boîte a commencé à péricliter, on m'a cherché des poux dans la tête. Stax me faisait les yeux doux et je suis donc parti.

Mais vous êtes resté à Chicago ?
Je n'ai pas bougé depuis 1967, je me sens bien ici. L'un de mes premiers souvenirs dans cette ville est lié au disc-jockey Big Bill Hill qui officiait sur WOPA, une radio du *West side*. On était montés d'East Saint Louis, il nous a présentés sur les ondes et nous a trouvé un engagement dans un club en vogue, le *Roosevelt Ballroom*. C'est devenu la folie : on a fini par aligner quatre concerts dans la même journée parce que les gens faisaient la queue depuis le début de l'après-midi. La plupart d'entre eux venaient du Sud, où ils avaient déjà entendu mes chansons.
Je me fais un peu plus rare dans le coin : ça ne rapporte rien ! Aujourd'hui, je passe neuf mois par an sur la route, à raison de trois ou quatre concerts par semaine.

Comment expliquez-vous que le public blanc vous méconnaisse ?
Je joue devant un public noir, c'est un fait. Cette situation ne me satisfait pas forcément mais je l'accepte. C'est le *chitlin circuit* qui m'a fait et je ne vais pas m'en plaindre. J'aurais seulement préféré que ma musique soit acceptée par tout le monde, ou qu'elle soit au moins accessible à tous. Elvis n'a rien inventé en remuant les hanches. Les Noirs le faisaient depuis pas mal de temps. Mais Jerry Lee Lewis et lui ont eu la chance d'être exposés au grand public par des imprésarios, comme Alan Freed, qui n'auraient jamais pris ce risque avec des vedettes noires. Tout cela n'a pas forcément changé.

Le *South side* s'étale dans une succession inégale de blocks plus ou moins entretenus, parsemés de HLM qui s'étiolent, d'immeubles à l'abandon ou parfois d'écoles neuves serties d'avenues bien goudronnées. Il tourne au ralenti en comparaison du *Loop*, le quartier d'affaires. Les rares passants se croisent devant des épiceries où des bars. A l'est, la pauvreté a pignon sur rue et filtre à travers les fenêtres aveugles des appartements condamnés. Une pancarte *'Door of Hope, Rescue Mission'* a été accrochée sur l'entrée d'une maison où se tient un homme cravaté.

Dans l'encadrement de la porte, il regarde deux enfants qui s'amusent sous ses yeux.
Entre les Trente et unième et Trente-deuxième rues, Giles Avenue est comme coupée en deux : un trottoir propre moquetté de gazon entoure des pavillons individuels confortables et contemple son vis-à-vis, moins bien loti. Une ruine louche sur des plaques de béton inégales, constellées de détritus et d'éclats de verre. C'est ici qu'une nuit de juin 1948, de retour du *Plantation Club*, John Lee 'Sonny Boy' Williamson fut poignardé. Blessé et perdant son

sang, il trouva cependant assez d'énergie pour se traîner jusqu'à son appartement et appeler au secours. Persuadée qu'il s'agissait d'une nouvelle débauche, sa femme ne descendit qu'à cinq heures du matin s'enquérir de l'état du fêtard. Le premier 'Sonny Boy' du nom était mort avant d'arriver à l'hôpital.

Au croisement de la Quarante-septième rue et de Vincennes, une école transformée en logements sociaux est en proie aux flammes. Depuis le gigantesque incendie de 1871 qui réduisit en cendres la *Ville des Vents*, toute fumée déclenche un hurlement de sirènes. Cinq camions du Chicago Fire Department convergent vers l'immeuble en feu, bouclent le pâté de maison et déploient leurs antennes secourables. Appuyant sa botte noire sur les chromes rutilants du véhicule, un pompier déroule sa lance pendant que la barre de gyrophares posée sur le toit éclabousse de taches lumineuses les façades des immeubles. Une femme crie de joie sous la salve d'applaudissements spontanée que le quartier réserve aux héros.

BLUES ARCHIVES UNIVERSITY OF MISSISSIPPI

L'un des plus grands groupes jamais réunis : Muddy Waters,
Jerome Green, Otis Spann, Henry Strong, Elgin Evans et
Jimmy Rogers (de gauche à droite)

Sur South Lake Park Avenue se trouve une petite
maison biscornue. Le temps et le manque d'entretien
ont flétri le visage du domicile de Muddy Waters, une
demeure naguère riante où la peinture craque désormais
sur le bois. L'un de ses fils l'habite toujours, Charles
Morganfield, mais le souvenir de Muddy est plus frais
dans l'esprit des quatre vieillards assis devant *Smitty's
Corner*, au coin de la Trente-cinquième rue et d'Indiana
Avenue. C'est là que Muddy Waters a passé le plus clair
de son temps dans les années cinquante. Devant la
vitrine condamnée de l'épicerie, les grands-pères évoquent un type "sympa, pas ramenard, qui traînait
souvent dans le coin. Puis on a commencé à le voir de
plus en plus rarement."

Quand sa carrière a décollé, Muddy Waters a fait appel
aux phrasés tranchants de Little Walter, alias Marion
Walter Jacobs. L'harmoniciste naît en 1930 en Louisiane
dans un milieu extrêmement modeste, et quitte enfant le
domicile familial. A douze ans, Little Walter joue dans

les rues de La Nouvelle-Orléans et plus tard à Helena,
qu'il rallie pour rencontrer son modèle, Sonny Boy
Williamson. Le vieux maître, impressionné par le talent
du garçon, le prend sous son aile et l'emmène dans le
studio de KFFA. Little Walter découvre alors les
possibilités fabuleuses que l'amplification réserve à son
instrument. Il ne s'attarde pas et file à Chicago pour
jouer sur Maxwell Street. Big Bill Broonzy remarque le
jeune homme, le présente à Tampa Red et Sunnyland
Slim, mais Little Walter ne parvient pas à percer.
Il forme alors équipe avec Muddy Waters et le guitariste
Jimmy Rogers. Ce dernier a lui aussi fait le pélerinage
d'Helena pour se rapprocher de ses idoles de KFFA,
Williamson et Lockwood. L'entente parfaite, selon
Muddy Waters : "Little Walter, Jimmy Rogers et moi, on
sortait dans les bars écouter la concurrence. On
s'appelait les 'chasseurs de têtes' entre nous et dès
qu'on trouvait le moyen de monter sur la scène, on
passait les autres groupes au grill... On voulait travailler
et on apprenait à jouer ensemble, en répétant et
répétant encore. Mais tous les trois, on avait ça en
nous." Bagarreur et doté d'un caractère exécrable, Little
Walter se taille la réputation d'un élément
incontrôlable. De tous les musiciens qui ont quitté le
giron de Muddy Waters pour mener une carrière en solo,
il est le premier.
L'occasion se présente en mai 1952 avec l'imposant
succès de *Juke*. Le groupe enregistre un instrumental
qu'il a l'habitude de jouer pendant ses concerts, sans
jamais avoir pensé à lui donner un titre. Quelques
semaines passent et Leonard Chess, qui n'est pas
parvenu à se faire une idée, décide d'écouter la bande à
plein volume dans son magasin. Devant la vitrine, une
vieille dame qui s'est abritée pour échapper à l'averse
esquisse des dandinements au son de la musique.
Leonard flaire le bon coup et file graver le morceau,
baptisé *Juke* au dernier instant et fort généreusement
attribué à Little Walter, qui n'en est pas l'auteur, mais
dont l'exceptionnelle maîtrise et la ligne mélodique
contenue laissent une empreinte évidente. Le disque
s'installe pendant six semaines au sommet des ventes et
devient le titre phare de Chess.
Little Walter atteint son apogée à vingt-cinq ans lorsque
Willie Dixon lui offre un pur bijou : *My Babe*. La
chanson dépasse les ventes de *Juke* et démontre un
contrôle vocal prodigieux qui laisse pantois John Lee
Hooker lui-même. Très demandé en dépit du déclin de
la vieille génération de l'écurie Chess, l'harmoniciste se
produit régulièrement. Il tourne même en 1964 avec les
Rolling Stones, mais la chance aussi : dans un combat
de rue crapuleux qui le prend par surprise en février
1968, Little Walter tombe.

Little Walter

BLUES ARCHIVES UNIVERSITY OF MISSISSIPPI

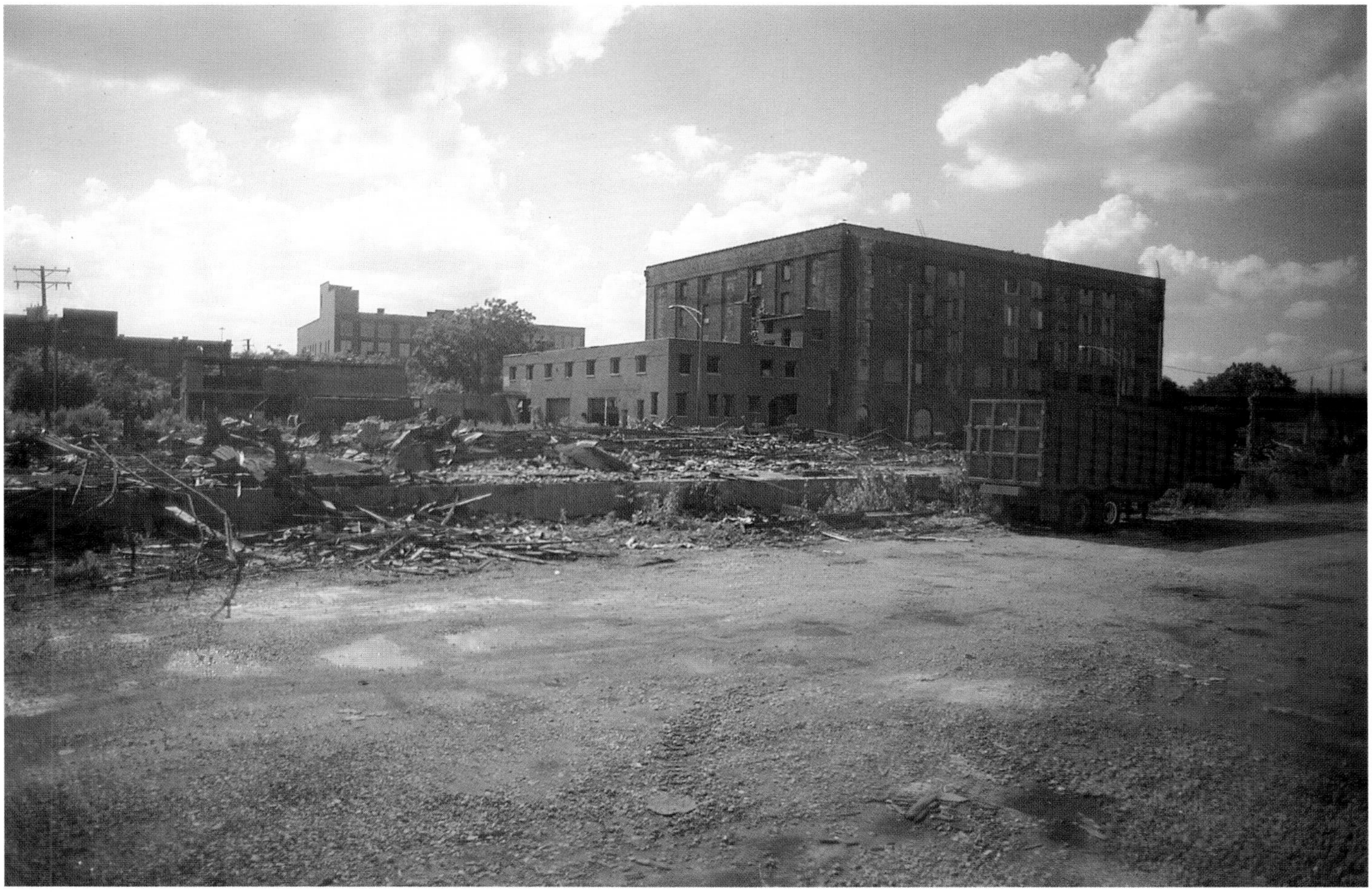

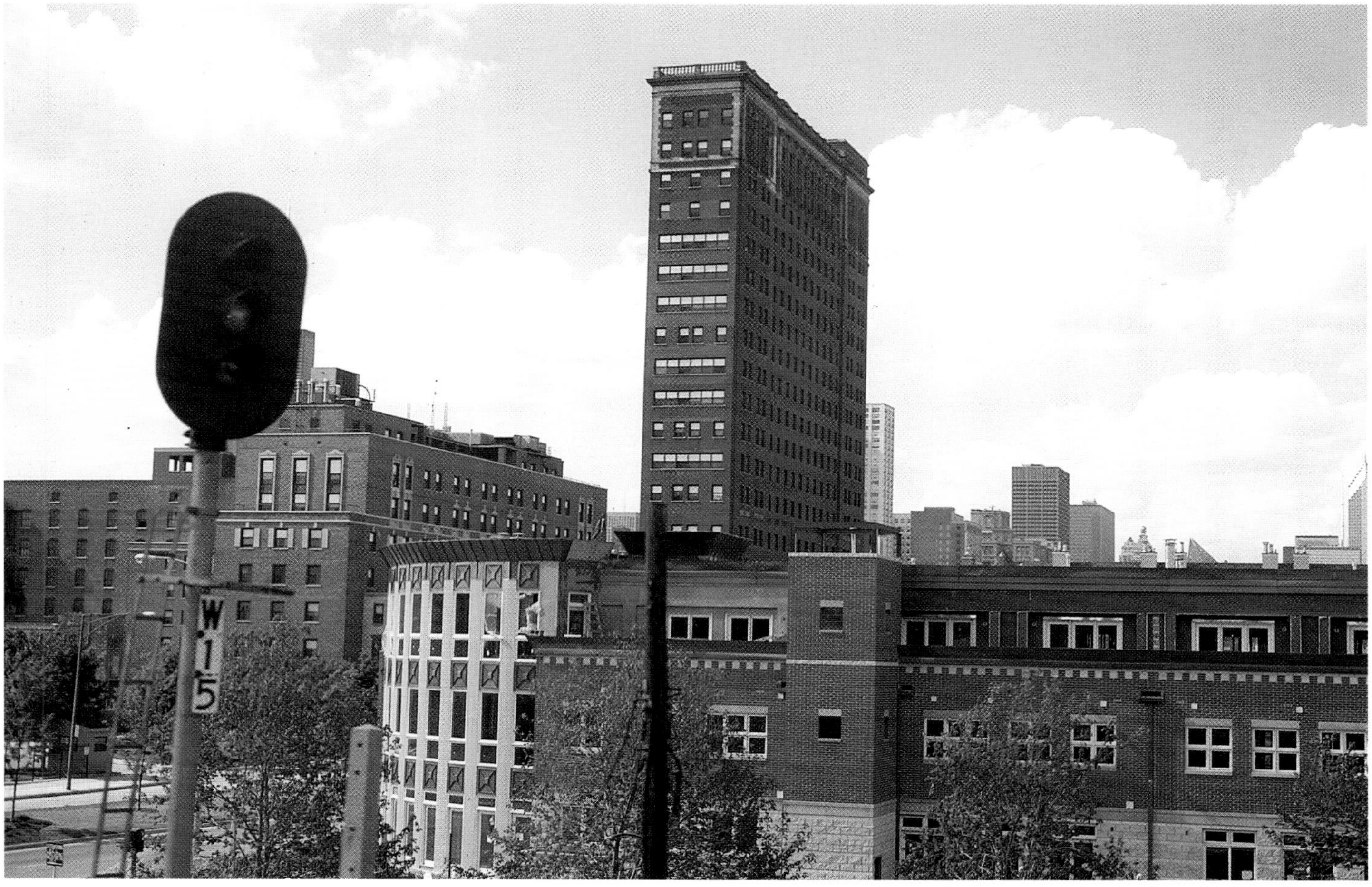
W 15

Chess

L'histoire du plus célèbre label de blues se confond avec celle de ses propriétaires, deux frères qui ont à peine connu leur Pologne natale quand ils mettent le cap sur le Nouveau Monde. Leonard et Phil Chez débarquent à *Ellis Island* en 1928 et retrouvent leur père, un menuisier du quartier juif de Chicago. Pendant que son cadet sert sous les drapeaux, Leonard se lance avec succès dans le commerce de spiritueux puis dans le show business : les bars qu'il achète dans le *South side* ne désemplissent pas. Frappé par le manque d'infrastructures techniques disponibles en ville, il s'associe à Evelyn Aron pour créer le label Aristocrat en 1947. Trois ans plus tard, la disparition de Bluebird bouleverse le paysage musical de Chicago. Leonard saisit l'occasion pour clore l'épisode Aristocrat et fonder avec Phil une maison de disques. Elle portera leur nom d'adoption, américanisé en Chess. Le blues n'occupe alors que le tiers du catalogue mais prospère lorsque Willie Dixon rejoint l'équipe, en 1952. Son renfort amorce l'apogée d'un label qui compte déjà dans ses rangs les stars les plus prisées du moment comme Muddy Waters, Howlin' Wolf ou Little Walter.

Au cœur du *South side*, Chess bénéficie d'un environnement humain et artistique exceptionnel continuellement enrichi par l'arrivée des meilleurs musiciens du Mississippi. Son succès et sa suprématie sur le blues de Chicago résultent aussi de l'organisation mise en place par Leonard. Travailleur infatigable et businessman pragmatique, l'aîné des Chess dévale les routes du Sud dans une camionnette farcie de disques et tisse un réseau de contacts efficaces. Les mailles serrées du filet lui permettent d'engager Walter Horton et Howlin' Wolf pendant qu'à Chicago, les succès de Muddy Waters assurent une rente au label.

Pour répondre au plus vite à la demande d'un marché vorace, Chess dispose de délais d'enregistrement, de fabrication, de distribution et de commercialisation extrêmement courts. Par ailleurs, le producteur noue des liens privilégiés avec les disc-jockeys des radios noires lors de ses voyages promotionnels, grâce à des faveurs en espèces sonnantes et trébuchantes. Plus tard, il s'offre une radio de Chicago qu'il rebaptise aussitôt WVON, *Voice Of the Negro*. Assurés d'une large diffusion, les disques estampillés Chess ou Checker - le label filiale - se vendent par milliers, principalement dans le Sud et sur les rives du lac Michigan.

A partir de 1953 et de la création de leur compagnie d'édition musicale, ARC Music, les deux frères régentent les copyrights, unique source de revenus de musiciens peu au fait des subtilités juridiques. Soucieux de renforcer leur hégémonie sur la scène de Chicago, les Chess enregistrent parfois certains chanteurs simplement pour les empêcher de signer chez un concurrent. Le tandem fonctionne à merveille : plutôt en retrait mais de caractère affable, Phil s'attire la bienveillance des artistes tandis que 'Len' se charge de la production et des questions financières.
Personnage secret, retors et peu scrupuleux, ce dernier débarque un jour dans le studio avec un disque de démonstration envoyé par un inconnu. Leonard le passe aux musiciens qui répétaient et demande s'ils sont capables d'en faire autant. Comme ils aquiescent, Len remet le disque dans l'enveloppe pour le retourner à l'expéditeur et enregistre l'air avec les artistes maison !
Ses relations difficiles avec l'argent donnent lieu à des épisodes cocasses. Quand ses poulains le pressent de s'acquitter des sommes qu'il leur doit, Leonard leur donne rendez-vous dans son bureau et file peu avant leur arrivée. Sa secrétaire les installe et leur offre moult boissons en attendant le patron, qui "ne va pas tarder." Une heure plus tard, celui-ci appelle pour s'enquérir de l'état d'ébriété de ses protégés. S'étant assuré qu'ils sont bien éméchés, il revient en s'excusant et propose un accord à l'amiable portant sur la moitié seulement des sommes dues. Lorsqu'un artiste s'entête, comme Willie Mabon qui envisage de traîner Chess en justice, Len verse des dessous de table à l'avocat. L'homme s'adapte en permanence à ses interlocuteurs et, s'il respecte de fortes têtes comme Muddy Waters,

Phil

"Nous pensions que Leonard Chess était envoyé par le ciel, parce qu'il permettait à des gens comme moi de saisir leur chance. Mais c'était aussi un putain de voleur et si ma femme n'avait pas été là, je crois que j'aurais pu le tuer de mes propres mains." (Bo Diddley)

Willie Dixon ou Little Milton, Leonard méprise en revanche ceux qui n'hésitent pas à signer un bout de chiffon en échange de quelques billets verts.

Côté musique, ses goûts reposent d'abord sur des critères commerciaux : il s'en faut de peu qu'il ne manque Muddy Waters et plus tard Chuck Berry. Quand ce dernier sort *Maybellene* en 1955, le premier *single* de Chess vendu à plus d'un million d'exemplaires, il est prié d'enregistrer à tour de bras. "On partageait le studio avec Muddy et les autres. Il y avait une telle activité à l'époque que Leonard nous demandait de passer outre les petits défauts pour graver le maximum de chansons, parce que les disques se vendaient comme des petits pains" se souvient Chuck Berry.

Obnubilé par ses résultats, Len pressure ses artistes jusqu'au tarissement de leur inspiration ou de la demande du marché, qu'il inonde volontiers de productions indigentes. *"If shit sells, we'll sell shit"* : le credo artistique de la maison ouvre la porte à quantités de variétés qui affadissent son catalogue, mais Chess demeure une figure incontournable, un personnage capable de tenir lui-même la batterie derrière Muddy Waters comme de flâner sur Maxwell Street, l'oreille aux aguets.

Quand il disparaît, victime d'une crise cardiaque le 16 octobre 1969, Leonard Chess laisse derrière lui une maison de disques évaluée à dix millions de dollars. Un héritage inestimable.

Y. BRUYNOOGHE, BLUES ARCHIVES UNIVERSITY OF MISSISSIPPI

Howlin' Wolf, le Back Door Man *: "Men don't know, but the little girls understand"*

Son talent a résonné dans les studios Chess, au 2120 South Michigan Avenue. Décevants, ils ont perdu leur vitalité de la grande époque. Le minuscule immeuble de béton blanc appartient désormais à la fondation Willie Dixon, qui va le rénover pour y installer une école de musique. Les locaux de l'*American Postal Workers Union* et de l'*American Federation of Labour*, qui encadrent le bâtiment, témoignent d'un Chicago ouvrier et populaire. Une affiche jaunie gît sur le sol des studios, vestiges de l'âge d'or du label. Elle représente Howlin' Wolf pendant un concert, debout sur la table d'un bar, l'index tendu vers le public. Le Wolf a longtemps disputé la vedette à Muddy Waters et à Little Walter chez Chess, grâce à un blues aussi carré que son physique de paysan. Né en 1910 dans le Delta, Chester Burnett a longtemps hésité à faire métier du blues. *Sharecropper* comme ses parents, il découvre la musique à la plantation *Dockery* sous l'égide de Charley Patton, qui le prend en amitié. 'Big Foot' Chester, comme on l'appelle alors, pratique l'harmonica et la guitare avec une égale opiniâtreté, sans abandonner pour autant son gagne-pain, le travail aux champs.

Howlin' Wolf franchit le pas au lendemain de la guerre et gagne West Memphis, où il se dégote un show sur les ondes de KWEM. Il rencontre les frères Bihari par l'entremise d'Ike Turner et, à quarante ans, son nom apparaît pour la première fois sur un disque : les deux chefs-d'œuvre produits par Sam Phillips, *How Many More Years* et *Moanin' at Midnight*, échappent aux Bihari et atterrissent sur le bureau des Chess. Wolf travaille simultanément pour Sun et Chess jusqu'à ce que Leonard lui fasse signer un contrat d'exclusivité. Il rejoint alors Chicago et grave une série de succès sous la houlette de Willie Dixon. La basse de ce dernier, le piano d'Otis Spann et la batterie d'Earl Phillips canalisent l'énergie du géant, pendant que Hubert Sumlin crache les solos abrasifs de *Back Door Man*, *I Ain't Superstitious* et *The Red Rooster*. Souple comme le cuir et tranchante comme l'acier, la voix du Wolf n'a pas d'égal.

Peu à son aise dans les studios - l'ingénieur du son Malcolm Chisholm le traitait de *bone stupid* - Howlin' Wolf laisse exploser son talent en concert. Le colosse grimpe sur les tables, chahute ses musiciens et gronde des orages dantesques soutenu par un Sumlin à l'apogée de son art. "C'était un extraordinaire *showman*, personne ne lui arrivait à la cheville," raconte Little Milton.

Dans le South side, *vers 1955. Big Bill Broonzy troque sa guitare pour un appareil photo et immortalise la virée de quatre copains :*
Elmore James, Sonny Boy Williamson, Tommy McClennan et Little Walter (de gauche à droite)

Y. BRUYNOOGHE, BLUES ARCHIVES UNIVERSITY OF MISSISSIPPI

"Nous étions tous les deux chez Chess et lors d'une tournée commune à East Saint Louis la conversation a glissé sur le terrain financier. Wolf se plaignait de ne pas recevoir beaucoup d'argent. Je lui ai conseillé d'en parler à Leonard, sachant que ce dernier n'avait pas pour habitude de prévenir ses artistes qu'il leur devait du fric. Mais leur discussion s'est enflammée et le boss m'a ensuite passé un savon terrible !"
Névrosé à tendance paranoïaque, Howlin' Wolf entretient des rapports tendus avec son entourage et s'accroche souvent avec Sonny Boy Williamson ou Muddy Waters. Il ne pardonne pas à ce dernier de lui avoir ravi Hubert Sumlin pendant plus d'un an. Comme les deux autres stars de Chess, Wolf établit de nombreux contacts avec les musiciens anglais

avides de Chicago blues. Il enregistre même à la fin des années soixante avec Eric Clapton et peu avant sa mort, en 1976, son numéro faisait encore recette dans les festivals blancs.
Il a amplement contribué aux ventes de Chess lorsqu'apparaît en 1953 une marque concurrente, Vee Jay. *Vee,* alias Vivian Carter, est une ancienne animatrice de radio qui s'est associée à *Jay,* Jimmy Bracken, ex-voiturier à Detroit. Six ans avant Motown, le premier label noir du Nord démarre en trombe : Vee Jay s'abonne pour quelques années aux premières places des *charts* rythm'n'blues, porté par les ventes de ses deux têtes d'affiche, John Lee Hooker et Jimmy Reed. Grâce à des perles comme *Baby What You Want Me to Do, Bright Lights, Big*

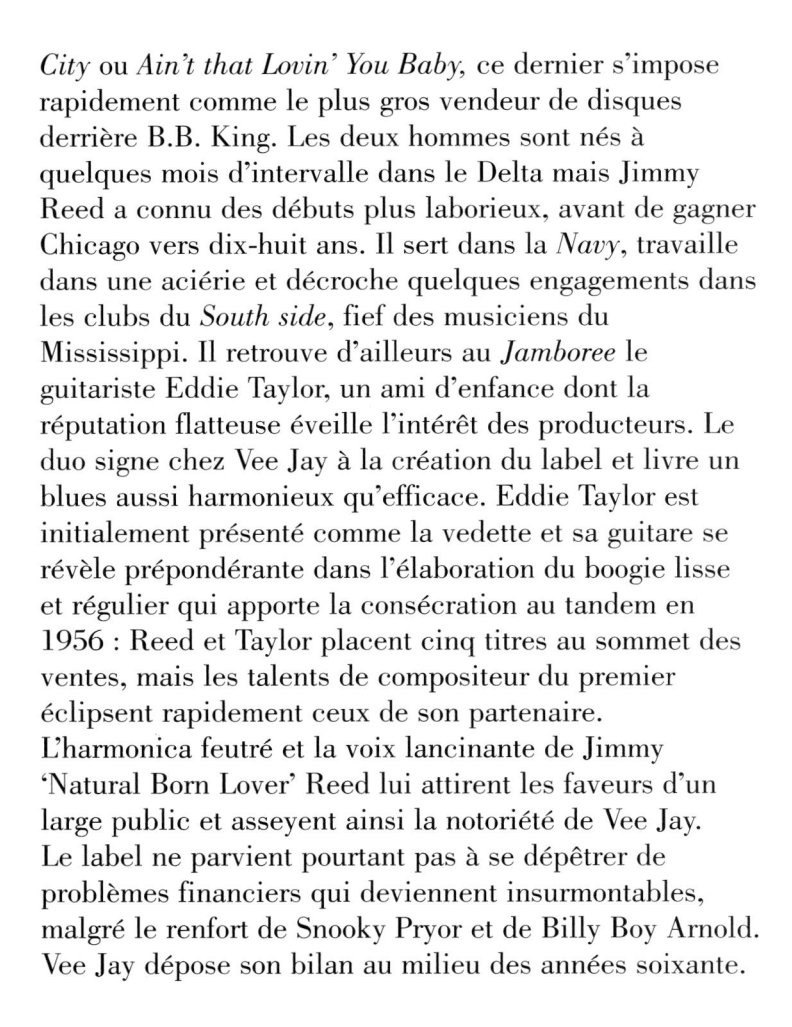

City ou *Ain't that Lovin' You Baby*, ce dernier s'impose rapidement comme le plus gros vendeur de disques derrière B.B. King. Les deux hommes sont nés à quelques mois d'intervalle dans le Delta mais Jimmy Reed a connu des débuts plus laborieux, avant de gagner Chicago vers dix-huit ans. Il sert dans la *Navy*, travaille dans une aciérie et décroche quelques engagements dans les clubs du *South side*, fief des musiciens du Mississippi. Il retrouve d'ailleurs au *Jamboree* le guitariste Eddie Taylor, un ami d'enfance dont la réputation flatteuse éveille l'intérêt des producteurs. Le duo signe chez Vee Jay à la création du label et livre un blues aussi harmonieux qu'efficace. Eddie Taylor est initialement présenté comme la vedette et sa guitare se révèle prépondérante dans l'élaboration du boogie lisse et régulier qui apporte la consécration au tandem en 1956 : Reed et Taylor placent cinq titres au sommet des ventes, mais les talents de compositeur du premier éclipsent rapidement ceux de son partenaire. L'harmonica feutré et la voix lancinante de Jimmy 'Natural Born Lover' Reed lui attirent les faveurs d'un large public et asseyent ainsi la notoriété de Vee Jay. Le label ne parvient pourtant pas à se dépêtrer de problèmes financiers qui deviennent insurmontables, malgré le renfort de Snooky Pryor et de Billy Boy Arnold. Vee Jay dépose son bilan au milieu des années soixante.

Les tours du *Loop* se dressent vers le ciel comme des aiguilles d'argent et jettent un reflet hautain au *South side*, ras et misérable. Le gratte-ciel noir qui se détache du centre ville s'enorgueillit d'être le plus haut des États-Unis : la Sears Tower abrite le siège du géant de la vente par correspondance, une institution dont le catalogue a appris à lire à des générations d'enfants pendant que d'autres égaraient leurs songes sur les modèles de guitares.

Elle veille sur deux siècles d'histoire : on recensait à peine cinq cents âmes à Chicago en 1833, alors comptoir commercial et garnison militaire, mais la ville franchit le cap des cent mille habitants en 1860, puis celui du million trente ans plus tard. L'épi de jais annonce désormais la troisième ville du pays.

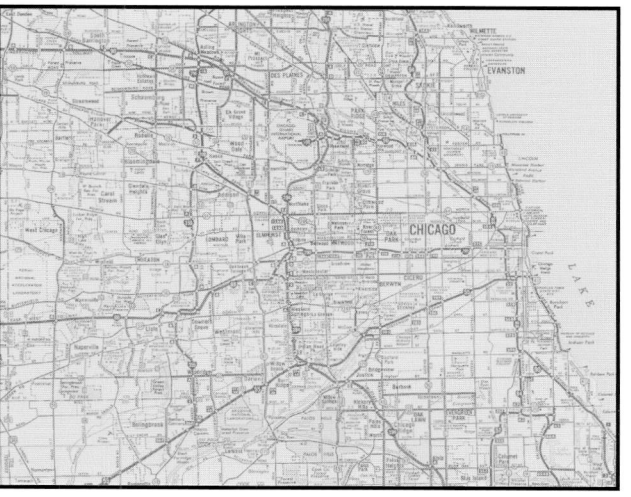

10

CHICAGO

Dans un pays où tout monument devient historique le jour de ses cinquante ans, la rue et son quartier auraient dû forcer l'admiration. Lieu de mémoire douloureux parce que situé à la confluence des migrations européenne et noire, Maxwell Street fut le point de rencontre des minorités entassées dans un angle mort de Chicago, à la jonction des *South* et *West side*, mais aussi le terrain d'expression privilégié des bluesmen du Mississippi émigrés dans la métropole du Nord. Frontière du Delta et de l'Ukraine, Maxwell Street était un extravagant concentré d'histoire et d'humanité, l'épine dorsale d'une succession de maisons à l'abandon entourées de terrains vagues. Le dimanche matin, jour de marché, des effluves d'essence et de saucisses cuites au barbecue se répandaient au fil des rues. Des tessons de bouteilles et des lambeaux de pneus dépassaient d'un sol grisâtre et poussiéreux, tandis qu'une myriade de camelots discutaient devant leurs fourgonnettes, les bras posés sur des tréteaux jonchés de marchandises

disparates, parfois de troisième main. La mosaïque
raciale du petit peuple de Chicago se pressait dans ce
généreux capharnaüm entre le marché aux puces et la
salle de concert à ciel ouvert : Maxwell Street était une
friche urbaine kaléidoscopique. Elle disparaît
aujourd'hui sous les coups des bulldozers, victime des
prétentions immobilières de l'université de l'Illinois.
A l'été 1994, Maxwell Street voit pour la dernière fois le
soleil. La musique est omniprésente et l'on entend
partout le son distordu et rauque d'un blues dépouillé
des arrangements de studio et des fioritures d'usage.
Dans une rue adjacente à Maxwell, Piano C. Red a
installé son groupe sur la plate-forme d'un camion
immobilisé. Les musiciens enchaînent les standards sous
les applaudissements nourris d'une foule qu'un
marchand ambulant gave de bière et de hot dogs. De
polish sausage aussi, une spécialité venue d'Europe
orientale avec l'émigration massive du début du siècle.
Cette présence ne s'est pas éteinte comme en témoigne
l'inscription *"Mr Leonard's Clothing"* qui barre le haut
d'une vitrine opaque. Les commerces de vêtements et les
bijouteries ne se comptent plus dans cette ruelle où tout
s'achète et se vend dans d'épais relents de friture. "Les
Juifs ont gardé leurs magasins dans le *West side* mais pas
leurs maisons précise Bruce Iglauer. Les Noirs avaient le
sentiment que ces marchands ne venaient que pour leur
prendre leur argent ; le vieux fantasme, avec une petite
part de vérité tout de même. Mais vu la façon dont
l'immobilier marchait, les deux communautés étaient les
plus mal logées." Maxwell Street fut aussitôt rebaptisée
Jew Town.

A un jet de pierre des amplis de Piano C. Red, sur un parking désaffecté où rouillent deux minibus privés de roues et de fauteuils, un groupe se met en place tranquillement. Les musiciens peinent à accorder leurs instruments et embrayent au fur et à mesure derrière le bassiste qui envoie la ligne irrésistible de *What I'd Say* et prend le micro sur *The Thrill is Gone*. Un saxophoniste blanc fait swinguer l'ensemble à brefs coups de riffs bien sentis, ancrés dans les méandres du Mississippi. Trois clochards vautrés dans un monticule de pneus regardent la scène avec amusement, un œil mi-clos, l'autre encore sous l'emprise des psychotropes absorbés au petit déjeuner. L'un d'eux se lève et s'approche, chancelant, avant de gesticuler sans cohérence particulière, au grand bonheur de ses compères, hilares. Coiffé d'une visière de golf, il cherche au sol un objet invisible et finit par ramasser un tapis de voiture en plastique gris sur lequel il n'arrêtera plus de danser. Une amie du groupe l'imite bientôt et roule des hanches sous sa jupe blanche, les mains croisées sur les cuisses.

Le batteur, Sam Oliver, profite d'une pause pour avaler une bière bien méritée sous ce soleil de plomb. Né dans

Bo Diddley

l'Arkansas, il habite Chicago depuis l'âge d'un an : "Je sais pas à quoi ça ressemble là-dessous, mais j'ai pas franchement envie de voir, lâche-t-il, goguenard. Maxwell Street l'hiver, c'est l'enfer sur terre. Il fait un froid, *man*, un froid à crever." Assis sur un parpaing, sa casquette rouge à l'envers, Sam pose sa bouteille entre ses pieds et secoue le bidon grâce auquel pièces et billets ont été glanés pendant la première partie du show. "On fait plus de fric ici que dans un bar comme *Lily's*, où on joue parfois le vendredi. Quand ils auront tout détruit, il va falloir bouger, probablement vers le sud-est, de l'autre côté" fait-il dépité en pointant son bras vers des clôtures nouvellement plantées qui masquent, en arrière-plan, une fade ribambelle d'immeubles à deux étages.

Bo Diddley a aussi débuté sur Maxwell. Pendant les années quarante, après avoir arrêté la boxe, il monte avec le percussionniste Jerome Green et l'harmoniciste Billy Boy Arnold un ensemble qui le consacre comme l'inventeur d'un rythme tenace à mi-chemin entre le blues et le rock'n'roll, le *Bo Diddley Beat*. Né Ellas McDaniels à McComb, un bourg frontalier de la Louisiane, Bo Diddley illustre le cheminement classique du musicien du Mississippi lancé par Maxwell Street. Face aux migrants originaires de l'Alabama, de Georgie ou d'ailleurs, ceux du *Magnolia State*, de loin les mieux représentés, serraient les coudes et se cooptaient en arguant de leur maîtrise du Delta blues et de son inimitable *delay*.

They Call Me Muddy Waters

Le père du Chicago blues a découvert la rive du lac Michigan en mai 1943. Personne n'avait encore trouvé ce son unique dans sa densité, ce rythme lourd et profond gavé d'électricité qui sont l'apanage de McKinley Morganfield, alias Muddy Waters, roi de la scène pendant quatre décennies.

Né en 1915 au pôle sud du Delta, à Rolling Fork, l'enfant a trois ans lorsque décède sa mère, Bertha Jones. Sa grand-mère maternelle vient le prendre et le ramène chez elle, sur la plantation *Stovall*, au nord de Clarksdale. "Dès que j'ai pu ramper, j'allais jouer dans de la boue, j'essayais même d'en manger. Ma grand-mère m'a donné le surnom de *Muddy*. Et les enfants ont ajouté *Waters*."

Il apprend l'harmonica à sept ans et se considère déjà "très bon à treize", assez juge-t-il pour passer à la guitare. Son House, Robert Johnson, Memphis Minnie, Robert Petway ou Leroy Carr figurent dans son répertoire. Muddy Waters se marie à dix-sept ans, fabrique le meilleur whisky de Clarksdale et organise des tripots clandestins dans un *roadhouse* qui lui appartient. Quand Alan Lomax et John Work font sa connaissance en 1941, Muddy Waters se méfie d'emblée : "Je me suis demandé s'il ne s'agissait pas de policiers rusés venus

m'embarquer pour contrebande d'alcool." Il joue *Country Blues* aux envoyés de la *Library of Congress*, "un air de Robert Johnson que Son House m'a appris."

Alan Lomax revient un an plus tard pour enregistrer à nouveau le prodige. Muddy Waters déborde de confiance mais hésite pour faire carrière entre le base-ball, l'Église ou la scène. Les charmes de Clarksdale et de ses interminables rangées de coton épuisés, il part à vingt-huit ans pour le Nord où il trouve aussitôt du travail. Dans le milieu de la musique, tout reste à prouver, et il échafaude patiemment son ascension. Muddy Waters multiplie les séances de répétition grâce à Sunnyland Slim qui le présente au producteur Lester Melrose en 1946, sans succès.

Livreur pour le compte d'un marchand de stores, il accepte immédiatement de rééditer l'opération l'année suivante chez Aristocrat, le label de Leonard Chess et d'Evelyn Aron, toujours à l'initiative de Sunnyland Slim. La session commence mal : *"What's he singing ?"* demande Leonard qui ne comprend pas un traître mot aux paroles. "Len ne m'aimait pas au tout début", déplorera simplement Muddy Waters. Son talent crève les yeux et les tympans d'Evelyn Aron. Comme Marion

D. SHIGLEY

Keisker dans le cas d'Elvis chez Sun, seul l'élément féminin de l'équipe a compris l'importance du phénomène : Evelyn persuade Leonard de signer l'artiste sur-le-champ.

La reconnaissance pointe en avril 1948 avec *I Can't Be Satisfied*, où l'accompagnent 'Baby Face' Leroy Foster et Jimmy Rogers. Little Walter rejoint le trio à la fin de l'année 1950 lorsque, Evelyn Aron disparue, Aristocrat prend le nom de Chess. Muddy Waters rayonne sur la scène de Chicago avec *Louisiana Blues*, enregistré en octobre. *"Take me with you man, when you go"* lui répond Little Walter en emboîtant le pas aux brefs coups de *bottlenecks* tranchants que lance la guitare :

"I'm gon' show all you good looking women
Just how to treat your man"

Du *Hoochie Coochie Man* à *I Just Want to Make Love to You*, Muddy Waters proclame l'état d'urgence sexuelle, hurle *I'm a Man* et précise *"a full grown man"*. Personne ne lui résiste : "Je n'ai vu qu'une fois Muddy sur scène, alors qu'il était encore diminué par un grave accident de voiture dont il se remettait à peine, évoque Bruce Iglauer. Pour les femmes qui se trouvaient là, il restait d'abord un sex-symbol : elles rêvaient toutes de

se l'envoyer et le lui criaient haut et fort."
Les lèvres rondes et dodues, les yeux en amande rehaussés par des pommettes saillantes, il dégage une sérénité totale et ressemble à ce bouddha noir auquel le compare Keith Richards. Muddy Waters dégage un charisme seul susceptible de calmer une colère de Little Walter ou de gagner la sympathie de tous les musiciens qui l'ont accompagné à Chicago : Sonny Boy Williamson, Junior Wells, James Cotton, Pinetop Perkins, Fred Below, Lafayette Leake... Muddy Waters a laissé une marque affective indélébile chez son "frère" Otis Spann, chez Johnny Winter ou chez le jeune Chuck Berry, que Leonard Chess a failli laisser filer. "Aujourd'hui c'est ton jour, demain ce sera celui d'un autre" répète leur père spirituel.
Quand il disparaît le 30 avril 1983, le petit garçon de Rolling Fork a transfiguré le blues du Delta. En dépit de quelques intrusions folk ou de la pédale wah-wah sous la pression de Leonard Chess qui essayait de relancer ses ventes dans la seconde moitié des années soixante, le blues de Muddy Waters n'a jamais fait de concessions pour élargir son audience, en particulier auprès du public blanc. Des générations de rockers s'en chargeaient pour lui et il le savait : *The Blues Had a Baby and They Named it Rock and Roll*.

Les piliers du West side blues étaient de ceux-ci. En trente-six disques et trois années d'activité seulement, c'est le label Cobra d'Eli Toscano qui en a donné l'impulsion. Son propriétaire accueille en 1956 un Willie Dixon en froid avec les Chess et forge avec lui l'archétype d'un son nouveau qui fait la part belle aux guitares et s'inspire du jeu de B.B. King : le guitariste Jimmy Dawkins l'explique par la volonté de gonfler le son de l'instrument afin de compenser l'absence de cuivres et d'un groupe complet pour des raisons financières.

Chez Cobra, Dixon s'appuie sur Magic Sam et Otis Rush. Magic Sam - né Sam Maghett en 1937 - s'est construit sa propre guitare avant d'arriver dans le Nord, vers quinze ans. Sam se taille un nom dans les clubs et enregistre à partir de 1957 pour Cobra, mais

sa carrière accuse un brusque coup d'arrêt deux ans plus tard, lorsqu'il passe quelques mois à l'ombre pour avoir négligé la convocation de l'armée. De retour sur les scènes de Chicago l'année suivante, Magic Sam impose son style fluide et métallique nourri de *gimmicks* incessants. Peu après un concert unanimement salué au festival d'Ann Arbor de 1969, il décède d'une crise cardiaque.

L'autre prodige de Cobra, Otis Rush, débarque à Chicago en 1948 à l'âge de quatorze ans. Après quelques saisons de rodage, son interprétation du *I Can't Quit You Baby* de Dixon, en 1956, lui assure l'unique gros succès d'une carrière en demi-teinte. Willie Dixon le ramène dans ses valises avec le promoteur Buddy Guy quand il réintègre Chess, en 1959 : Cobra n'a pas survécu à la mort d'Eli Toscano,

dont le corps a été repêché dans le lac Michigan. La tonalité corrosive du West side blues s'est perpétuée grâce à d'autres artistes comme le texan Freddie King, installé à Chicago depuis 1950 et disparu prématurément. Il avait été révélé par l'instrumental *Hide Away* et une reprise brillante du *Have You Ever Loved a Woman* de Lightnin' Hopkins. Plus tard, Eric Clapton et ses Dominos hisseront cette dernière au rang de chef-d'œuvre.

Sous l'impulsion de Cobra, l'électrification du blues s'intensifie dans le Nord pendant les années cinquante et scelle le sort de la contrebasse, dont le chaloupement acoustique ne survit pas aux solos percutants des guitares. David Myers, qui fait alors partie des Aces, expérimente une basse électrique derrière Junior Wells. D'autres groupes, comme les House Rockers qui accompagnent Hound Dog Taylor, se contentent d'une deuxième guitare pour tenir la ligne de basse.

"Well I know you don't love me, and I know the reason why
Well I know you don't love me, and I know the reason why
Well you take all my money, and you treat me like a child,
like a child"

She's Gone s'ébranle dans un terrible grondement, un
songe infernal et magique : né à Natchez, Mississippi,
en 1917, Hound Dog Taylor repousse les limites du
West side blues. Il invente un univers rugueux lacéré de
slide. "Je l'ai aperçu pour la première fois en 1969 dans
un *jam* au bar du saxophoniste Eddie Shaw, sur West
Madison, raconte Bruce Iglauer. C'était un lundi soir, il
y avait Magic Sam, Otis Rush, Jimmy Dawkins et Eddie
Shaw derrière le bar. Quand Hound Dog s'est assis avec
sa guitare, ça a été le massacre habituel, parce que les
autres musiciens peinaient pour l'accompagner : il
attaquait un morceau et s'arrêtait brutalement au bout
de trente secondes pour raconter une blague que
personne ne comprenait mais qui le faisait mourir de
rire. Puis il allumait une tige et se remettait à jouer,

Florence's Lounge, *au début des années soixante-dix : "Hound Dog Taylor était né avec douze doigts. Il avait tranché le sixième à sa main gauche avec un coupe-chou parce qu'il en avait honte et le trouvait gênant pour jouer du bottleneck," raconte Bruce Iglauer.*

balançait une nouvelle vanne et ainsi de suite. Tout le monde l'aimait, c'était clair, mais pas pour sa musique."

Iglauer retrouve le guitariste un an plus tard chez *Florence's*, un bar ordinaire d'une rue sans joie, au rez-de-chaussée d'un petit immeuble. "Le dimanche après-midi, on poussait les tables pour faire place au goupe. Il n'y avait pas d'estrade ni de sono, et Hound Dog branchait son micro dans l'ampli de sa guitare, quelque chose de banal pour l'époque. Ted Harvey était à la batterie et j'ai soudain ouvert les yeux. Entre deux et sept heures du soir, ils ne se sont arrêtés qu'une seule fois." Le public danse allègrement alors que le troisième homme, Brewer Phillips, échange les lignes de basse sur sa Telecaster avec Hound Dog. "Taylor jouait sur une Kingston, une guitare japonaise bon marché. Il était capable de faire un tabac en restant assis : tout son corps remuait sauf ses fesses, scotchées sur la chaise. Il faisait plaisir à voir." Abasourdi par le phénomène, Iglauer en touche deux mots à Bob Koester dans l'espoir de l'enregistrer au plus vite. "Bob ne l'avait jamais vu que dans le rôle du pitre, pas avec son groupe. Il n'était pas intéressé. Il faut avouer que Hound Dog n'arrangeait pas les choses : pendant un moment on ne le voyait plus que sous une affreuse perruque." Iglauer devient le producteur, le manager et le chauffeur de celui qui chante en retour, par dérision, *Give Me Back My Whig*. Derrière le clown, Iglauer découvre un homme hanté par les démons du Sud : menacé de mort pour avoir séduit une femme blanche, il avait dû s'enfuir à Chicago en 1942, le Ku Klux Klan aux trousses. "Il racontait beaucoup d'histoires, mais quelque chose de sérieux avait effectivement dû se produire là-bas. Hound Dog refusait catégoriquement de retourner dans le Mississippi et faisait des cauchemars horribles la nuit."

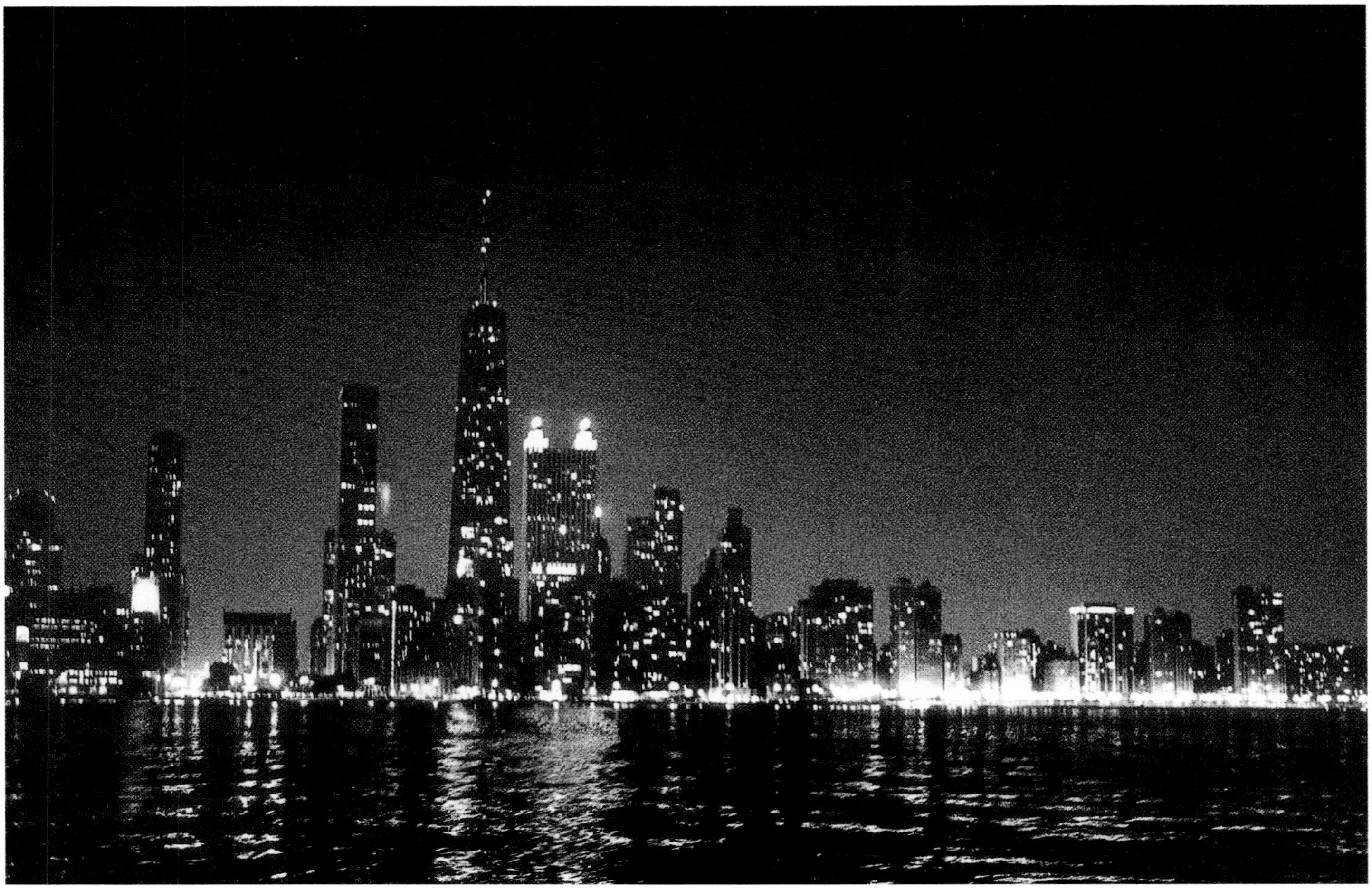

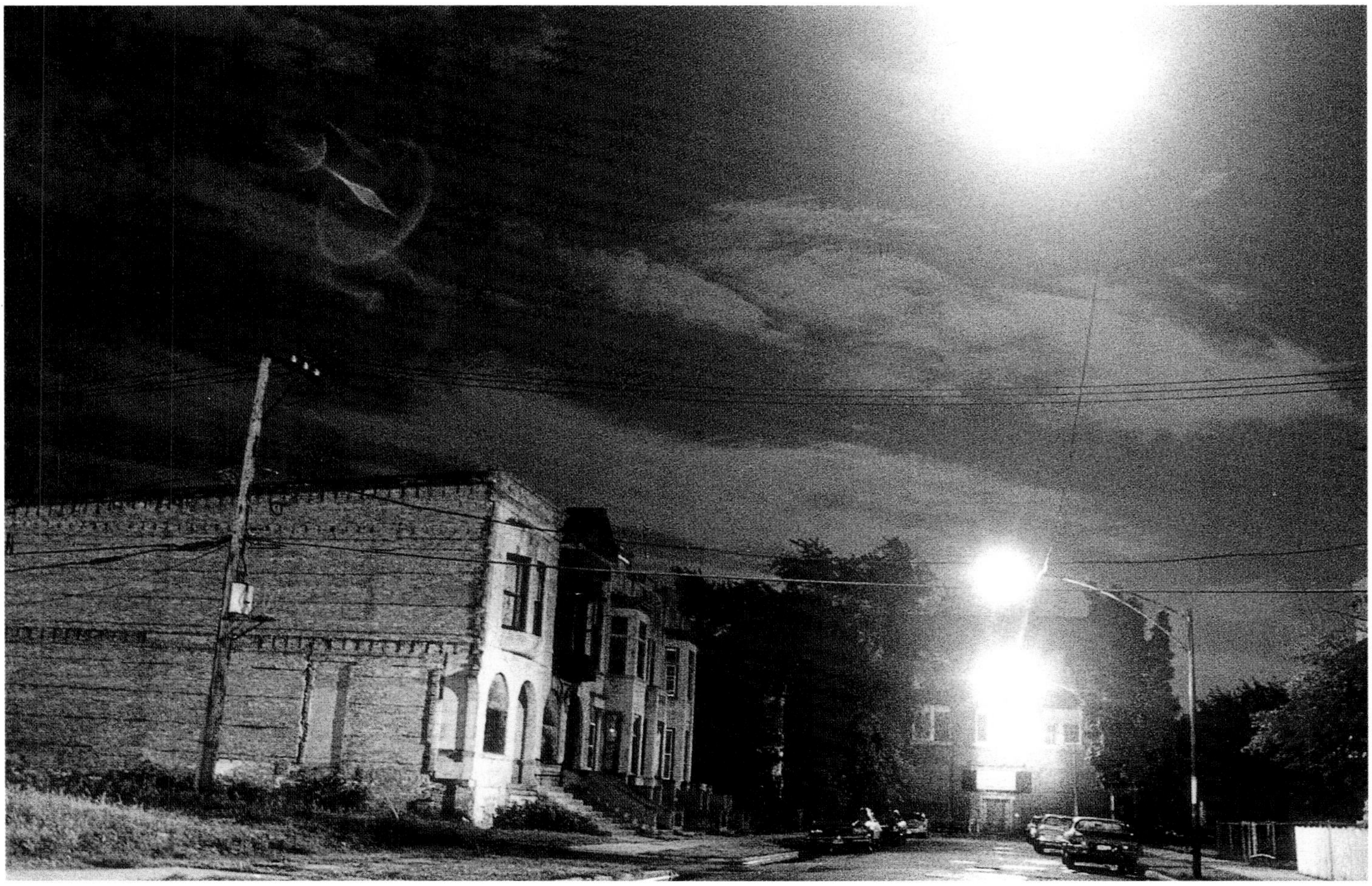

Bruce Iglauer

Il s'est installé à Chicago pour assouvir une passion dévorante qui l'a conduit en 1971 à fonder son label. Alligator Records est né autour d'un artiste d'exception, Hound Dog Taylor, et s'est développé depuis en produisant la crème du blues contemporain comme Albert Collins, James Cotton ou Koko Taylor.

Parmi les différents types d'influences qui composent le Chicago blues, on peut distinguer l'avant-guerre, le son du *South side*, celui du *West side*... Pourquoi une telle complexité ?

C'est à la fois une conséquence des schémas de migrations et de la ségrégation. Quand ils sont arrivés à Chicago au début du siècle, les Noirs ont eu du mal à se loger. Les propriétaires rechignaient à leur louer des appartements. Il n'y avait qu'autour d'Indiana Avenue, dans un quartier pauvre au sud du centre ville, qu'ils parvenaient à trouver rapidement un toit. Le ghetto du *South side* s'est développé avec la Première Guerre mondiale sur une longue bande étroite qui descendait jusqu'à la Cent dixième rue. Les rapports avec la communauté voisine d'origine irlandaise étaient souvent tendus mais la ville n'en exerçait pas moins une véritable fascination sur les habitants du Sud. "Si vous ne trouvez pas de boulot à Chicago, vous n'en trouverez nulle part", disait-on là-bas. Dans ses colonnes, le *Chicago Defender*

décrivait la ville comme un paradis : on pouvait se syndiquer, gagner de l'argent et un nouveau statut à la sueur de son front. C'était une ville industrielle dont l'expansion continue créait des milliers d'emplois. Les abattoirs, la sidérurgie et les usines étaient autant d'alternatives au *sharecropping*.

A partir de 1940, l'industrie de guerre a créé un besoin supplémentaire de main-d'œuvre, qui s'est poursuivi jusqu'aux années cinquante, avec un rajeunissement des nouveaux arrivants. Comme le *South side* était surpeuplé, ces derniers se sont dirigés vers le *West side*, un quartier encore plus pauvre. Les Juifs qui s'y étaient établis depuis trente ans déménageaient au nord ou plus à l'ouest, vers de meilleurs quartiers. La nouvelle génération de migrants du Sud les a progressivement remplacés à l'ouest de Maxwell Street, ce qui a entraîné quelques frictions, une défiance et parfois un mépris réciproque. A la charnière des deux ghettos, Maxwell Street était le point de rencontre des musiciens. Une pratique plus insidieuse mais aussi virulente de la ségré-

Bruce Iglauer et la guitare de Hound Dog Taylor

ALLIGATORS RECORDS

gation sévit encore aujourd'hui et Chicago est peut-être la ville la plus rétrograde du pays en la matière.

Comment se portait le blues quand vous êtes entré dans les affaires ?
J'ai commencé à travailler chez Delmark en janvier 1970. Bob Koester m'avait fait découvrir *Theresa's*, le *Blue Flame* ou *Pepper's Lounge* qui étaient les seuls clubs à programmer des groupes en semaine. La clientèle des bars du *South* et du *West side* était en majorité ouvrière et se levait à six heures pour travailler. En revanche, le samedi soir, on comptait une trentaine de concerts simultanés. Mon meilleur souvenir demeure *Florence's*, où Hound Dog Taylor jouait tous les dimanches après-midi. Il tenait la scène quatre ou cinq heures d'affilée, c'était extraordinaire. J'ai proposé à Bob Koester de le produire mais il ne voulait pas entendre parler de ce guitariste qui traînait une réputation de clown incorrigible. J'ai donc quitté Delmark pour enregistrer Hound Dog.

Comment se sont déroulées les premières années ?
Si je n'avais pas commencé Alligator en 1971, mais dix-huit mois plus tard, je me serais planté. J'ai bénéficié de la prolifération des radios FM étudiantes pour assurer une large diffusion au disque de Hound Dog. Mais, très vite, certains ont décrété que la musique noire serait le "baiser de la mort" pour le rock, et la radio s'est de nouveau trouvée sous la coupe raciale. Entre-temps, j'avais vendu neuf mille exemplaires de l'album, ce qui m'a permis de produire d'autres disques et de développer Alligator. De deux salariés, nous sommes passés à une vingtaine aujourd'hui et nos ventes ne cessent de grimper. Mais je ne suis jamais parvenu à m'implanter durablement sur le marché noir. On y place quelquefois un tube, sans vraiment savoir pourquoi. C'est frustrant, mais je ne parviens pas à trouver la formule magique pour marcher des deux côtés de la rue en même temps. Les deux publics sont complètement autonomes : il y a une quinzaine d'années, Z.Z. Hill a fait un triomphe avec *Downhome Blues*, dont il a vendu plus de quatre cent mille exemplaires, sans pour autant atteindre le marché blanc. Inversement, six cent mille copies du *Strong Persuader* de Robert Cray sont parties et je ne connais pas un seul Noir qui l'ait acheté.

La scène de Chicago a-t-elle rétréci ces vingt dernières années ?
Difficile à dire, mais son public a changé. En 1970, on ne croisait pas plus de dix Blancs dans les clubs noirs, alors qu'aujourd'hui on peut écouter du blues dans le *Loop*. Des bars spécialisés comme le *Wise Fool* ont ouvert au début des années soixante-dix. Parce qu'ils payaient mieux, ces établissements ont vite attiré les musiciens du ghetto. Je me souviens par exemple d'une conversation avec Son Seals, dans laquelle j'évoquais *Florence's* et le bon vieux temps, les habitués qui revenaient chaque semaine. Il m'a coupé : "Moi aussi, mais je ne regrette pas ces discussions interminables à la fin de la soirée, quand il fallait se battre pour gratter vingt dollars !" La tendance ne s'est jamais inversée, et aujourd'hui, on recense à peine une petite douzaine de clubs dans les *South* et *West sides*.

Les clubs de blues ont déserté l'un après l'autre le Chicago noir depuis le début des années soixante-dix. Petit à petit, leurs portes se sont closes pour rouvrir au nord de la ville, à portée du public blanc. De rares établissements battent encore pavillon dans le *South side*. Parmi ces rescapés, le *New Checkerboard Lounge* se terre sur la Quarante-troisième rue, désormais rebaptisée Muddy Waters Drive. A droite de l'entrée, dans un petit renfoncement, quatre vieux tapent le carton les yeux mi-clos et la mine grave, pendant que des cigarettes se consument dans le cendrier. Un assortiment de blues, de soul et de jazz noyé dans de la variété s'échappe du juke-box. Tassé entre le bar et les lavabos, un vidéo-poker attire les riverains pendant la journée et une clientèle plus variée le soir, parfois le touriste qui s'aventure hors du *Loop* pour s'encanailler.

Un plafond bas surplombe quelques longues planches étroites qui tiennent lieu de tables et une scène nichée plus loin. Parmi les musiciens qui se succèdent *on stage*, Vance Kelly et son groupe assènent des reprises des Commodores que les rares consommateurs du milieu de semaine écoutent sans conviction. Quelques minutes passent avant que le petit bonhomme ne prenne sa chance et entame un morceau de B.B. King. Vance Kelly exécute un solo classique à la manière du maître, puis se lance dans une improvisation plus lourde où sa guitare ouvre de nouveaux horizons, confirmant un talent qui en fait l'une des valeurs montantes de la scène locale. Malgré la bonne volonté de nombreux *performers*, l'établissement n'est plus qu'une version édulcorée du club qui appartenait naguère à Buddy Guy, où se pressaient les plus grandes stars de la ville.

Le guitariste possède désormais un bar situé plus au nord, au carrefour de Wabash et de la Septième rue :

Le *Buddy Guy's Legends* marque la fin du *South side*. Son décor ne témoigne pas d'énormes efforts d'imagination, entre les six-cordes des amis de Buddy et les *Grammies* du patron, en passant par les inévitables billards et un imposant *gift shop*, commerce oblige. Promu tête d'affiche de Chicago depuis la disparition de Muddy Waters et de Willie Dixon, George 'Buddy' Guy, né en Louisiane en 1936 mais chicagoan depuis 1957, dispose d'une prestigieuse carte de visite : il a enregistré pour Cobra après une prestation incendiaire lors d'une *Battle of the Blues* avec Magic Sam et Otis Rush. Passé chez Chess, Buddy Guy a également entamé une collaboration avec Junior Wells qui culmine avec le superbe *Hoodoo Man Blues*, sorti sur Delmark. Ce proche d'Eric Clapton, au jeu acéré et à la voix perçante, s'est affirmé comme une des valeurs sûres du marché du disque. Son *Damn Right I've Got the Blues*, porteur d'une *Mustang Sally* bondissante, a joyeusement traversé les *charts*.

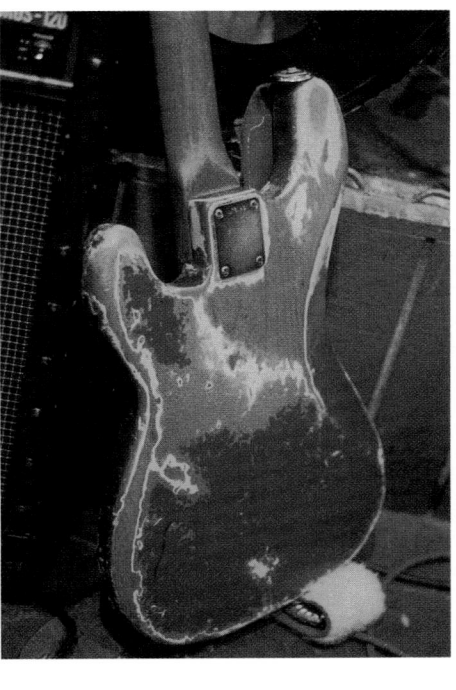

Son *Buddy Guy's Legends* ouvre la liste des bars disséminés autour du *Loop* qui assurent à de nombreux musiciens un revenu décent et une notoriété certaine. Willie Kent a fait du *Chicago Blue* son repaire, où il joue trois ou quatre fois par semaine devant une assistance bon enfant accoudée au long bar en forme de péniche, conviviale celle-ci. Pour l'heure, le crépuscule électrique de Chicago descend lentement sur *Downtown*. La porte est encore close, les premiers clients n'arriveront que plus tard. Son visage d'ébène barré d'un sourire désarmant, Willie Kent traverse la rue, jette un œil à travers la vitre et accompagne son entrée d'une flopée de saluts débonnaires. A cinquante-huit ans, le vieux briscard a traîné ses guêtres sur toutes les scènes. "J'ai quitté Shelby, Mississippi, avec mon oncle à la fin des années cinquante. Chicago était moins raciste que le Sud et les jobs payaient mieux. A l'époque, je n'avais jamais touché un instrument, mais je me suis vite intéressé au blues grâce à un ami dont le cousin connaissait vaguement Elmore James. On allait souvent l'entendre chez *Sylvio's* ou ailleurs. Il marchait très fort, comme Muddy, Howlin' Wolf, J.B. Hutto ou Eddie

Taylor."A force de fréquenter les bars, Willie Kent se met à la basse, répétant tard dans la nuit au fond d'une cave du *West side*. "On a rapidement décroché quelques concerts dans les clubs, sans espérer en vivre pour autant. Il fallait travailler pendant la journée." Successivement mécanicien, carrossier et conducteur de bulldozer, il devient musicien à plein temps en 1987. "Depuis, je réussis à vivre de la musique parce que le blues n'a jamais aussi bien marché que depuis la fin des années quatre-vingt ; il est de plus en plus à la mode aux États-Unis ou en Europe. On tourne parfois là-bas, on est même allés au Japon. Pourtant, à Chicago, je ne joue plus que pour des établissements blancs parce que la plupart des clubs noirs ne programment plus de blues." L'arrivée des premiers clients, des hommes d'affaires sortant d'un congrès, marque le début d'une nouvelle soirée avec ses trois sets conventionnés. Willie Kent livre son show dans une salle comble et assure lui-même la promotion de son dernier album paru chez Delmark, dont les studios se trouvent *uptown*, dans Rockwell Avenue.

Au-dessus des eaux claires du lac Michigan que les voiliers et les hors-bords constellent de points blancs, les tours du *Loop* se détachent comme les piquants d'un gigantesque oursin blotti sur la rive. Ce bouquet de verre et d'acier qui a poussé après l'incendie de 1871 laisse apparaître la richesse et l'inspiration de l'école d'architecture de Chicago. Un flot de voitures file sur l'*expressway* du Lakefront Drive qui remonte la berge dans un travelling parfait.

Les antennes du John Hancock Building, poseur et superbe, percent vers le ciel derrière la façade rétro de l'hôtel Drake dont les lettres néo-gothiques dominent la cime des arbres dans le virage grandiose de Oak Street, où commence le *Magnificient Mile*. Le soleil couchant embrase ce décor d'exception d'un feu rougeoyant qui fuse sur la Prairie, où les boulevards scintillent peu à peu et se muent en un labyrinthe de lumière la nuit venue.

Le dédale mène aux studios de Rockwell Avenue, où règne en maître Bob Koester. Le fondateur de Delmark, un sexagénaire trapu, possède aussi un magasin dans le *Loop* : le *Jazz Record Mart*, paradis pour collectionneurs et amateurs qui fut longtemps le seul pont entre la scène noire et le public blanc. Collectionneur de disques à Saint Louis, où une rencontre avec Big Joe Williams l'éveille au blues, Bob Koester a rallié Chicago à la fin des années

cinquante, lorsque la ville avait encore des airs d'*Eldorado* pour producteurs. Roosevelt Sykes, Robert Jr Lockwood, le trio Junior Wells-Buddy Guy-Otis Spann, Sleepy John Estes, J.B. Hutto, Magic Sam, Otis Rush, Carey Bell et Big Time Sarah ont ainsi enregistré pour Delmark, qui s'est imposé comme l'un des labels les plus productifs du Chicago des trente dernières années.

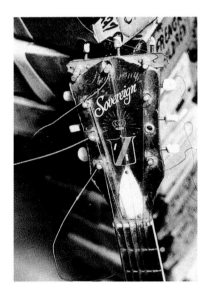

Comme Jim O'Neal à Clarksdale, Koester fait encore presser quelques trente-trois tours. "Ils se vendent mieux qu'on pourrait le croire", dit-il en fouinant dans un placard où reposent, sous de vieux catalogues et une couche de poussière, les masters de quelques sessions taillées avec Willie Dixon et des inédits de Jimmy Reed. Leur producteur a délaissé ses premières amours pour le reggae, la musique africaine ou le jazz et ne croit guère aux vertus de l'actuel regain d'intérêt pour le blues. "Chaque année, de nouveaux disques sont publiés ou réédités, mais pas un ne décolle véritablement, juge Bob derrière ses lunettes. A l'exception de B.B. King, Otis Rush, Buddy Guy, John Lee Hooker et Junior Wells, aucun artiste vivant ne profite de cette mode qui ne repose en fait que sur des *guitar heroes*, un archétype issu du seul rock'n'roll." Aujourd'hui, les pressages de Delmark dépassent péniblement la barre des cinq mille exemplaires, une misère par rapport à son plus gros succès, le *Hoodoo Man Blues* de Junior Wells, sorti en 1965.

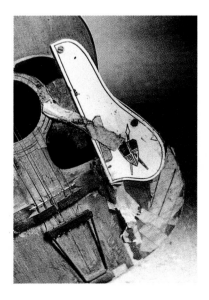

L'artiste maison, c'est lui. Originaire de Memphis, Wells connaît déjà Junior Parker et Howlin' Wolf quand il monte chercher la gloire à Chicago. Il se lie aussi d'amitié avec Muddy Waters, et remplace au pied levé Little Walter dans son groupe lorsque le succès tourne la tête de ce dernier. Les deux hommes échangent alors curieusement leur place : Junior Wells rejoint la formation de Waters tandis que Little Walter prend la direction des Aces, son précédent groupe, où se trouvent Louis Myers, David Myers et Fred Below. Wells tourne avec Buddy Guy dans les années soixante, ce dernier se cachant sous le pseudonyme de 'Friendly Chap' pour enregistrer chez Delmark alors qu'il est sous contrat avec Chess.

Junior Wells chez Theresa's : "J'avais repéré un harmonica au mont-de-piété. Comme il coûtait deux dollars, j'ai travaillé pour un marchand de limonade en faisant l'école buissonière. A la fin de la semaine, le patron ne me paya qu'un dollar cinquante, et quand je suis retourné dans le magasin, le prêteur sur gages ne voulut rien entendre. Comme il s'était éloigné du comptoir, j'ai posé mon argent et filé avec l'harmonica. Plus tard, le juge me demanda pourquoi j'avais agi ainsi et je lui dis qu'il me le fallait absolument. Il me fit souffler dedans puis se tourna vers le vendeur pour lui donner cinquante cents : Affaire classée !"

D. SHIGLEY

Le Blues Fest

Pilier de la scène de Chicago, Junior Wells se produit régulièrement au festival qui se tient au mois de juin dans Grant Park, un écrin de verdure lové entre le *Loop* et le lac Michigan. Le Chicago Blues Festival attire la crème des musiciens de la ville et des centaines de milliers de spectateurs venus des quatre coins du pays. Depuis sa fondation en 1983, l'année de la disparition de Muddy Waters, le Blues Fest a vu défiler des vedettes du calibre de B.B. King, Albert King ou Willie Dixon, et des pointures plus modestes, de Bob Margolin à Snooky Pryor en passant par Honeyboy Edwards.

Trois scènes se partagent les faveurs du public : le *Front Porch stage* privilégie le blues du Delta, celui du *Crossroads* fait jaillir l'électricité avec des formations musclées, et le *Petrillo Music Shell* prend le relais à la fin de l'après-midi pour accueillir les têtes d'affiche, devant une foule qui a déjà transformé la pelouse centrale de Grant Park en un immense campement. Amateurs et connaisseurs, Noirs et Blancs, jeunes et vieux se mêlent en un public joyeux et insouciant, venue témoigner son admiration aux patriarches Jimmy Rogers ou Sunnyland Slim.

Dans l'atmosphère chaleureuse et roborative de ces trois jours de fête, le blues s'éclaircit la voix et rappelle l'importance fondatrice qui a présidé à la naissance du rock'n'roll. De retour d'une tournée en Europe avec Howlin' Wolf pendant le *Blues Revival*, le toujours inspiré Hubert Sumlin était resté médusé par le culte que leur vouaient les guitaristes anglais : "Quand on est arrivés là-bas, je n'en suis pas revenu, ils en savaient plus sur notre compte que nous-mêmes, ou presque !"

Pensait-il aux Rolling Stones ? Quelques centaines de mètres séparaient les maisons de Keith Richards et de Mick Jagger mais les gamins n'avaient jamais sympathisé. Leurs chemins se croisèrent de nouveau à l'aube des années soixante, dans un train de la banlieue londonienne qui les ramenait à Dartford. La peau laiteuse, le cheveu long et épais, Richards aperçut Jagger dans le même état, avec deux disques de Chess sous le bras : "Je reluque les pochettes, je vois *The Best of Muddy Waters* et *Rockin' at the Hops* de Chuck Berry. Des trucs introuvables ! Je m'approche de Mick et je lui dis : Salut, ça va... Fais-voir les disques !"

BIBLIOGRAPHIE

Philippe Bas-Rabérin, *Le Blues Moderne (1945-1973)*
Albin Michel/ Rock & Folk, 1973

Christiane Bird, *The Jazz and Blues Lover's Guide to the U.S.*
Addison-Wesley, 1994

Hugh Brogan, *The Pelican History of the United States of America*
Pelican Books, 1986

Samuel Charters, *The Legacy of the Blues, art and lives of twelve great bluesmen*
Da Capo Press, New York 1977

Bruce Cook, *Listen to the Blues*
Scribners, 1973

Spencer R. Crew, *Field to Factory, afro-american migration 1915-1940*
National Museum of American History, Smithsonian Institution 1987

Anthony DeCurtis & James Henke (with George-Warren Holly), *The Rolling Stone Illustrated History of Rock'n'Roll*
Random House, New York 1992

Anthony DeCurtis & James Henke *The Rolling Stone Album Guide*
Random House, New York 1979

Willie Dixon & Don Snowden, *I Am the Blues, the Willie Dixon story*
Da Capo Press, 1989

Colin Escott & Martin Hawkins, *Good Rockin' Tonight*
St Martin's Press, 1991

William Ferris, *Blues From the Delta*
Da Capo Press, 1978

Julio Finn, *The Bluesman, the musical heritage of black men and women in the Americas*
Interlink Books, 1986

Steve Franz, *Elmore James, the ultimate guide to the master of the slide*
Primal Art, 1994

Arti Funaro & Artie Traum, *Chicago Blues Guitar*
Oak Publications, 1983

Peter Guralnick, *Sweet Soul Music, rythm'n'blues and the southern dream of freedom*
Harper & Row, 1986

Peter Guralnick, *Searching for Robert Johnson, the life and legend of the 'king of the Delta Blues singers'*
Dutton, 1992

W.C. Handy, *Father of the Blues*
Da Capo Press, 1969

Sheldon Harris, *Blues Who's Who, a biographical dictionary of blues singers*
Da Capo Press, 1979

Steve LaVere, *Robert Johnson, the complete recordings*
Columbia, 1990

Alan Lomax, *The Land Where the Blues Began*
Pantheon Books, 1993

W. Augustus Low & Virgil A. Clift, *Encyclopedia of Black America*
Da Capo Press, 1981

Giles Oakley, *The Devil's Music, une histoire du blues*
Denoël, 1985

Jas Obrecht, *Blues Guitar, the men who made the music*
GPI Books, 1990

Paul Oliver, *The Blackwell Guide to Recorded Blues*
Blackwell Reference, 1991

Robert Palmer, *Deep Blues*
Penguin Books, 1981

Tony Palmer, *All You Need is Love, the story of popular music*
Grossman/Viking, 1976

Joe Nick Patoski & Bill Crawford, *Stevie Ray Vaughan, caught in the crossfire*
Little, Brown & Company 1993

Mike Rowe, *Chicago Blues, the city and the music*
Da Capo Press, 1975

Eric Sackheim, *The Blues Line, a collection of blues lyrics from Leadbelly to Muddy Waters*
The Ecco Press, 1993

Robert Santelli, *The Big Book of Blues, a biographical encyclopedia*
Penguin Books, 1993

Jeff Todd Titon, *Downhome Blues Lyrics, an Anthology from the Post-World War II Era*
University of Illinois Press, Urbana and Chicago 1981

Ainsi que les revues : *Living Blues, Off Beat, the Memphis Commercial Appeal, the Reader.*

I N D E X

REMERCIEMENTS

Frank Frost, Leïla, Leslie et Tom Freudenheim, Giorgio Gomelsky, Pierre et Stéphane Tiné, Darling Harrison, Pat Campbell, Mary Jackson, Sonny Payne, Mary Shepard, Patrick Weil, Agnès et Ken Jacobs, Mimi Aubert, Mark Pokempner, A.F. Betsch, Jeff C. Bilek, Daniel Boulud, Karl Minor, Anne de Greffulhe, Kevin Brinkley, Sarah Malher, Becki, Eric 'Honky Tonk' Chol, L.T. Clerk, Christina 'Bescherovska' Connor, JoAnn et Mike Devorkin, Paula Edmé, Steve Franz, Edward Komara, Dolores 'Ma' Garcia, Zizou Gaultier, Mindy Giles, Juàn y Catarina de la Moraleja, Larry Hoffman, Ismaël, Alan Jabbour, Monica Johnson, Barbouch, Scott Shigley, Marie-Do Verdier, Julius, M.C. Kervern, Carlo Ditta, Mathilde de Turckheim, Bob Koester, Phil A. Lassitey, Henri Pieyre de Mandiargues, Jacqueline Sotiroff, Peggy H. McCormick, Kim 'Bruce' Nguyen, Bérengère d'Orsay et Tracy J. Alfery, John Miles, Pauline d'Otom, Jan Ramsey, Laurent Laboutière, Richard Schwegel, Alain Voyer, 'Nightflight' Assouad, Alain Bourgeois, Bruce Talbot, Didier Tricart, Susan Wetzel, Sharon Sartou, Pat LeBlanc, Peter Christmas, Jean 'Lowell' Mareska.

and special thanks to

Philippe Olivera, Joel Slotnikoff, Nicole Devilaine, Judy Peiser, Bruce Iglauer, Jean-Guillaume Welgryn, Jim O'Neal, Odile Beaufumé, Bill Ferris et Marine Legargeant.

SOMMAIRE

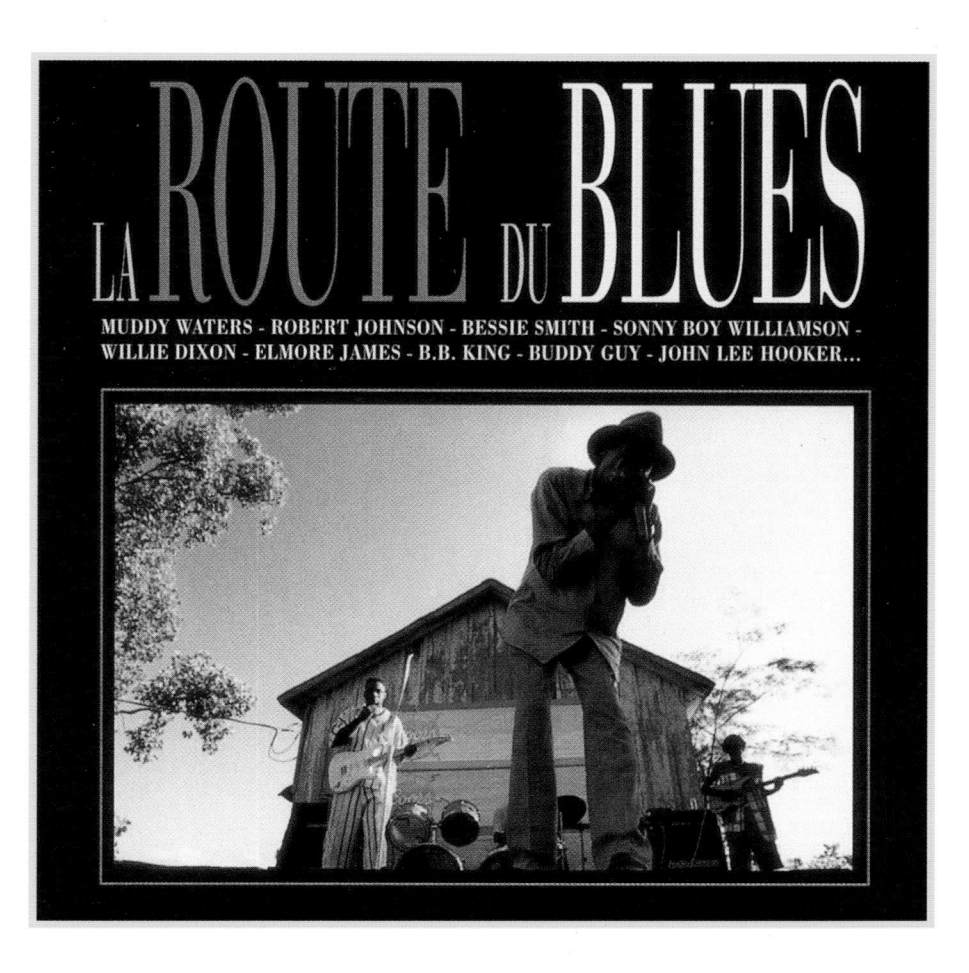

LA ROUTE DU BLUES

MUDDY WATERS - ROBERT JOHNSON - BESSIE SMITH - SONNY BOY WILLIAMSON -
WILLIE DIXON - ELMORE JAMES - B.B. KING - BUDDY GUY - JOHN LEE HOOKER...

Des racines du Delta à l'électricité de Chicago, un voyage musical exceptionnel avec B.B. King, Muddy Waters, Robert Johnson, Sonny Boy Williamson, John Lee Hooker, Bessie Smith, Buddy Guy, Little Milton, Albert King, Albert Collins...
En un coffret 3-CD et plus de soixante titres, SONY MUSIC a réuni les musiciens de légende et les plus grands artistes contemporains.

Cet ouvrage tiré à 5000 exemplaires
a été achevé d'imprimer en février 1995
par l'imprimerie PPO. 93500 Pantin

Direction artistique et maquette : Pierre NOËLL
Gravure : PPO

N° ISBN : 2 - 909 413 - 17 - 9
Dépôt légal : mars 1995

© Éditions d'Art J.P. BARTHÉLÉMY - 8, rue de la liberté - BP1825 - 25011 BESANÇON Cedex 2